Demain, il fera beau...

Céline Rouillé

City
Roman

© City Editions 2015

Couverture : © Studio City

ISBN : 978-2-8246-0637-8
Code Hachette : 17 1760 6

Rayon : Roman

Collection dirigée par Christian English et Frédéric Thibaud
Catalogues et manuscrits : www.city-editions.com

Dépôt légal : août 2015
Imprimé en France par France Quercy, 46090 Mercuès - n° 50843/

À mes parents,
mes sœurs,
ma fille.

Première partie

I

8 septembre 1970

Mon cher Gabriel,
Je repousse l'écriture de cette lettre depuis bientôt une semaine. Depuis que je sais que je ne pourrai me soustraire à la nécessité de partir, j'esquive ce moment de t'expliquer la décision que j'ai prise.
Une nouvelle est arrivée par la poste il y a deux semaines. Le cachet indiquait que son expéditeur me l'avait adressée de l'hôpital où séjourne Philippe. Écrire son nom me permet de te rappeler, autant qu'à moi-même, son existence qui, si elle n'a tenu qu'à un fil pendant ces mois, n'en est pas moins bien réelle.
Philippe est revenu. Je suis sincèrement heureuse de cet incroyable événement et pourtant cette nouvelle me bouleverse. Nous n'en avons jamais parlé. La détresse dans laquelle la tragédie de son accident m'a plongée fut la raison de ma retraite ici même l'été dernier.
Je revois ton visage à travers la porte vitrée de la cuisine quelques semaines après mon arrivée. Ton beau visage et ton regard un peu timide, tes phrases maladroites en m'offrant ces prunes sucrées que tu venais de cueillir... dans mon verger sans le savoir...
J'ai vécu d'intenses mois auprès de toi et j'ignorais pouvoir goûter à nouveau à ce bonheur simple et immédiat avant notre rencontre.

7

Philippe s'est réveillé.

Les médecins ont attendu trois jours avant de m'écrire. Ils ne croyaient pas ce qu'ils voyaient ; ils craignaient que son état se détériore subitement et qu'il sombre à nouveau dans un coma profond. Il est mon mari, et aussi le seul ami qui me soit resté depuis le décès de mes parents. Il a traversé avec moi les pires années qu'il m'ait été donné de vivre et il est seul à son tour ; je n'ai pas à choisir.

Je voulais te dire cela le plus simplement possible ; je n'en ai pas été capable. L'écrire ainsi accentue la tournure dramatique que je m'efforçais d'éviter. La tristesse et la douleur de te quitter pèsent très lourd. Je te prie d'excuser la maladresse et le manque de légèreté de ces quelques lignes que je désespère de coucher sur le papier depuis le début de la nuit.

Prends soin de toi.

Lise

P-S – Je te laisse quelque chose derrière la pierre de la cheminée. La maison est ouverte.

Désolée de n'avoir pu écrire les mots à la hauteur de ce qu'elle ressentait, Lise plia sans la relire cette lettre, puis elle commença à envelopper précautionneusement le carnet fourni de ses notes de l'année écoulée.

Ses croquis ou ses photos agrémentaient presque chacune des pages noircies au fil des mois. Ses pensées et remarques quasi quotidiennes diraient avec beaucoup plus de justesse les sentiments heureux qui l'avaient habitée, sentiments que l'infinie tristesse de ce jour l'empêchait d'exprimer dans sa courte lettre.

Sur la dernière page, elle avait attaché avec du scotch les deux bijoux précieux offerts par Gabriel : une broche représentant une rose, en or blanc et jaune, et la bague. Sur une impulsion, elle détacha la bague au creux de laquelle leurs prénoms étaient gravés, referma définitivement le carnet et acheva de le recouvrir. Au moment où elle le glissait derrière la pierre de la cheminée, elle ne se doutait pas qu'il y resterait près de quarante ans. Elle mit ensuite l'acte notarial par lequel elle faisait don de sa maison à Gabriel et posa cette dernière enveloppe avant de replacer la pierre sur cette cachette désuète qu'ils avaient découverte ensemble.

Elle mit son manteau, ferma la porte sans un regard à l'intérieur, alla déposer sa missive dans la boîte aux lettres de Gabriel et s'engouffra dans la R16. Elle cessa de respirer jusqu'au bout du chemin. Arrivée à la route, elle inspira une bouffée d'air et se laissa enfin aller aux émotions qui l'étreignaient.

2

Samedi 2 mai 2010

> *Qui dit Amour dit les gosses,*
> *Dit toujours et dit divorce.*
> *Qui dit proches te dit deuils,*
> *car les problèmes ne viennent pas seuls.*
> *Qui dit crise te dit monde dit famine dit tiers-monde.*
> *Qui dit fatigue dit réveille encore sourd de la veille,*
> *Alors on sort pour oublier tous les problèmes.*
> *Alors on danse...*

C'est très étrange d'entendre Stromae ici, se dit Sarah...
Il m'allait très bien, ce petit air de kazoo – ou de
saxo, on ne s'est jamais mis d'accord – quand on dansait
sur le tapis du salon... Une sorte d'hymne aux promesses de
notre nouvelle vie qui embrasait nos apéros dansants au beau
milieu des cartons...

Mais J moins deux avant le commencement de l'aventure,
l'euphorie et l'impatience étaient en train de déserter pour
céder la place aux doutes de ne pas y arriver...

Elle coupa court à l'anxiété qui rôdait en rangeant dans
l'armoire la valise qu'elle venait de vider. Les conversations
gaies et le tintement des verres lui parvenaient aux oreilles
malgré la musique. Elle jeta un œil par la fenêtre de sa chambre
et embrassa la scène qui se jouait sous ses yeux. Ébouriffées
et transpirantes, ses filles sautaient, plus qu'elles ne dansaient

devant la maison avec leurs cousines, la musique à fond (puisqu'il n'y avait pas de voisin, autant se faire plaisir !). Agatha, sa grande Agatha, si réservée d'ordinaire et plutôt discrète, balançait sans retenue son corps qui n'en finissait plus de pousser en faisant voler sa longue chevelure. Noémie, la plus jeune, sept ans d'écart avec sa sœur, n'était pas en reste. Le visage très concentré, elle guettait les mouvements de son aînée qu'elle tentait de reproduire le plus fidèlement possible. Agatha et Noémie, mes trésors, mes pépites, se dit Sarah... Elle eut envie de les prendre contre elle dans l'instant et descendit l'escalier pour les rejoindre.

Elle arriva par-derrière et les attrapa par surprise. Elles se laissèrent faire et restèrent quelques secondes au creux de ses bras, puis Noémie essaya de s'échapper des bras de sa mère en se tortillant dans tous les sens.

— Qu'est-ce qui t'arrive, Mamouche ? lança sa cadette. C'est ta chanson-déprime-qui-donne-la-pêche. Tu danses pas ?

— Elle danse pas, elle flippe, sortit très lucidement Agatha, du haut de sa préadolescence.

Sarah remarqua le regard en coin de sa fille qui guettait sa réaction. Elle manquait rarement de reprendre l'emploi d'un mot familier, mais cette fois elle passa outre.

— Qu'est-ce que tu racontes, ma grande ?

Elle se dégagea et prit son air le plus serein :

— Je suis simplement heureuse de nous voir tous ensemble ici ce soir !

... et pour la dernière fois avant trois semaines, ne put-elle s'empêcher de poursuivre intérieurement. Bien sûr que je suis inquiète, les filles, j'ai même toutes les raisons de la terre de me ronger l'esprit de voir se greffer sur mon vieux rêve une véritable aventure familiale... Et si ce n'était qu'un coup de tête de quadragénaire ? Bien sûr que je doute, Agatha ! J'ai lâché mon CDI avec les tickets resto et la mutuelle, on a vendu le nid où vous nous avez fait expérimenter nos premières nuits blanches consécutives, je m'exile, je nous exile à trois heures de mes copines, des vôtres aussi ! Avec qui j'irai manger des chips à la carotte si j'ai le moral qui flanche ici ? Y a pas d'hôpital à moins de trente kilomètres, et plus possible d'aller chercher du lait au Franprix du bas de l'immeuble sur une envie subite de crêpes à vingt et une heures ! Et tout ça toute seule jusqu'aux grandes vacances ! Et après ? Et si ça ne marchait pas ? STOOOP !

— Vous avez vu où est passée tata ?

Elle, au moins, elle me remettra la tête à l'endroit, se dit Sarah qui décidément avait toutes les difficultés du monde à dissimuler la sourde angoisse qui s'emparait d'elle.

— Elle est au fond du jardin ! lança Noémie, qui enchaînait les pirouettes. Elle te prépare une surprise, j'crois bien !

Léa était effectivement au fond du jardin, dans une posture approximative qui détonnait avec sa tenue décontractée, certes, mais impeccable *as usual* !

— Mais qu'est-ce que tu fais à quatre pattes ? Tu cherches un trésor ?

— J'en plante un, lui répondit Léa, imperturbable. Je prépare les louanges que ne manqueront pas de faire tes hôtes de cet été en goûtant les tomates juteuses que tu leur serviras en salade. Et là, tu répondras que ta sœur préférée et néanmoins unique s'est échinée par une belle fin de journée printanière à planter lesdites tomates au risque de fiche en l'air son pantalon Ralph Lauren !

Sarah s'assit dans l'herbe et regarda en souriant sa sœur, complètement absorbée par son activité de mise en terre.

— Tu jardines depuis quand, toi, au juste ?

— J'ai envie de laisser mon empreinte dans ton nouveau nid. J'ai mis les graines en godet, trois ou quatre par pot, et je les ai chouchoutées, à l'abri d'un film alimentaire pour éviter les pertes d'humidité, au chaud au bord de la fenêtre, et voilà le travail !

— Tu me laisses sans voix...

— Tu sais que les tomates sont des fruits, comme tout le monde, mais sais-tu pourquoi ? Eh bien, poursuivit Léa sans laisser à sa sœur la possibilité de répondre, parce qu'elles sont directement issues des fleurs ! Comme les haricots ! Les haricots sont des fruits, tu te rends compte !

— Après-demain, je vais jouer à la Parisienne dans un cours pour jardiniers débutants ; j'essaierai d'atteindre ton niveau ! Et, mardi, j'attaque le potager après le travail.

Léa se redressa.

— Après le travail ? Tu commences déjà ? Je croyais que tu allais t'autoriser quelques jours de repos avant d'enchaîner ?

— J'aurais aimé, je t'assure, mais c'était à prendre tout de suite ou pas du tout, et j'ai pas trop les moyens de m'offrir le luxe de décliner ce mi-temps à deux kilomètres. C'est e-xac-te-ment ce que je cherchais.

— Hum...

— Tu veux un verre ?

— Avec plaisir... T'inquiète pas, tout va bien aller... Tu auras vite oublié tout ce que tu essaies de ne pas me dire maintenant !

— Je ne vois pas de quoi tu...

— C'est bon, pas avec moi, sœurette. Allez, j'ai terminé, on va fêter ça !

Loin de deviner les doutes et les questions qui s'entrechoquaient dans l'esprit anxieux de sa femme, Daniel s'était attelé au nettoyage en profondeur du barbecue avec son beau-frère. Il la regarda revenir du fond du jardin avec Léa et la trouva vraiment belle. Elle n'arrêtait pas de se plaindre des trois kilos qui s'étaient installés sur ses hanches, mais il aimait voir ses formes soulignées dans cette robe qu'elle remplissait si bien. Il n'avait pas été très enthousiaste lorsque Sarah avait commencé à parler de ce projet, mais il commençait à se faire à l'idée de cette aventure... Il se disait même qu'il allait en retirer des avantages qu'il n'avait pas soupçonnés. Il sursauta quand une main s'abattit sans légèreté aucune sur ses épaules :

— Eh ! beauf ! Tu rêves ou quoi ? Trente minutes que tu frottes au même endroit ! Elles sont pas prêtes de cuire, nos grillades, à ce rythme !

La franche accolade de Paul le ramena au présent, et il

se réattela à la tâche. Trois heures plus tard, le fumet de la viande se répandait dans le jardin…

La soirée fut douce et gaie. Les cousines avaient fait un concours de mots tordus, gagné à l'unanimité par Noémie, qui avait félicité son père et son oncle pour les « grillages » du barbecue et sa mère pour le dessert, un « malicieux bateau à la braise » (les « braises » étaient surgelées, mais c'était effectivement une réussite).

Vingt-trois heures. La journée s'achevait autour des tisanes. Sarah savourait chacun de ces instants avec sa petite famille.

Daniel, quant à lui, anticipait les semaines à venir. Entre deux plaisanteries, il égrenait l'emploi du temps des jours prochains sous les angles de l'organisation domestique et des échéances professionnelles. Sarah comptait sur lui pour construire le site Internet du gîte, une promesse qu'il ne pouvait pas se permettre de laisser en jachère plus longtemps. S'il ne voulait pas que leurs modestes économies ne fondent au soleil de la Normandie, il fallait que les premiers hôtes arrivent ici sans trop se faire attendre.

Allongée sur le canapé, Noémie ne résistait plus à la fatigue qui l'enveloppait. Ses petits pieds réchauffés par les dernières flammes de la cheminée, elle s'endormait en pensant à la fête d'anniversaire à laquelle son amoureux l'avait invitée.

Contrairement à sa petite sœur, Agatha était moins impatiente de retrouver Paris, où l'attendaient des histoires compliquées. Réfugiée dans la lecture des *Chroniques de San Francisco* (ses parents la trouvaient un peu jeune pour ces livres dont elle dévorait le deuxième tome), elle essayait tant bien que mal de ne penser ni à la fin du week-end ni à la vie en province, qu'elle expérimenterait pour la première fois après les grandes vacances.

Elle avait accueilli cette nouvelle sans surprise ni enthousiasme et avait d'autres questions à régler avant le déménagement. Elle posa la main sur les cheveux de Noémie qui venait de s'endormir, la tête au creux de son ventre, et reprit sa lecture.

Les jumelles de Léa et Paul revenaient de l'étage, où elles étaient montées regarder *Pretty Woman* sur l'ordinateur.

— Les filles, allez, on va se coucher, il est tard, bâilla Léa.

Elle embrassa Paul sans même lui demander s'il la rejoignait. Elle avait remarqué que Daniel et lui venaient de sortir la bouteille de calvados. L'heure des conversations passionnées sur leur métier d'infirmier avait sonné, et il était inutile de s'en mêler.

Le poids de la paperasserie, la pénurie de lits et de personnel, l'exigence de plus en plus de polyvalence auraient raison de tous ses arguments, et elle ne tenta même pas de subtiliser son mari à cette conversation enflammée. Léa aimait son métier de biologiste, la précision des manipulations, la rigueur qu'imposait la validation des résultats, et elle connaissait également la dureté et la pénibilité des conditions de travail qu'ils affrontaient chaque jour à l'hôpital, mais elle était toujours un peu jalouse du sens et de l'utilité immédiate, médicale, sociale ou relationnelle qui transpirait du métier que partageaient les deux hommes.

Elle embrassa sa sœur et ses nièces, et rejoignit avec ses filles la maisonnette du jardin qui serait bientôt LE gîte dans lequel sa sœur accueillerait des visiteurs en mal de tranquillité et d'air iodé. Elle était bien loin d'imaginer que le clos des Reinettes serait le théâtre d'événements à rebondissements, d'une agitation surprenante dans les semaines à venir.

3

Sarah avait rendez-vous à dix heures pour son premier jour de stage d'initiation au jardinage, le cadeau teinté d'ironie de ses amies Murielle et Nathalie. Elles avaient toutes les trois passé le plus clair de leurs moments ensemble à fréquenter les boutiques parisiennes et à courir les endroits à la mode... Sans pour autant verser dans le snobisme, elles n'en étaient pas moins des citadines averties. Leurs escapades étaient de salutaires parenthèses dans leur vie en perpétuel mouvement. C'est la raison pour laquelle l'idée de s'atteler au travail d'un bout de terrain à la campagne, pour y faire pousser des légumes et des fleurs, leur avait paru tellement folle. Sarah s'était promis de leur faire aimer la pointe d'Antifer autant que les boutiques de la rue des Francs-Bourgeois. Le projet était ambitieux.

Réveillée très tôt, elle mit à profit le temps qu'elle avait devant elle pour sortir et marcher jusqu'à la plage du Tilleul. Outre l'authenticité de la maison et l'agencement des pièces qui avaient rendu réaliste son projet, c'était la proximité de cette plage insolite qui avait déclenché son coup de cœur. Une petite plage non accessible en voiture, qui se laissait désirer au prix d'une demi-heure de marche au creux de la valleuse, une petite plage de galets protégée par plus de cent mètres de falaise calcaire. Le verger attenant à la maison avait été l'agréable surprise supplémentaire. Debout face à la mer, elle s'imagina l'Aiguille d'Étretat à quelques centaines de mètres seulement, mais invisible d'où elle se tenait. Elle regarda sa montre et se hâta de rentrer pour ne pas être en retard.

4

8 septembre 1970

De retour de sa journée de travail, Gabriel roulait fenêtre ouverte. Depuis cinq ans, il fabriquait pour les habitants des alentours (et même d'un peu plus, désormais) pains, baguettes, brioches et autres viennoiseries de qualité. Si le choix de ce métier dans lequel il avait été bercé avait été évident, l'exercer auprès de ses parents dans la boulangerie familiale avait été une décision plus contrainte, mais il ne la regrettait pas.

En s'enfonçant dans la route étroite qui menait chez lui, il souriait en pensant au plaisir que procurerait à Lise la brioche tressée qu'il lui rapportait. Il hésita à s'arrêter chez elle, mais, ne voyant pas sa voiture qu'elle garait invariablement à l'entrée du potager, il préféra rentrer chez lui et se changer avant d'aller la lui déposer. Elle partait fréquemment en balade, curieuse des lieux dont elle avait entendu parler et avide de découvertes. Au bout de quelques mois, elle connaissait la région mieux que lui et pourtant il y était né. Le pays de Caux et plus particulièrement les côtes au nord du cap d'Antifer, d'Étretat à Dieppe, avait fait l'objet d'excursions documentées, et il se délectait des récits de chacune de ses visites qu'elle romançait avec beaucoup d'humour. Elle avait réussi à l'entraîner de plus en plus fréquemment, et la fatigue qui l'assommait habituellement après une nuit de travail s'évaporait comme par magie devant son enthousiasme et sa bonne humeur. Il prit une douche, se rasa, enfila un jean, une chemise et une veste et sortit à pied pour lui déposer la brioche. Les cinq cents mètres qui séparaient leurs deux habitations avaient été longs à parcourir la première fois qu'il avait frappé à sa porte. Chargé de timidité et d'appréhension, il s'était ravisé plusieurs fois à mi-chemin avant de trouver le prétexte des prunes. Il avait attendu près d'un mois pour s'approcher d'elle. Sa démarche de bienvenue ne l'avait pas dupée une seconde.

La voiture n'était toujours pas là. Il entra dans la maison qu'elle laissait souvent ouverte et posa la pâtisserie sur la table. Tout était impeccablement rangé, comme d'habitude. Quand elle n'était pas en excursion, Lise partageait ses journées entre son jardin, les livres et l'entretien de sa maison qu'elle avait rendue coquette et chaleureuse à force de détails simples et raffinés. Elle était avare de confidences sur sa famille, mais Gabriel la savait à l'abri de toute contrainte matérielle. Elle avait laissé s'échapper quelques mots sur sa formation d'architecte, mais sans jamais s'étendre sur le sujet, comme sur aucun autre épisode de sa vie, d'ailleurs...

Il s'assit quelques instants. Peut-être allait-elle revenir d'une minute à l'autre. Il lui prit l'envie de regarder dans le mur de la cheminée, où elle lui laissait parfois un petit mot ; non qu'elle craignît que quiconque vole leur correspondance innocente si elle l'avait laissée sur la table, mais elle trouvait cette habitude romantique...

Il y avait une enveloppe à son nom et la clé de la maison.

Il sourit, replaça la pierre et se rassit pour lire son contenu.

Lise lui donnait sa maison... Ils avaient bien commencé à envisager une vie sous le même toit, mais il ne comprenait pas le sens de ce geste. Plus tard, il chercherait à comprendre l'étrangeté de sa réaction et le peu d'effet que ce cadeau invraisemblable avait eu sur lui. Sur l'instant, il se dit simplement qu'il lui poserait la question le soir. Au bout de vingt minutes, il se décida à partir. Il ne devait plus rentrer dans cette maison avant bien longtemps et laissa derrière lui, sans le savoir, le carnet de Lise qui s'était enfoncé légèrement dans le creux du mur.

5

Mardi 5 mai 2010

— La première journée, vous la passerez au labo, vous vous familiariserez un peu avec la carte. C'est toujours plus parlant que les photos ou que les noms des plats, avait annoncé son tout nouvel employeur, le chef Didier.

Affublée d'une ravissante charlotte en papier, de non moins distingués protège-chaussures, et d'une blouse blanche trois fois trop grande, Sarah réalisait depuis trois heures des cercles de pain de mie à l'emporte-pièce. Il y avait peu de chance qu'elle maîtrise la carte lors de cette journée d'accueil en cuisine (ou de bizutage, elle ne savait plus trop).

Sa journée de jardinage lui avait permis de faire la connaissance des jeunes retraités de la région. Les douze participants avaient en effet plus de soixante ans et venaient dépenser le temps qu'ils ne comptaient plus. Les échanges avaient été intéressants, mais il y avait indéniablement plus d'enjeux pour elle dans ces cours. Ses attentes n'avaient pas toutes été satisfaites à la fin de la journée. « Éclaircir », « butter », « pincer les tomates », elle avait relevé de ses premières lectures des mots et des expressions, mais aucune de ces énigmes n'avait été résolue dans la journée. Il lui faudrait se renseigner sur Internet, et pour cela trouver un moyen de faire redémarrer l'ordinateur qui ne se rallumait plus depuis *Pretty Woman*…Elle ne vit pas s'approcher son patron, accoutré du même déguisement aseptisé.

— Alors, ça entre, le métier ?

— Je n'ai jamais autant appris du maniement de l'emporte-pièce que depuis ce matin !

Il éclata franchement de rire et lui fit signe de le suivre.

— Je vais vous montrer les frigos. On a pas mal de jolies choses qui vont partir pour le déjeuner.

Ils se dirigèrent vers le fond de la cuisine, où six personnes s'affairaient autour de tables en inox.

— Nous y voilà !

Les yeux du chef pétillaient de fierté.

— Carpaccio de Saint-Jacques, cassolette de champignons, pyramide de crudités, salade coleslaw, velouté d'épinard au gingembre, flan de courgettes à la menthe... Il faut que je sois honnête avec vous : on a une semaine exceptionnelle. Cocktail dînatoire et buffet froid pour quatre-vingts personnes pendant cinq jours ! D'ordinaire, je suis en cuisine avec Ludo pendant que ma femme s'occupe de la boutique. Regardez-moi ce foie gras ! Mais là, on a été obligés d'embaucher pour la semaine. Vous avez entendu parler du film qu'ils tournent au golf ?

— Euh, non, je ne crois pas...

— Une histoire incroyable, enfin, une histoire de famille plutôt. J'ai un cousin qui travaille sur le tournage et qui m'a mis en contact avec le régisseur. On leur livre un buffet tous les midis et, pour le soir, ce genre de canapés et de cassolettes. C'est la première fois que nous faisons ça. D'habitude, pour ce type d'événements, ou ils ont un gros budget et ils prennent du haut de gamme, ou ils n'en ont pas du tout et c'est cacahuètes et sandwiches ! Sérieusement, vous n'avez pas entendu parler de ce tournage ? Comment s'appelle ce type, déjà ?

— Vous savez, il n'y a qu'une petite semaine que je suis réellement arrivée.

— Vous avez faim ?

Le chef enchaîna sans prêter attention à la réponse de Sarah.

— Je sais que vous travaillez à mi-temps et qu'il est déjà

treize heures, mais, si ça vous tente de manger quelque chose avant de rentrer, il y a tout ce qu'il faut. Je vais prévenir les gars et on se retrouve derrière la chambre froide.

Est-ce que cette proposition appelait une réponse ? Cela ressemblait davantage à une consigne, se dit Sarah en allant se changer. Elle retrouva ses collègues dans une petite pièce où se trouvait pour tout mobilier une table, cinq chaises et une tablette à roulettes sur laquelle étaient posées un peu de vaisselle et une machine à café. Le repas ne fut pas un grand moment de convivialité. Les cuisiniers de passage ne parlaient pas ; celui qu'elle avait identifié comme Ludo discutait travail avec le chef en ignorant sa présence, et elle passa le déjeuner à les observer discrètement du coin de l'œil. Il y avait une ressemblance assez frappante entre les deux hommes, liée aux postures similaires qu'ils adoptaient l'un et l'autre, comme par mimétisme.

Physiquement, pourtant, ils étaient très différents. Ludo devait avoir entre vingt-cinq et trente ans. Son visage exprimait une fermeté qu'accentuaient des sourcils très épais, un front volontaire et des yeux noirs. Didier était plus grand et plus mince, mais son visage était tout en rondeur, et il avait le sourire facile. Il était difficile de lui attribuer un âge en raison de sa chevelure argentée, mais Sarah ne lui donnait pas plus de cinquante ans. Elle se leva, salua tout le monde, puis prit le temps d'aller échanger quelques mots avec la femme de Didier avant de rentrer chez elle, pensive.

Ce n'était que la première journée, certes, mais elle avait senti que Didier, malgré sa jovialité de façade, avait installé une distance avec elle, distance qu'elle n'avait pas perçue lors de leurs rencontres précédentes.

6

Jeudi 7 mai 2010

De Sarah Delerre à Léa Delerre – envoyé jeudi 7 mai 2010 à 19 h 40

Ma Léa,
J'ai mal au dos et j'ai des ampoules aux doigts... Les trois derniers jours ont été plus éprouvants que prévu ! Côté travail pour commencer : je ne suis pas sortie de la cuisine depuis mardi ! Premier jour, découpage de pain, deuxième jour, pluche de pommes de terre et de carottes. T'as une idée du nombre de pommes de terre qu'il faut éplucher pour une piémontaise de quatre-vingts personnes ? J'ai pas compté, mais mon majeur s'en souviendra longtemps ! Si je conserve ce doigt après le rite initiatique que je traverse ! Aujourd'hui, préparation de légumes en julienne... et coupure de l'index gauche à deux reprises ! Tu connais ce truc de chef où tu plies le doigt à hauteur de la dernière phalange pour éviter tout accident ? Il faut que je l'apprenne !
Je ne m'attendais pas à faire des devis pour des mariages de deux cents personnes au bout de deux jours, mais j'ai pas non plus lu « CAP cuisine exigé » dans l'offre d'emploi à laquelle j'ai répondu (secrétaire commerciale polyvalente, je te rappelle), et aucune activité

de ce genre n'est mentionnée dans le contrat que j'ai signé ! Peut-être aurais-je dû faire préciser ce qu'ils entendaient par polyvalente...

Je me console en me disant que Natalia Ficher se nourrit de petits plats que j'ai aidé à préparer ! Eh oui, ma chère, c'est la campagne, mais la célèbre Natalia Ficher est parmi nous ! Elle joue dans le prochain film de Benjamin Centaure, et des scènes sont tournées tout près d'ici, sur le golf d'Étretat, et c'est le petit traiteur du coin, tuyauté par l'assistant de l'adjoint de je ne sais plus qui ni trop comment, qui a été retenu pour une sorte de catering pour la semaine. Ne t'emballe pas, je n'ai pas été invitée à me rendre sur place ; cela n'entre pas dans les attributions du modeste commis débutant dont j'ai enfilé le costume depuis trois jours !

Daniel me dit qu'il s'en sort bien à la maison. Je lui ai dit que tout se passait très bien ici et j'ignore lequel de nous deux ment le mieux. Nous avons vraisemblablement opté pour la méthode Coué. J'ai beau lui faire confiance, JE SAIS qu'il n'a pas passé des « soirées très sympas » avec tante Helena qu'il ne supporte pas. Elle ne peut pas s'empêcher de semer la zizanie avec ses grands principes éducatifs chaque fois qu'elle voit les filles, tu la connais... Mais, bon, elle nous rend bien service de s'occuper d'elles le mercredi.

Je ne suis pas plus honnête avec lui. Le travail ? Super. Les gens sont très sympas et j'apprends beaucoup de choses ! Le chantier du gîte, ça avance ? Oui, doucement. Le jardin ? Ça va être magnifique. J'ai planté les premières fleurs (faute d'avoir semé à temps, vive Jardiland !) et nous aurons vraisemblablement des courgettes et des aubergines dans l'année. Bon, ça, c'est vrai.

À part ça, je me sens bien dans la maison. J'ai mangé dans le jardin pratiquement tout le temps et je vois la mer une fois par jour, en rentrant du travail ou après mon grignotage du soir avant que la nuit tombe.

J'ai eu deux coups de fil pour un week-end en juillet. J'espère ne pas m'être engagée trop vite en acceptant la réservation. J'ignore si nous tiendrons les délais. Les travaux ne commenceront pas avant un mois et il y en a pour deux semaines.

Bon, je t'embrasse, ma Léa. J'espère que tout va bien chez toi.

Sarah

P-S – À l'origine, c'est un mail, mais Internet débloque. Non, ne te moque pas ! C'est ennuyeux pour les cinquante demandes d'informations (si seulement !) qui doivent attendre dans ma boîte de réception ; je vais me réconcilier avec Mister PC, mais, en attendant, je t'envoie mon mail par la poste !

7

Vendredi 8 mai 2010

Cette fois, Sarah ne prit pas la peine de s'habiller avec un minimum d'élégance. Elle passait tout son temps sous une blouse informe et ne ferait pas de courses après le travail (de toute façon, la plupart des commerces seraient sans doute fermés). En jean et en baskets, ses jolies poupées aux mains, elle se rendit à sa dernière journée de travail de la semaine. Elle était en train de se garer quand elle aperçut Didier qui l'attendait devant la boutique, les bras croisés et la mine renfrognée. Qu'est-ce qui se passe, maugréa-t-elle. Elle ne se sentait pas d'attaquer la journée avec une leçon de son patron.

Un claquement de portière un peu sec plus tard, elle lui serrait la main en s'efforçant de masquer son appréhension.

— Ça ne va pas du tout, madame Delerre !

— Pardon ?

— Ça ne va pas du tout, cette tenue, pour aller à votre premier rendez-vous !

— Mon premier rendez-vous ? Sarah se sentit blêmir.

Elle ne se souvint pas de s'être regardée dans le miroir depuis la veille. Outre sa tenue très décontractée, elle ne portait ni maquillage ni bijou, et ses cheveux étaient vaguement attachés en une queue de cheval approximative.

— Vous m'accompagnez sur le lieu du tournage ce matin. Il y a un changement de programme. Problème de météo ou technique, j'ai pas bien compris. En tout cas, ils arrêtent demain. La bonne nouvelle, c'est qu'ils reprennent après le week-end pour quatre jours supplémentaires et ils repassent commande chez nous ; alors, je vous emmène pour que vous vous fassiez une idée... Mais pas dans cette tenue !

— D'accord, oui, bien sûr, je comprends, si j'avais su, naturellement...

Hum, balbutiement et bégaiement à la fois... Jolie maîtrise du stress, se dit-elle.

Il abrégea ses souffrances :

— Vous rentrez chez vous vous changer et on se retrouve là-bas. Et puis non, tenez, on va covoiturer, comme vous dites à Paris ! Ça ne vous embête pas de m'emmener ? Comme ça, on sera à l'heure !

Sarah aurait aimé dire que non, ça ne l'embêtait pas de l'emmener, mais que, en revanche, ça l'ennuyait un peu de lui montrer l'endroit où elle vivait. Mais, soulagée de ce changement de programme inespéré (le chef avait l'air très heureux de son petit effet de surprise), elle enterra son principe de cloisonnement vie privée et vie professionnelle et roula jusque chez elle.

Pendant qu'elle se changeait, elle entendait Didier au rez-de-chaussée qui prenait ses aises :

— Je me fais un café. Vous en voulez un ? J'adore ces petites capsules.

— Euh, oui, si on a le temps, je veux bien, j'arrive !

Trois minutes plus tard, elle le rejoignait dans la cuisine, où il n'était plus. Elle prit sa tasse de café fumante et partit à sa recherche.

— C'est pas mal, chez vous. C'est cette petite dépendance que vous voulez transformer en gîte ?

Il était à l'entrée de la maison. Il lui tournait le dos, mais avait dû l'entendre arriver.

— Oui. Vous voulez entrer, je présume ?

Elle souriait en disant cela. Il était un peu envahissant et pas du tout gêné, mais il était d'une telle spontanéité qu'elle ne lui en voulait pas. Il l'amusait même avec sa curiosité presque enfantine qu'il ne cherchait pas à dissimuler.

— C'est ouvert, allez-y, je vous laisse. Je vais chercher mes affaires.

Sur la route qui les menait à Étretat, il lui dit tout le bien qu'il pensait de son projet.

— Vous n'avez pas grand-chose à refaire dans le gîte. C'est une jolie petite maison, les pierres apparentes sont très belles, les murs ont l'air sains, la toiture a été refaite…

— Vous auriez fait un meilleur agent immobilier que celui qui me l'a vendue, on dirait !

— J'en connais deux ou trois dans le coin qui font payer cinquante euros la nuit pour moins bien que cela. Bon, vous avez un peu de retard dans le jardin, mais vous êtes très bien située en haut de la valleuse. C'est rare ! Je pourrai vous envoyer des clients, si vous voulez. Avec toutes les noces qui s'annoncent, les gens sont à la recherche d'endroits pour leurs invités.

— C'est très aimable, je vous remercie, et ce ne sera pas de refus… Quand tout sera prêt, bien sûr. Un artisan doit venir rénover les murs en pierre dans la grande pièce, un autre, isoler la pièce d'eau, et un dernier, poser le parquet dans les chambres. Si j'ai le temps – et le budget, pensa-t-elle –, je changerai la baignoire et le lavabo aussi. Et puis, ça ne vous a pas échappé : il manque quelques meubles !

Ils arrivaient dans le centre d'Étretat.

— Vous pouvez vous garer, on est en avance. On va monter à pied côté falaise.

Ils se turent pendant qu'ils gravissaient les cent quatre-vingts marches qui menaient à la crête de la porte d'Aval. L'Aiguille se dressait devant eux. Didier reprit en haut de l'escalier :

— Vous ne m'en voulez pas trop pour cette semaine ?

— Je suis censée vous en vouloir ?

— Je vous ai un peu chahutée. Ne me dites pas que vous n'avez rien remarqué !

— …

— J'ai voulu vérifier.

— Vérifier quoi, monsieur ?

— Il faut vraiment que vous essayiez de m'appeler Didier, maintenant.

— Très bien, mais c'est vous qui me donnez du madame Delerre depuis le début de la semaine.

— Écoutez-moi, Sarah. Après votre embauche, j'ai pris la précaution de vérifier votre CV avec deux ou trois coups de fil.

Elle baissa la tête et garda le silence.

— Secrétaire commerciale, agent d'accueil, assistante comptabilité. Vous vous êtes bien payé ma tête. On m'a plutôt parlé de contrôle de gestion, de responsabilités administratives et financières… En somme, le job le moins qualifié que vous ayez occupé, c'est celui d'assistante du directeur financier dans une boîte de trois cents personnes !

Il s'arrêta et la regarda droit dans les yeux.

— Je ne vous demande pas d'explications. Au moins, vous ne m'avez pas menti sur vos employeurs, ce qui m'a permis de les contacter, et je peux imaginer que votre parcours ait pu vous fermer des portes si vous recherchiez un petit appoint pour vous aider à démarrer dans la région. Mais je n'ai pas pu m'empêcher d'être vexé. Je ne vous ai pas ménagée cette semaine pour mesurer combien vous teniez à ce poste, parce qu'en ce qui me concerne, j'aime beaucoup mon métier et j'ai pas envie de m'entourer de personnes qui vont le prendre à la légère, même si vous allez gagner trois ou quatre fois moins que dans votre précédent emploi !

Elle sentit qu'il s'énervait un peu et essaya d'intervenir :

— Je vous rassure, je…

— Je suis rassuré. Pas de problème. Je vous fais confiance. C'est pas très rigoureux comme appréciation, mais ma femme me dit que vous êtes quelqu'un de bien, et son flair est mon outil le plus précieux dans pas mal de domaines… Bon, c'est dit. Je vous préviens quand même qu'en cas de coup de feu, on s'y met tous, et vous serez peut-être amenée à enfiler à nouveau cette charlotte qui vous va si bien ! Et puis, vous savez quoi ? Je pense que vous y prendrez goût. Je n'y connais pas grand-chose, mais ils avaient l'air bien ennuyeux, vos boulots d'avant !

— Mes boulots d'avant…, répéta Sarah. Oui, vous avez sans doute raison…

— Allez, assez parlé, on y va.

Il se ravisa et ajouta assez vite :

— Je vous préviens au cas où : j'ai parlé à mon cousin de votre petit nid. Tenez, le voilà ! Il cherche un endroit pour quelqu'un. Ça semble assez urgent et je lui dois un service. David ! Comment vas-tu ? Je te présente Sarah Delerre, dont je t'ai parlé.

Les salutations d'usage vite expédiées, le cousin s'adressa sans détour à Sarah :

— Votre gîte, il est libre ce week-end et la semaine prochaine ?

— Mon gîte ? Il n'est pas ouvert, mon gîte. Demandez à Didier, il vient de le visiter !

Elle fusilla son patron du regard :

— Ce n'était pas de la simple curiosité, n'est-ce pas, cette petite visite l'air de rien ?

— Il n'est pas tout à fait opérationnel, c'est vrai, admit Didier, mais c'est exactement ce que tu cherches : assez grand, deux chambres, salle de bain et toilettes séparées, grande pièce de vie, mur de pierres apparentes au milieu duquel trône une belle et grande cheminée !

— Mais, Didier ! bouillait Sarah.

Il balaya ses protestations en différant sa réponse.

— On verra ça plus tard. David, nous avons rendez-vous avec le boss dans deux minutes. Je t'appelle dès que nous avons terminé.

Le rendez-vous se passa bien. Le régisseur avait apprécié les prestations jusqu'alors et n'avait que quelques ajustements à formuler pour la semaine suivante. Il voulait notamment un plat chaud le midi et le soir, et du café en plus grande quantité. Sarah était plongée dans les notes qu'elle griffonnait scrupuleusement sur son carnet quand les conversations cessèrent subitement. Elle leva la tête et vit Natalia Ficher qui se tenait devant elle. Conforme aux couvertures de papier glacé des magazines, elle avait dégagé sa longue et épaisse chevelure noire avec un simple bandeau large qui mettait en valeur le bel ovale de son visage et ses yeux clairs. Elle portait des tennis, mais devait malgré cela mesurer plus d'un mètre soixante-quinze, et se tenait bien droite dans un jean qui moulait sa silhouette impeccable.

— Bonjour, je suis Natalia, dit-elle en tendant la main droite. Je viens de croiser David, le cousin de monsieur, si j'ai bien compris, dit-elle en souriant à Didier. Il m'a dit que la propriétaire du gîte était sur place. Madame Delerme, c'est bien vous ?

— Delerre, madame Delerre, comme de l'air, oui c'est moi...

L'actrice lui sourit poliment et reprit :

— Alors, madame Delerre, il semble que votre gîte soit libre pour les prochains jours ?

Sarah chercha secours auprès de Didier, qui feignit de ne rien comprendre.

— Écoutez, il y a un malentendu. Le gîte n'est pas occupé, effectivement, mais pour la bonne raison qu'il n'est pas tout à fait prêt.

Plus personne ne parlait ni se regardait, jusqu'à ce que le grand roux qui avait négocié les thermos de café brise le silence :

— Bien, en ce qui me concerne, nous avons terminé. Didier, merci pour tout. Je compte sur vous pour régler ce petit détail d'hébergement. La production tient beaucoup à ce que madame Ficher soit confortablement installée pendant toute la durée du tournage. On se revoit mercredi ? Vous reviendrez nous voir, madame Delerme ?

— Delerre, madame Delerre.

— Enchanté !

Il serra les mains et s'en alla.

Natalia Ficher n'avait pas bougé.

Sarah était muette.

Didier semblait hésiter entre deux stratégies. Il se lança :

— Madame Ficher, je peux vous trouver un autre endroit. Je connais bien la région, et il existe plusieurs trésors de tranquillité, si c'est ce que vous cherchez.

— Je vais vous dire ce que je cherche : un endroit en dehors de la ville avec la mer accessible à pied, sans client, habitant ou touriste me demandant un autographe dès que je mets les pieds hors de ma chambre. Je veux aussi de l'espace et du confort. C'est à peu près tout.

— Alors là, évidemment !

Il regarda Sarah.

— C'est exactement ce que vous avez !

— Madame Ficher.

— Appelez-moi Natalia.

— Natalia. Avec tout le respect et l'admiration que je vous porte, je vous assure que le gîte n'est pas prêt. Demandez à Didier, il en sort. Il reconnaît lui-même qu'il n'est pas habitable en l'état… Didier ?

— À moins que madame Ficher ne puisse patienter un petit peu, il manque effectivement quelques petites bricoles pour garantir un confort minimum.

— Et vous n'avez pas vu le lieu ! renchérit Sarah. Cela ne vous plaira peut-être pas !

Quand je dirai à Murielle et Nathalie que j'ai tenté de dissuader Natalia Ficher de choisir mon gîte pour y passer une semaine, elles n'y croiront pas une seconde, pensait-elle.

La comédienne regarda sa montre et réagit sans attendre :

— Écoutez, ils n'ont pas besoin de moi avant plusieurs heures. On peut peut-être y aller maintenant et je jugerai par moi-même.

Elle se retourna, chercha quelqu'un des yeux et secoua énergiquement le bras pour lui faire signe. Une jeune femme qui tenait un talkie walkie s'approcha sans précipitation.

— Virginie, je reviens dans une heure. J'ai mon portable en cas de besoin !

Elle s'adressa à Sarah :

— Vous pouvez me ramener dans une heure ?

Apprendre à dire non. En tête de liste des bonnes résolutions de ces trente dernières années.

— Oui, bien sûr.

Sur le trajet, tandis que Didier essayait de converser avec la comédienne, Sarah hurlait intérieurement. C'est trop tôt ! Ça va trop vite ! Arrivée au clos, elle avait changé d'avis et s'angoissait à l'idée que le gîte ne plaise pas à Natalia Ficher. Elle n'avait pas prévu d'accueillir de « très importantes personnes », mais ce serait un départ original.

Le gîte plut beaucoup.

— C'est un peu rustique, mais il a beaucoup de cachet. J'adore.

— Bien, dit calmement Sarah. Il y a quand même deux ou trois bricoles à régler. Comme vous le voyez, il n'y a pas de chaise autour de la table, pas un seul rangement dans la chambre, pas de quoi cuisiner et pas de frigo ni de vaisselle… Bon, ça, je peux dépanner facilement, mais, pour le mobilier et l'électroménager, ça va être compliqué !

— Écoutez. J'ai vraiment besoin de cet endroit. Si ce n'est qu'une question de meubles, je demande à la production de vous verser un acompte pour couvrir les frais de ce que vous estimez nécessaire. Si vous garantissez le gîte pour demain soir.

Sarah garda le silence et chiffra mentalement la différence abyssale entre une semaine de location et toutes ces dépenses qu'elle n'avait pas envisagées avant le début de l'été.

— Acompte sur la base du tarif de la suite dont je dispose actuellement au Grand Hôtel d'Étretat, bien sûr, ajouta l'artiste comme si elle avait lu dans ses pensées.

— Natalia, c'est très généreux, mais je ne peux pas accepter votre proposition.

Elle n'en revenait pas de ce qu'elle s'entendait dire, mais rien ne justifierait une telle différence de tarif.

— Ce n'est pas une question de générosité. La production a un budget, un gros budget ! Virginie va me régler cela avec l'hôtel ou donner ma chambre à ce cher Albert qui s'étouffait de jalousie d'avoir quinze mètres carrés de moins ! Et puis, avec les économies qu'ils font sur le traiteur, il n'y a aucun scrupule à avoir !

— Des économies sur le traiteur ?

Didier s'étranglait.

— Sans vouloir vous vexer, monsieur. C'est très bon, mais cela n'a rien à voir avec ce que l'on nous propose habituellement.

Elle les interrogea du regard.

— Bon, nous sommes d'accord, c'est réglé ?

Elle prit son sac et ajouta :

— Personne ne saura que je séjourne ici, bien sûr.

Ce n'était pas une demande, c'était un ordre.

— Formidable ! lâcha Didier, un peu rassuré des nuances qui venaient d'être apportées à propos de la qualité de son travail. Sarah, je vous donne votre après-midi pour que vous fassiez le nécessaire !

— Je ne travaille pas l'après-midi, Didier.

— Ah oui.

— Et nous sommes le 8 mai : je ne vais rien pouvoir acheter aujourd'hui.

— Exact.

— Et il faudra que l'on mette deux ou trois choses au clair sur cette petite histoire…

Elle le regarda, craignant de s'être un peu trop enhardie.

— … patron, ajouta-t-elle en souriant. Natalia, vous prendrez vos repas à l'extérieur ?

— En dehors des petits-déjeuners, je m'arrangerai, oui.

— Bien. Alors, je vous ramène tous les deux. Il me semble que j'ai du travail qui m'attend.

Il était quatorze heures. Natalia Ficher avait retrouvé l'équipe du tournage, Didier, sa femme et sa boutique, et Sarah raccrochait son téléphone. Comme convenu, la fameuse Virginie la prévenait de sa venue pour lui déposer une avance de mille euros. Une avance, se répéta Sarah…

Quatorze heures deux. Elle se changea, se mit en tenue de combat, sortit seaux, serpillière, chiffons et balai et alla faire le grand ménage dans la petite maison.

Quinze heures trente. La dénommée Virginie la surprit dans le jardin à semer des graines de giroflées, de dahlias et de capucines.

Seize heures. Elle prit un thé et griffonna, tout excitée, sa liste des choses à faire : déposer le linge de toilette dans le gîte, finir les carreaux de la chambre principale, préparer le lit, dénicher une jolie nappe dans les placards pour recouvrir la table. Le téléphone sonna à nouveau.

— Allo, Sarah ?

— Daniel ! J'allais t'appeler, c'est drôle. Ça tombe bien, j'ai...

— Sarah. Je sors du bureau de la RH. Ma mutation est refusée.

— Quoiiii ? Mais tu disais que c'était sûr !

— Désolé de te l'apprendre comme ça, il fallait que je te le dise tout de suite, je suis retourné. Excuse-moi une seconde... Oui, oui, j'arrive. Écoute, on m'appelle. Je te rappelle ce soir pour te dire les détails. Je t'embrasse.

Et la tonalité. Point.

Le monde de Sarah qui s'était redressé depuis quelques heures s'effondra. Mutation rejetée. Mais qu'avait-il bien pu se passer ? Elle resta assise pendant plusieurs minutes, les yeux rivés sur sa liste. Toute activité lui semblait une montagne à gravir. Elle se sentit soudain très seule.

8

Qu'est-ce qu'elle s'imagine ? Que je vais lui servir de valet de la sorte jusqu'à la fin du tournage ? « Et annule-moi ma suite, et va déposer mille euros à Pétaouchnoque pour que je puisse humer l'air marin en toute tranquillité ! » Je suis maquilleuse, moi. Il n'y a pas assez d'assistants-régisseurs pour s'occuper des caprices de madame ou ils se sont tous passé le mot !

De retour du clos des Reinettes, Virginie Ficher roulait vite, ruminait et pestait sans réussir à se calmer. Dix ans qu'on s'évite soigneusement ! Ça n'a pas été une sinécure de faire reconnaître mes qualités professionnelles avec une mère pareille, mais j'y suis arrivée. Jusqu'à maintenant. À bosser avec des réalisateurs qui ne l'intéressaient pas, je limitais les risques.

Et, avec Benjamin, j'étais même totalement hors de danger : elle ne le supporte pas ! Qu'elle disait ! Tu parles ! Évidemment, depuis l'Oscar du meilleur film étranger, mon artiste maudit est devenu bien plus attrayant à ses yeux ! Quand je pense à ce dîner de l'année dernière, je me suis bien fait avoir !

— Chérie, il serait peut-être temps que tu me présentes ton illustre mère, tu ne crois pas ?

— Pour quoi faire ? Elle l'avait regardé, ahurie. Ça ne te suffit pas de lire le mépris qu'elle te témoigne dans la presse et sur les plateaux de télé ? Tu as envie de te faire insulter de vive voix ?

— Son agent m'a appelé.

— …

— Il semble qu'elle soit prête à pacifier nos relations… Elle ne serait peut-être même pas opposée à envisager de jouer dans mon prochain film…

— Tu plaisantes ?

— … alors, je me suis dit que la moindre des choses, vu que je vis avec sa fille, c'est que tu joues les entremetteuses ?

— Elle ne m'en a même pas parlé, la garce ! Il n'en est pas question ! Ni d'organiser aucune sorte de rencontre ni de lui faire l'honneur de lui proposer un rôle ! Après tout ce qu'elle raconte sur toi ! Tu n'as aucune fierté ou quoi ?

— Je n'ai pas été tendre avec elle non plus, souviens-toi : « pimbêche acariâtre », « diva divagante »…

— J'aimais beaucoup celle-ci ! Et alors ?

— Alors, je crois qu'il en va de nos intérêts à tous d'enterrer ce temps-là. C'est drôle que tu n'aies pas envie de voir les choses s'arranger. C'est ta mère, après tout. Quelle fille n'a pas envie de voir son homme s'entendre avec sa mère ? En plus, tu n'as jamais bossé avec elle. Ce serait une occasion en or !

— JAMAIS DE LA VIE, tu m'entends ? Si par malheur elle joue dans ce film, je n'y mettrai pas les pieds !

Et voilà le résultat. S'en était suivi le dîner le plus nauséabond de l'année, au cours duquel sa mère et Benjamin avaient rivalisé sur le terrain de la pire hypocrisie à laquelle elle eût jamais l'occasion d'assister. Ils s'étaient mis à deux pour lui soutirer la promesse d'assurer la coordination et l'encadrement de l'équipe maquillage.

Un budget conséquent, deux assistants et une stagiaire, des vieillissements, des blessures, et même quelques métamorphoses physiques. L'envie de mener à bien ce projet, qui serait sans nul doute le plus prestigieux de sa jeune carrière, avait eu raison de ses arguments rancuniers.

Mais, en matière de prestige et de responsabilité, elle repasserait ! Depuis une semaine, tout le monde semblait avoir oublié ses chefs-d'œuvre des dernières années et la reconnaissance qu'elle avait réussi à obtenir dans le milieu du cinéma au prix de nombreux sacrifices. Peu savaient qu'elle formait un couple avec Benjamin, mais nul n'ignorait qu'elle avait travaillé sur ses trois derniers longs métrages. Depuis quelques jours, pourtant, elle n'était que la fille de Natalia Ficher, sans doute pistonnée pour obtenir ce contrat en or ! Le comble ! Et Benjamin qui ne tarissait pas d'éloges sur sa mère ! C'était ce qui l'insupportait le plus. Elle allait voir ce qu'elle allait voir avec son besoin de tranquillité ! Encore un coup comme ça et, d'un appel, elle rameuterait toute la presse people du pays dans le trou qu'elle s'était choisi…

Elle regarda le reflet de son visage dans le rétroviseur. Aucune ressemblance physique avec sa mère, indéniablement, sauf les yeux. Elle avait hérité de Natalia des yeux vert très clair, des yeux de chat, lui disait-on souvent. Mais les traits de son visage étaient beaucoup plus durs et lui donnaient perpétuellement cet air sévère, même quand elle souriait, ce qu'elle faisait rarement.

Ses longues boucles châtains avaient autrefois adouci cette physionomie particulière, mais elle avait coupé ses cheveux très court quelques mois auparavant, et cette nouvelle coupe accentuait encore plus ses traits. Elle se savait originale ; ni belle ni laide, elle ne passait jamais inaperçue et elle aimait cela. Sauf quand on la comparait avec la beauté très académique de sa mère…

Elle soupira et se saisit du classeur qu'elle avait laissé sur le siège avant de la voiture avant de descendre. Cela lui permit de se replonger dans l'humeur professionnelle qu'elle devait s'astreindre à conserver sans se laisser submerger par le reste. Elle jeta un œil sur son programme : l'après-midi et la soirée allaient être chargés.

9

Le lit était fait, les serviettes de toilette, disposées sur le bord du lavabo ; les vitres immaculées laissaient le soleil de cette fin de journée pénétrer dans le gîte... Sarah disposa quelques jonquilles qu'elle avait cueillies le long du chemin dans un vase et le posa sur la table. Elle embrassa du regard l'ensemble et sembla satisfaite. Il ne manquait que le frigo et le four, dont l'achat était au programme du lendemain matin. Elle avait pris deux chaises dans son propre salon, un peu de vaisselle dans ses placards, et retrouvé dans un carton l'ancienne machine à café qui serait sans doute utile à son « invitée ».

Elle regarda sa montre. Elle s'empêchait d'appeler qui que ce soit, sa sœur ou ses amies Murielle et Nathalie, avant d'avoir pu parler à Daniel pour éclaircir la situation. Pour chasser la panique qui grondait dès qu'elle n'était plus en mouvement, elle rentra chez elle, inspecta le contenu du frigo et des étagères, et se lança dans la confection de petits gâteaux. Elle y prit un plaisir tout relatif, habituée qu'elle était à satisfaire ce genre de subite lubie avec l'une ou l'autre de ses filles...

Elle fit sécher les sablés sur leurs plaques de cuisson et ne résista pas à l'envie d'un verre dans le jardin. Elle déboucha une bouteille d'irancy et s'installa dehors. Assise sur le bord de la terrasse, elle se sentit un peu bête avec son verre à la main et ses petits sablés sur la table du jardin, sans personne pour trinquer ou pour subtiliser en douce un biscuit tiède. Daniel n'appellerait pas avant une heure. Elle remplit une boîte en métal de gâteaux, enfonça le bouchon sur la bouteille qu'elle venait d'ouvrir et prit la direction du chemin. À cinquante mètres de là habitait son unique voisin. Elle ne l'avait pas vu depuis le déménagement et, pourtant, elle lui devait, pour une raison toujours un peu obscure à ses yeux, d'avoir pu acquérir la maison.

C'était lors de vacances en famille. Ils avaient tous les quatre largué les amarres pour quelques jours sans avoir programmé autre chose que la destination. Ils s'étaient arrêtés pour la première nuit un peu plus au nord dans la région, à côté de Fécamp, dans un charmant gîte rural qui correspondait en tous points au rêve qu'elle caressait. Puis ils avaient posé leurs valises à Étretat. Ils avaient longé la falaise d'Aval et étaient arrivés jusqu'à la plage du Tilleul à marée basse. Plutôt que de faire demi-tour, intrigués par le paysage, ils étaient remontés par la valleuse et s'étaient enfoncés dans la campagne, où elle était tombée nez à nez avec la longère du clos des Reinettes. Elle était restée sur place avec Agatha et Noémie, pendant que Daniel rebroussait chemin pour aller chercher la voiture restée à Étretat. Les filles avaient faim, soif et mal aux jambes après plus de deux heures de marche. L'endroit avait un air abandonné, mais ne semblait pas à vendre, en tout cas nul panneau ne l'indiquait. La barrière en bois était ouverte, et Sarah s'était aventurée dans la cour verdoyante. L'endroit était magnifique. La longère le protégeait du vent et de la vue du chemin sur une façade d'une vingtaine de mètres. Des talus supplantés d'arbres, qui lui avaient paru être des peupliers, encadraient la cour qui abritait des pommiers en fleurs. Au fond de cette même cour, une petite maison couverte de chaume, dans un style qui n'avait rien à voir avec le bâtiment principal, se dissimulait derrière une haie de lilas. Elle avait été tirée de ses contemplations par les plaintes de ses filles qui criaient famine et qui avaient froid. Apercevant une lumière dans une maison toute proche, elle avait frappé à la porte et s'était retrouvée devant un monsieur charmant, d'une soixantaine d'années, vêtu d'un tablier. Ils avaient passé la soirée avec lui, Daniel les avait rejoints une heure après, les bras chargés de victuailles en vue de satisfaire les appétits aiguisés de la famille. Ils avaient partagé ce repas improvisé avec leur hôte et avaient appris que le clos-masure voisin était à vendre. Monsieur Carpentier leur avait même donné le nom de l'agence responsable de la vente, mais il n'en savait pas beaucoup plus sur l'endroit qui avait fasciné Sarah. Le lendemain, ils étaient revenus visiter avec l'agent immobilier, et elle se rappelait encore les mots du jeune homme à la fin de la visite :

— Ne vous faites pas trop d'illusions, messieurs dames. Cette maison est en vente depuis trois ans après avoir été louée plus de cinq ans. Les locataires voulaient acheter, mais le propriétaire a refusé. Dès qu'ils ont été partis, il l'a mise en vente. J'ai eu de très belles offres, qu'il a toutes déclinées. C'est un monsieur un peu particulier, et votre offre est bien en deçà des précédentes. Alors, je vous préviens que vos chances d'acquérir ce bien sont très minces…

Monsieur Carpentier avait semblé attendre que la voiture de l'agent immobilier soit hors de vue pour se manifester et retrouver la famille dans la cour. Il avait remarqué la mine de Sarah et avait écouté les raisons de cet abattement.

— Je vous ai un peu menti hier en vous disant que je ne savais pas grand-chose de cet endroit. Je n'habite là que depuis deux ans, mais il se trouve que le propriétaire des lieux est un vieil ami. C'est un vieux grincheux, mais je peux essayer de lui toucher deux mots à votre sujet.

C'était l'année dernière. Et quoi que monsieur Carpentier ait pu raconter à son vieil ami grincheux, quarante-huit heures plus tard, l'agent immobilier, qui n'en revenait pas lui-même, annonçait la bonne nouvelle à la famille Delerre.

Elle était arrivée devant sa porte, mais la maison semblait vide. Elle regarda vers le jardin et l'appela.

— Matthieu ! Vous êtes là ?

— Dans le jardin !

Elle contourna la maison et le trouva en train d'arroser un petit coin de terre, où rien ne semblait pousser.

— Bonsoir, Sarah. Comment allez-vous ?

— J'irai mieux si vous acceptez de partager un petit verre de vin avec moi. J'ai apporté tout ce qu'il faut, dit-elle en montrant la bouteille.

Matthieu Carpentier coupa l'eau du tuyau d'arrosage, s'essuya les mains sur son pantalon et sourit.

— C'est une très bonne idée. Nous nous installons ici ou vous préférez entrer ?

— Dehors, c'est parfait.

— Très bien, je vais chercher des verres.

Il revint avec deux verres à pied, du pain et du fromage. Il s'assit à même le sol dans la même position que Sarah.

— Alors, vous ne m'avez pas répondu. Comment allez-vous ?

— J'en saurai plus dans une petite heure. C'est un peu compliqué. À vous l'honneur !

— Eh bien, plutôt bien. J'ai reçu une carte de mon fils ce matin, j'ai passé la journée dehors à m'occuper de mon jardin, à lire les journaux de la semaine qui dormaient sur ma table depuis lundi, et ma charmante nouvelle voisine vient me rendre visite avec une bonne bouteille à la main ! Je vais bien. Alors, Sarah, pour faire passer l'heure, racontez-moi un peu ce qui vous tourmente.

Sarah prit une gorgée de vin. Elle se serait damnée pour une cigarette. Le regard au loin, elle dit en souriant :

— Rien ne s'est passé comme prévu de toute la semaine. Mon patron a découvert que j'avais un peu trafiqué mon CV et il n'a pas apprécié. J'ai un problème de connexion Internet qui m'empêche d'avancer pour pas mal de choses.

Elle fit une pause.

— Je pensais ouvrir le gîte dans deux mois, tranquillement, posément, en ayant eu le temps de respecter toutes les étapes, faire les travaux, un peu de publicité, une petite inauguration ou tout au moins une présentation aux habitants du coin, être allée à la rencontre des autres propriétaires de gîte des alentours... et accueillir avec ma petite famille un jeune couple avec un ou deux enfants au mois de juillet, pour le début des vacances...

— Et ?

— Eh bien, non. Finalement, ma première cliente m'est quasiment imposée par mon patron. Elle n'a pas l'air sympathique du tout. Elle sera seule et moi aussi puisqu'elle s'installe dès demain pour une semaine dans mon gîte, où les travaux n'ont pas commencé !

Matthieu leva son verre.

— Nous n'avons pas trinqué, Sarah. C'est le moment. Nous n'avons qu'à dire que nous inaugurons votre gîte ce soir !

— Je suis ravie de le faire avec vous !

Son téléphone portable sonna ; elle regarda l'écran.

— C'est Daniel.

Comme si elle se parlait à elle seule, elle poursuivit à voix basse :

— S'il ne peut pas me rejoindre avec les filles pour la rentrée, je crois que j'aurai beaucoup de mal à tenir le coup. Une semaine seule et ils me manquent tous...

La sonnerie cessa.

— Je le rappellerai tout à l'heure.

Elle leva son verre à son tour.

— Après tout, je suis en pleine inauguration !

Ils discutèrent encore près d'une heure de choses et d'autres. Matthieu lui confia quelques bribes de sa vie, son impatience à être grand-père qui grandissait d'année en année, sa passion pour le jardinage et les légumes anciens qu'ils faisaient pousser dans son potager, son amour profond pour la région dans laquelle il avait grandi, et la joie paisible qu'il ressentait à profiter de sa toute jeune retraite... Sarah lui parla de ses filles, de sa vie à Paris qu'elle avait beaucoup aimée, de la lassitude qui s'était emparée d'elle peu à peu à cause de son travail qui lui prenait tout son temps et dans lequel elle ne puisait aucune satisfaction personnelle, et s'étendit sur son envie de construire autre chose depuis plusieurs années.

Elle rentra chez elle vers huit heures. Le vin lui avait un peu tourné la tête et redonné un peu d'optimisme. Elle appela Daniel.

— Allo ?

— Agatha ! C'est moi ! Comment vas-tu, ma grande ?

Elle entendait à travers le combiné les hurlements de Noémie.

— Il y a un problème à la maison ?

— Rien de très grave. Noémie ne trouve pas la robe qu'elle veut mettre pour l'anniversaire. Papa essaie de la calmer depuis tout à l'heure, mais, comme tu l'entends, c'est pas ça.

— Bon, je verrai ça avec lui tout à l'heure. Et toi, comment tu vas ?

— Ça va. Semaine tranquille. Finalement, il n'y a pas de match de volley la semaine prochaine ; alors, on pourra peut-être venir passer le week-end avec toi.

— Alors, ça, c'est une sacrément bonne nouvelle ! Vous me manquez, tu sais.

— Je sais, maman.

Agatha semblait prête à ajouter quelque chose, mais elle se tut.

— Je vais dire à papa que c'est toi. Bisous.

— Bisous, ma fille, à très vite.

Sarah patienta en ne pensant à rien. La parenthèse hors du temps avec Matthieu avait soufflé les nuages de soucis qui s'étaient accumulés depuis le coup de fil de Daniel. Le scénario catastrophe que son imagination avait construit s'était arrêté net au deuxième verre de vin. Ils allaient discuter comme ils l'avaient toujours fait et trouver une solution.

— Sarah ?

— Oui. Ça va ?

— Il y a eu un petit drame vestimentaire, mais tout va bien. J'ai retrouvé la robe de Noémie au linge sale. Elle devrait être sèche à temps pour l'anniversaire.

— Bon, tant mieux.

Elle attendit que Daniel aborde le sujet, mais il tardait à le faire.

— Il se peut que nous puissions venir le week-end prochain, finalement...

Sarah le coupa.

— Oui, Agatha m'a dit. Pas de match de volley... Daniel ?

Elle l'entendit prendre une respiration et soupirer au bout du fil.

— Désolé pour tout à l'heure. Ce n'était pas très malin de t'appeler dans l'état où j'étais.

— Ne t'en fais pas. Explique-moi plutôt.

Elle se surprenait elle-même d'être si posée.

— Bien. Ma mutation a bien été acceptée au Havre. De ce côté, aucun problème. C'est à Paris que ça coince. Nous avons une nouvelle directrice à l'hôpital. Elle est arrivée peu après que j'ai formulé ma demande.

Il fit une pause, soupira à nouveau.

— Comme tu sais, la direction des ressources humaines m'a donné son accord, mais j'ai jamais rien eu d'écrit, et, là, cette même direction, par la voix de la même madame Jasmin, m'apprend que la politique de l'hôpital est de fidéliser les équipes en place et que ma demande de mutation tombe au plus mauvais moment.

— On t'a donné une note ou quelque chose qui le confirme ?

— Oui. Je l'ai sous les yeux : *Nous sommes au regret de ne pouvoir donner suite à votre demande de mutation pour le mois de juillet 2010...*, etc.

— Tu crois que tu peux rattraper le coup ? Je veux dire, faire une nouvelle demande ?

— Théoriquement, oui. Je peux demander un examen en commission paritaire, et mon départ pourrait simplement être différé de quelques semaines. Il n'y a pas de raison objectivement valable sur la notification de refus. J'ai pu me renseigner. Je pense qu'ils gagnent juste un peu de temps.

Sarah souffla. Tout allait s'arranger.

— Mais il y a autre chose...

— Ah ?

— Si je renonce à partir tout de suite, l'hôpital me propose de me financer complètement la formation de cadre de santé.

C'était très intelligent, pensa Sarah. Il parlait de cette formation depuis des années.

— Daniel, elle dure combien de temps, cette formation ?

— Une petite année… Elle est assortie d'une obligation de rester en poste pendant quelque temps également.

Elle avala sa salive et tenta de maîtriser sa voix.

— Qu'est-ce que tu comptes faire ?

— Je ne sais pas. C'est une occasion unique pour moi. Mais, concrètement, ça implique beaucoup de choses.

— Je ne te le fais pas dire !

Là, c'était sorti tout seul ! Elle ravala la colère qui montait et essaya de refouler le sentiment d'injustice qui lui serrait la gorge. Daniel dut sentir son émotion dans le silence qui suivit et reprit :

— Sarah. On va réfléchir tranquillement à tout cela et en discuter le week-end prochain. J'ai un petit délai pour me décider.

— Combien de temps ?

— Deux semaines.

— Deux semaines... Les filles sont au courant ?

— Je ne crois pas. Je n'en ai parlé qu'à Paul, tout à l'heure, après avoir essayé de te joindre.

— J'étais chez Matthieu. Nous avons trinqué à l'inauguration imprévue du gîte. Notre première cliente arrive demain, figure-toi.

Et d'une traite elle lui raconta le déroulement de la journée, ses échanges mouvementés avec Didier, la rencontre avec Natalia Ficher, la visite, l'acompte mirobolant, le grand ménage, les petits sablés, la bouteille d'irancy...

— Je suis désolé, dit-il simplement après l'avoir écoutée. Tu devais avoir très envie de me raconter tout cela et je n'ai pensé qu'à moi.

Il sembla réfléchir quelques secondes.

— Écoute, je vais prévenir les filles. On va venir demain.

— Rien ne me ferait plus de bien, mais tu ne peux pas faire ça à Noémie. Elle parle de cet anniversaire depuis trois semaines. Et puis je croyais que tu travaillais dimanche ?

— Je vais appeler Paul et lui expliquer. Il me doit deux week-ends. Il est temps qu'il commence à éponger ses dettes !

Sarah entendait son sourire.

— Si on part sitôt le goûter fini, on peut arriver en fin d'après-midi.

— Merci.

— Je te rappelle dès que j'ai eu Paul. Je te passe Noémie ?

— Oui, s'il te plaît. À tout à l'heure.

Noémie avait la tête ailleurs et répondit par monosyllabes à toutes les questions qu'elle lui posa. Ses filles lui manquaient. Si tout se passait bien, elle pourrait les serrer dans ses bras le lendemain.

À Paris, Agatha écoutait son père négocier avec son oncle le remplacement du surlendemain. Elle n'avait pas perdu une miette de leurs échanges un peu plus tôt dans la soirée et était en colère contre Daniel. Puisque le week-end avait l'air de se confirmer, elle essaierait de trouver les mots pour parler à sa mère de ce qui se tramait.

10

Gabriel n'avait pas résisté longtemps au sommeil. Il était rentré chez lui, avait ôté sa veste, bu un verre d'eau et s'était installé sur le canapé en écoutant la radio. Il louait une petite chaumière pour pas grand-chose et aimait cet endroit. Les murs adjacents de la maison étaient de briques d'argile, tandis que les colombages de la façade retenaient un torchis clair fait du même matériau.

La longue poutre horizontale qui semblait tenir la maison reposait elle-même sur un muret de briques ocre et donnait aux extérieurs une chaleur sécurisante, accentuée par le toit de chaume en roseaux. Il ne disposait que de deux pièces, ce qui convenait tout à fait à son mode de vie actuel, mais il songeait de plus en plus souvent à quitter son petit repaire pour rejoindre Lise. S'ils n'avaient plus abordé le sujet, ces derniers jours, ils avaient convenu tacitement de passer l'hiver sous le même toit, et il faudrait qu'il prévienne ses propriétaires.

Il se réveilla en fin d'après-midi. Il se prépara un sandwich au fromage et se fit un café. Il essaya de joindre Lise et raccrocha au bout de quinze sonneries. Avant de se mettre au taillage des rosiers qu'il différait de jour en jour, il alla relever son courrier. Depuis l'ouverture des deux supermarchés situés à moins de dix kilomètres, sa boîte était gorgée de prospectus. Il allait les jeter machinalement, puis il se ravisa et les posa sur la table. Il y jetterait un œil plus tard, par curiosité.

Il ne découvrit la lettre de Lise, entre une publicité sur le matériel de jardin et une facture d'électricité, que plusieurs heures plus tard. Il sut avant de la décacheter que son contenu allait l'anéantir. Son cœur se serra. La gorge nouée, il prit délicatement l'enveloppe et s'affaissa sur son fauteuil. Elle n'avait jamais, en quinze mois, glissé aucun courrier dans sa boîte. Son absence de la journée qui ne l'avait pas inquiété jusqu'à présent lui sembla subitement interminable, et la donation de sa maison, pour le moins suspecte. Il attendit ainsi de longues minutes avant d'ouvrir l'enveloppe, s'octroyant un dernier sursis d'espoir.

La lettre était très courte. Il se sentit profondément abandonné, et trahi devant le peu de détails et d'explications qu'elle lui fournissait. Incapable de réfléchir, il ferma les yeux et se laissa engloutir par le chagrin.

Pendant les semaines qui suivirent, il se contenta d'obéir aux automatismes de son métier. Il dosait, pesait, pétrissait, façonnait, incisait et enfournait sans relâche. Passé les premiers jours, il cessa de croire au retour de Lise. Il ne pouvait néanmoins s'empêcher de guetter matin et soir en passant devant chez elle.

Il ne parlait pas. Il avait peu d'amis, et la relation qu'il entretenait avec ses parents n'était pas de celles où l'on se confie sur ses joies et ses peines. L'idée le traversa d'essayer de retrouver sa bien-aimée. Il connaissait son nom de famille et la ville où elle avait habité. Il chassa ce projet à force de lire la lettre sibylline qu'elle lui avait laissée et qui marquait clairement sa volonté de le laisser derrière elle. La crainte d'être rejeté une seconde fois vint à bout du courage qu'il lui aurait fallu pour mener ce voyage.

Son seul ami revint de vacances trois semaines après ces événements. Il lui confia ses tourments et les clés de la maison de Lise. Il lui demanda s'il acceptait de la vider de tout effet personnel susceptible d'évoquer le passage de la jeune femme, et de faire en sorte que personne ne puisse facilement s'introduire à l'intérieur.

Il donna son congé aux propriétaires de la chaumière pour le mois de décembre.

Enfin, il annonça à son père son souhait de suivre ses traces pour devenir compagnon boulanger et, près de cinq ans après l'obtention de son CAP, entamer son tour de France.

Les négociations furent longues et âpres. Si le père se félicitait de cette décision, il était malgré tout réticent face à l'idée de se séparer pour plusieurs années des talents de son fils et à celle de devoir lui trouver rapidement un remplaçant. Les liens qu'il entretenait avec l'Union compagnonnique eurent raison de ses hésitations. Il transmit à son fils les clés lui permettant d'ouvrir les premières portes de son voyage et embaucha un jeune boulanger de vingt ans.

Le 28 décembre 1970, Gabriel quitta la Normandie pour la première fois et partit rejoindre la ville de Tours.

II

Samedi 9 mai 2010

Le centre commercial grouillait d'une foule dense, privée de consommation la veille. Dans les allées se bousculaient des caddies abandonnés, des employés lassés qui remettaient les rayons en ordre, et des mères dont l'attention se portait tantôt sur les allées et venues de leur progéniture excitée par l'abondance des tentations, tantôt sur les étiquettes des articles qu'elles tenaient.

Sarah erra devant les têtes de gondole, tenta de se repérer, puis attaqua méthodiquement le magasin par l'angle droit en partant du fond.

Douze œufs, six euros ; deux pont-l'évêque, sept euros soixante ; deux plaquettes de beurre, quatre euros quatre-vingts ; une tablette de chocolat, un euro soixante ; douze yaourts… Pendant des années, elle avait fait ses courses sans trop regarder le prix des choses. Depuis deux ans, ils faisaient attention, pas à cause de la dépression économique qui traversait le pays, mais parce que faire des économies avait été une nécessité préalable avant tout changement, et, pour un changement, celui-ci était pour le moins radical. Elle regarda autour d'elle et constata que les chariots étaient remplis de produits manufacturés premier prix, aux qualités nutritionnelles douteuses. Elle se dit encore une fois que sa famille avait été bien chanceuse de ne connaître ni le chômage ni les restrictions que beaucoup avaient subies.

C'était ce côté de ses « boulots d'avant » qu'elle n'était plus parvenue à assumer. Ce détachement de la réalité devenu plus choquant encore avec la crise, qui faisait que le revenu des employés n'était plus regardé que sous l'angle du poids de la masse salariale, les augmentations et les primes qui mettaient du beurre dans les épinards, sous celui de leurs incidences sur l'effet de masse d'une année budgétaire à une autre. Elle faisait de beaux tableaux pour rendre accessibles les chiffres, mais savait qu'ils n'auraient pour finalité que celle du « contrôle des charges » ; et, à côté des achats et des services extérieurs se trouvaient toujours en ligne de mire les dépenses de personnel. À force de voir grimper les honoraires des avocats chargés de défendre des licenciements sans causes réelles et sérieuses, le nombre d'étoiles des restaurants fréquentés par les directeurs commerciaux, et le budget réception, elle avait pris un jour son courage à deux mains et fait des propositions. Elle avait été poliment encouragée à continuer de faire preuve d'initiative ; on accueillerait toujours ses suggestions avec intérêt et bienveillance... Mais, en quittant son bureau à dix-neuf heures ce jour-là, un horaire qu'elle s'efforçait de ne pas dépasser pour conserver un minimum de vie familiale, elle avait entendu les hommes du comité de direction plaisanter à son sujet :

— Ah les femmes ! Si on les écoutait, ce serait l'assistance publique ici ! Vous avez entendu ce qu'elle disait à propos des restaurants ? On va inviter les clients au McDo si ça continue !

Et tous avaient l'air de trouver cela très drôle.

Eh oui... Ses diplômes et son expérience ne pesaient pas bien lourd face à la condescendance de certains hommes de l'entreprise, marqués au fer rouge d'un machisme pas vraiment dépassé... L'égalité professionnelle avait beau faire les gros titres le 8 mars de chaque année, la grande marche vers la parité était plutôt lente ! Elle se rappelait avoir lu que, si les jeunes générations, dans lesquelles elle s'incluait, admettaient un progrès dans la répartition des tâches domestiques et dans celle de l'éducation des enfants, les représentations des femmes dans l'inconscient social collectif garantiraient encore un bon moment la solidité du fameux « plafond de verre ». Et sa grande copine Murielle de s'insurger :

— L'entreprise, c'est le dernier bastion du mâle dominant ! Pour te faire entendre quand t'es une femme, il faut presque dormir sur place ! En France, le premier critère qui fixe les salaires, c'est le temps que tu passes au travail, et, si t'as le malheur d'être une femme, même super efficace, mieux organisée et plus productive que tous tes collègues, tu touches dix pour cent de moins, c'est comme ça ! Je te parle de la vraie discrimination, à armes égales, quoi, diplôme, ancienneté, expérience, temps de travail… C'est ma-thé-ma-tique ! Et c'est encore pire si t'as des enfants, bien sûr ! Et dans la fonction publique ! On pourrait croire qu'il y a un petit effort, eh bien, je te le donne en mille. On est pas mieux loties. On est soixante pour cent de femmes, gouvernées à quatre-vingts pour cent par des bonshommes !

Elle se demandait comment ses stakhanovistes de collègues, pourtant un peu plus jeunes qu'elle, pouvaient alimenter les statistiques de l'amélioration du partage des tâches ménagères chez eux !

Elle se rendit compte qu'elle torturait une pâte brisée depuis un certain temps. Elle la reposa discrètement et partit de l'autre côté. Elle prendrait le temps de faire une « vraie tarte », comme disait Noémie.

Après l'épreuve des courses, celle du réfrigérateur. Elle opta pour le seul qui semblait entrer sans problème dans la Kangoo, en profita pour acheter un grille-pain, une bouilloire et un lecteur CD pour le gîte.

À treize heures, elle arriva au clos, vida les courses, puis dévisagea le frigo de cinquante kilos posé à l'arrière de la voiture et se demanda comment elle avait pu s'imaginer le décharger sans l'aide de personne.

Elle pensa une seconde à appeler Didier, mais écarta rapidement cette idée. Elle ne le connaissait pas assez pour le déranger au beau milieu du week-end. Il y avait bien Matthieu, mais son charmant voisin paraissait un peu âgé pour cette épreuve de force. Elle renonça également à toute tentative en solitaire pour parer au risque de se bloquer le dos.

C'était une très belle journée. Le ciel était dégagé et le vent était tombé. Elle s'installa en tee-shirt sur la table du jardin pour éplucher des légumes. L'après-midi fila à toute allure. Une tarte aux pommes et un gratin de poisson plus tard, elle s'offrit le temps d'un bain. Elle venait de finir de se préparer dans la chambre à l'étage, quand elle entendit klaxonner dans la cour. Elle courut accueillir sa petite famille.

— Waouh ! maman. Elle est trop belle, ta robe !

Noémie lui sauta dans les bras.

— Merci, ma chérie ! Mais, dis donc, fais-moi voir ça ! T'es toute maquillée, toi aussi !

— En lapin ! C'est la grande sœur de Mathéo qui nous a déguisés !

— Très réussi !

Agatha s'extirpa à son tour de la voiture, un livre à la main.

— Hello, ma fille.

Elle jeta un œil à la couverture du livre.

— *Bridget Jones* ! Décidément, tu ne perds pas de temps, mon Agatha. Il va falloir que je cache mes bouquins, si ça continue ! Tu sais que j'ai lu ce livre il y a dix ans ?

— T'étais pas un peu vieille pour lire ça ?

— Dis donc, canaille ! Ta pauvre mère ! Un peu de respect, je te prie !

Agatha lui entoura le cou avec ses bras et l'embrassa.

— Je t'aime, maman.

— Moi aussi, ma grande.

Daniel sortait les valises du coffre. Le câlin durait entre Agatha et Sarah, et il entra les bagages dans la maison, où Noémie était déjà en train d'enfiler ses bottes en caoutchouc.

Quand Sarah rentra, ils s'enlacèrent sans un mot, savourant ces retrouvailles attendues.

Les filles dressèrent une jolie table sur la terrasse, tandis que Daniel et Sarah installaient le frigo dans le gîte. Au moment de passer à la tarte, Agatha alla chercher des pulls pour toute la famille. Au même instant, un taxi pénétrait dans la cour.

Tout le monde se leva pour aller accueillir Natalia Ficher et ses trois valises que le chauffeur se chargea d'aller déposer à l'endroit qu'on lui indiqua. Sarah vint à sa rencontre :

— Bonsoir, Natalia. Nous sommes ravis de vous recevoir. Elle lui tendit la main.

— Je vous présente ma petite fille, Noémie.

Natalia Ficher dut se rendre compte que la nuit allait tomber et elle releva ses lunettes noires sur ses cheveux. Contre toute attente, elle se pencha vers Noémie et l'embrassa. Puis elle se dirigea vers Daniel et lui serra la main en souriant.

— Enchantée.

Agatha sortit de la maison les bras chargés et pila sur le pas de la porte. Profitant des politesses que son père échangeait avec la femme, elle s'approcha de sa mère et chuchota :

— Maman ! C'est Natalia Ficher !

— Je sais, ma puce. Papa ne t'a pas dit ?

— Il nous a dit que c'était quelqu'un de connu, mais il ne se rappelait pas son nom ! Natalia Ficher, maman ! Tu te rends compte ?

— Allez, va dire bonjour...

Le taxi fit marche arrière et disparut derrière la maison. Sarah donna les clés à la comédienne et s'assura qu'elle ne manquerait de rien pour la nuit. Elle lui proposa une part de dessert qu'elle déclina. Elle était épuisée.

— Alors, à demain. Vous déjeunez vers quelle heure ?

— Je ne sais pas... Vers neuf heures, si cela vous convient ?

— C'est parfait. Bonne nuit !

12

Dimanche 10 mai 2010

Sarah sentait les effluves de café remonter jusqu'à la chambre et se leva. Fidèle à son habitude, Daniel s'était réveillé de bonne heure, la table du petit-déjeuner était appétissante et il était même allé chercher des croissants. Elle avala une tasse de café et remonta se changer. Elle avait les yeux bouffis de sommeil, son sérum-lisseur-performance-anti-âge (son « déplisseur de rides » comme lui disait sa charmante fille) avait du pain sur la planche. Elle aurait l'air d'avoir dix ans de plus pendant encore au moins une bonne heure.

Agatha et Noémie devaient s'être réveillées tôt également puisqu'elle les aperçut dans le jardin par la fenêtre de la salle de bain. Elles regardaient en l'air vers le sommet des pommiers. Sarah plissa les yeux, mais n'identifia pas l'objet de toute cette attention. En revanche, elle vit parfaitement Natalia Ficher sortir du gîte, rejoindre ses filles et adopter la même posture qu'elles, le cou tendu vers le ciel et les mains sur les hanches. Elles restèrent ainsi plusieurs minutes jusqu'à ce que Noémie, apparemment découragée, fasse volte-face et s'envole vers la maison en criant de sa voix claire : « Le p'tit-déj ! Les croissants ! On a faim ! »

Arrivée en bas des marches, elle surprit le regard de Daniel qui ne laissait aucun doute sur l'effet que lui faisait la présence de Natalia. La comparaison est dure, se dit-elle. On dirait qu'elle sort de l'institut de beauté. Comment fait-elle ? Elle doit pourtant avoir au moins cinq ans de plus que moi !

Elle portait une jupe fluide et un petit pull rose pâle qui laissait subtilement deviner son décolleté. Sarah regarda son pantalon en velours et sa polaire, et se retint d'aller se changer sur-le-champ.

— Papa, tu pourras nous aider à faire descendre le petit chat de l'arbre ?

— Ah ! c'était donc ça que vous regardiez tout à l'heure ?

La conversation du petit-déjeuner tourna autour du chaton : d'où venait-il, où était sa mère, fallait-il le laisser se sortir seul de ce mauvais pas ou au contraire l'aider ?

Daniel trancha.

— S'il ne parvient pas à descendre tout seul dans la matinée, j'irai chercher l'échelle. Mais, en attendant, vous le laissez tranquille, les filles. S'il est monté tout seul, il doit pouvoir redescendre.

Les chaises se vidèrent les unes après les autres. Natalia prit congé, Noémie partit à la recherche de vers de terre et de coccinelles, Agatha retourna observer le chaton, Daniel débarrassa la table et se lança dans la vaisselle.

Sarah resta seule assise à table.

— Puisque nous avons un petit moment tout seuls, on pourrait peut-être en profiter pour parler de cette formation ?

Daniel s'essuya les mains sur le torchon. Il lui tournait le dos face à l'évier.

— Je te ressers un café ?

— Ça va, je te remercie.

Il se retourna pour lui faire face, mais resta debout.

— Sarah, comment t'expliquer ?...

Elle leva les sourcils.

— Tu as déjà bien réfléchi, on dirait...

— Tu sais combien il nous en coûterait de financer cette formation ? Plus de sept mille euros ! Et, vu les choix que nous avons faits, ça ne sera pas pour tout de suite...

Elle se tut. Il fallait qu'elle le laisse parler, mais les choses ne prenaient pas la tournure qu'elle avait escomptée...

Voyant qu'elle n'argumentait pas, Daniel poursuivit :

— J'ai trente-huit ans. Je bosse depuis dix-sept ans et j'en ai encore pour un bail... J'ai mal au dos, je dors mal, je cours toute la journée et pour pas bien lourd de considération... J'aime mon métier, mais je ne me vois pas au même point dans cinq ans. J'ai besoin de perspectives et, depuis hier, j'en ai une ! On m'envoie un ascenseur et je serais bien stupide de ne pas monter dedans !

— Inutile de t'énerver.

Il croisa les bras.

Le silence dura une éternité.

Sarah soupira.

Il se racla la gorge et regarda par la fenêtre.

Elle dit :

— Je veux bien une petite tasse, finalement.

Il lui apporta son café et reprit sa position.

Sarah se lança.

— Tu te rappelles la dernière fois que nous avons partagé un repas comme celui d'hier soir ? Moi, j'y ai réfléchi en me couchant et je n'ai pas réussi à me souvenir. Nous avons fait des choix, effectivement, et nous les avons faits ensemble. Ralentir ! C'est ce qu'on se disait ! Ralentir le rythme, prendre le temps de voir nos filles grandir, se donner les moyens de partager à nouveau des petits moments comme ce petit-déjeuner... Et là, toi, tu me parles de vivre à deux cents kilomètres les uns des autres alors que nous touchons au but ?

Sa voix s'étranglait. Elle prit un moment pour se reprendre.

— L'appartement est vendu, presque tous nos meubles sont ici, notre vie est ici maintenant ! Regarde nos filles : elles se sont faites à l'idée, nous nous étions tous faits à l'idée. Tu ne peux pas tout changer maintenant !

Et, comme une conclusion :

— Et nous n'avons pas les moyens de louer un appartement à Paris, même un petit studio, c'est impossible.

— Je sais.

— Je ne comprends pas.

Il leva les bras, regarda la pièce, lui pointa le jardin du doigt.

— Je sais que nous ne pouvons pas revenir sur tout ça... Je te demande juste de me laisser tenter ma chance. Deux heures de voiture, c'est pas le bout du monde.

Il se rapprocha d'elle et l'embrassa sur la joue.

— Sarah...

Elle se leva à son tour.

— Je suis désolée, mais je crois que je n'arrive même pas à réaliser ce que tu dis. Tu es en train de me demander de commencer notre nouvelle vie sans toi... Tu sembles ne voir aucun problème alors qu'elle coince de partout, ton idée !

— Je te trouve bien intransigeante. Quand tu as obtenu ton congé formation et que tu as passé deux ans à bûcher ton diplôme de compta, je t'ai plutôt soutenue, non ?

— Mais enfin, Daniel, ça n'a rien à voir ! Je n'avais quitté ni la maison ni la ville ! Je continuais d'emmener les filles à l'école, je mangeais avec vous tous les soirs, je...

— Et quand tu m'as dit que tu n'en pouvais plus de ton travail, je t'ai écoutée. Il me semble que j'ai été là pour toi chaque fois que tu en as eu besoin. J'apprécierais un peu de réciprocité maintenant ...

— Tu es injuste.

Elle se radoucit un peu.

— Je te dis juste que ce n'est pas le moment le plus opportun. Je sais que cette formation est très importante pour toi, mais avoue que ça ne pouvait pas tomber à un pire moment. Je suis sûre qu'en faisant attention, on peut réunir la somme nécessaire dans un délai raisonnable.

Daniel s'assit, se prit la tête entre les mains, se redressa et la regarda droit dans les yeux.

— Tu ne comprends pas, Sarah. J'ai très envie d'accepter. Maintenant.

— Alors, à quoi bon discuter ?

— À rien, apparemment. Tu ne veux rien entendre. Je pensais que tu serais capable de comprendre, de te mettre à ma place, de penser un peu à moi et un peu moins à toi !

— Je te laisse expliquer ça aux filles.

Elle quitta la pièce en colère. Elle n'avait pas atteint le salon qu'un hurlement lui transperça les oreilles.

Elle traversa en trombe la salle à manger. La porte-fenêtre qui donnait sur le jardin était grande ouverte. Elle courut vers Daniel, agenouillé dans l'herbe, où Agatha était étendue.

Les cris cédèrent la place aux larmes. Oui, elle avait voulu aller chercher le chat ; non, elle ne s'était pas rendu compte de la hauteur de la branche sur laquelle elle était montée ; oui, elle avait très mal ; et, non, elle ne pouvait pas du tout bouger sans se mettre à crier tellement sa jambe lui faisait mal.

Il fut décidé que Daniel l'emmènerait à l'hôpital et que Sarah resterait avec Noémie à la maison. Il porta sa fille jusqu'à la voiture et partit sans tarder.

La porte du gîte s'ouvrit et laissa s'échapper un air de salsa. Natalia apparut, une chaise à la main et un livre dans l'autre. Elle semblait n'avoir rien entendu de la scène qui venait d'avoir lieu. Les cris d'Agatha avaient sans doute été étouffés par la musique.

— Je m'installe au soleil ! Il fait trop beau pour ne pas en profiter !

Sarah la regarda, hocha la tête et lui adressa un sourire comme par réflexe, et marmonna quelque chose comme : « Oui, d'accord, c'est bien. »

Comme elle restait plantée sur la pelouse, Noémie l'attrapa par la manche et l'entraîna vers la haie, où elle avait aperçu le chaton. Elle se laissa faire, incapable d'aucune réaction, sonnée par ce qui venait de se produire.

Deux heures plus tard, le téléphone sonna. Elle se précipita pour décrocher.

Ce n'était pas Daniel.

— Léa, c'est toi. Tu tombes bien, si tu savais ce qui se passe !

— Je suis au courant. Paul a vendu la mèche…

— Quoi Paul ? Quelle mèche ? Agatha est à l'hôpital, elle vient de faire une chute de près de deux mètres.

— Noon ? Quelque chose de cassé ?

— Je ne sais pas. Je pensais que c'était Daniel qui appelait pour me donner des nouvelles. Ils sont partis depuis un petit moment maintenant.

— Tu veux que je te rappelle plus tard ?

— Non, non, t'inquiète. S'il veut me joindre, j'ai le portable dans ma poche. De quoi tu me parlais ?

— Du complot entre ton homme et le mien !

— Je ne comprends rien de ce que tu me dis. Tu peux être plus claire ?

— Daniel ne t'a pas parlé de sa formation ?

Sarah soupira.

— Parlé ? Non, je ne dirais pas ça tout à fait de cette façon, mais je suis au courant du principe, on va dire.

— Et le principe de « comme j'ai plus d'appart, j'vais squatter chez la belle-sœur », il a pris le temps de t'en parler ?

— Il s'en est bien gardé ! Je comprends mieux pourquoi la question du logement n'avait pas l'air de le perturber...

— Et alors ?

— Et alors, quoi ?

— Vous en êtes où ?

— On en était à la mi-temps d'une de nos plus belles engueulades, lui à foncer en avant bille en tête, moi à freiner des quatre fers, à essayer de lui dire que j'ai pas du tout envie qu'il reste à Paris à la rentrée, quand Agatha est tombée du nid... J'en reviens toujours pas, tu sais ! Comment peut-il tout chambouler à ce point ? Tu aurais dû l'entendre ! Il s'attendait vraiment à ce que je sois ultra-compréhensive et que je lui donne le feu vert avec ma bénédiction ! Mais qu'est-ce que t'a dit Paul exactement ?

— Je voyais bien qu'il me cachait quelque chose. Je lui ai tiré les vers du nez ce matin. Daniel lui avait demandé d'attendre la fin du week-end avant de me parler de tout ça. Ce que j'ai retenu, c'est que la proposition de la RH l'a rendu limite euphorique. Il s'y voit déjà, réussir le concours, bûcher à fond pour obtenir le diplôme, ce qui, sans ses filles à s'occuper, serait plus simple. La séparation le chiffonne un peu, mais elle semble passer au second plan. Sinon, il a confiance dans tes capacités d'organisation pour tenir le coup un an ou deux comme ça et…

— C'est bon, tu peux t'arrêter. Se faire héberger chez vous, c'est venu comment ?

— Ça, c'est Paul.

— Tu le remercieras !

— C'est déjà fait.

— Qu'est-ce que tu en penses ? Tu trouves qu'il a raison de me trouver égoïste ?

— Non.

— Tu crois que je devrais le laisser rester à Paris ?

— Je ne peux pas répondre à cette question. Mais si c'était moi…

— Oui ?

— … si c'était moi, je ne sais pas ce que je ferais, en fait. Mais il a raison sur un point : tu es tout à fait capable de t'en sortir sans lui.

— Mouais...

Elle entendit de l'eau couler à l'autre bout de la ligne.

— Et toi, ça va ?

— Oh oui ! Je suis célibataire. Paul travaille, les filles sont chez des copines, et là je m'apprête à me glisser dans un bon bain chaud plein de mousse. Tiens, j'ai eu des nouvelles des parents aussi. Ils sont à Stockholm.

— Et qu'est-ce qu'ils racontent ?

— Qu'ils s'éclatent. Ils rentrent dans un mois, à peu près… Ils vont terminer par l'Écosse. Ils pensent à nous, espèrent que tout le monde va bien et nous font savoir que la retraite, c'est le pied !

— Ils l'ont bien mérité, ce petit road movie à travers le monde.

— *Sky and Sea Movie*, tu veux dire !

Elles rirent toutes les deux de bon cœur.

— Je te laisse, mon bain m'appelle. Tu me tiens au courant pour Agatha ?

— OK. À bientôt.

Sarah raccrocha et composa le numéro de Daniel. Il sonna dans la chambre d'à côté.

— Zut !

Elle fit passer le temps comme elle put, lut des histoires à Noémie, la laissa grignoter ce dont elle avait envie, se passa quant à elle de déjeuner et but des litres de thé. Le gîte était vide : une voiture était passée un peu plus tôt pour chercher son occupante.

La Kangoo reparut vers dix-huit heures. Agatha était plâtrée. Au repos contraint pour un moment. Elle demanda si elle pouvait passer la semaine avec sa mère et rester sur place. Elle ne pourrait pas aller au collège, de toute façon. Tout le monde était d'accord, sauf sa petite sœur qui en aurait bien fait autant.

Sarah demanda s'il s'était passé quelque chose de particulier. Sa fille avait le visage décomposé, les yeux dans le vague et semblait comme assommée. Daniel lui répondit qu'elle avait le tibia fracturé et que c'était une raison suffisante pour ne pas être dans son assiette.

Au moment de repartir vers Paris, une fois Noémie installée sur la banquette arrière, ils s'embrassèrent sans rien se dire.

13

Janvier 1971

Gabriel fut hébergé à la Cayenne de Tours, le lieu de réunion, mais aussi l'habitation collective des compagnons de différents corps de métiers. Il n'était lui-même qu'un « résident », n'ayant pas encore été adopté par la communauté. La maison était tenue par madame Chondeau, dame hôtesse qui accueillait avec chaleur et bienveillance les jeunes et moins jeunes itinérants.

Il fut confié à un « parrain », avec lequel il resterait en contact tout au long de sa formation. Il prit connaissance des règles qui régissaient la maison et la vie en communauté, et qui renvoyaient principalement aux valeurs de respect et de solidarité. Il écouta avec intérêt la légende de la naissance du compagnonnage, la construction du Temple de Jérusalem par le roi Salomon plus de mille ans avant Jésus-Christ, il découvrit l'histoire d'Hiram, premier maître compagnon, et, bien sûr, celle de maître Jacques et du père Soubise. Les faits historiques lui avaient été rapportés par son père, mais ce dernier s'était surtout attardé sur les événements complexes qui avaient précédé le rattachement des boulangers (profession peu estimée des autres corps historiques « fondateurs » qui bâtissaient et construisaient) à la famille des compagnons. Gabriel prit donc plaisir à entendre le récit de ces ouvriers qui, à la fin du Moyen Âge, avaient voulu s'affranchir des maîtres corporatistes qui les empêchaient de tenir un jour boutique en la réservant à leurs fils ou leurs gendres. Ils s'étaient regroupés et entraidés pour accéder à l'indépendance et à la liberté, résistant aux condamnations du pouvoir royal et aux pressions de l'Église. Les discordances politiques et religieuses qui avaient secoué le compagnonnage au cours du dernier siècle ne furent pas passées sous silence, d'autant que les conflits de jadis étaient désormais apaisés au sein des trois branches reconnues. De la passion avec laquelle le maître compagnon s'adressait à eux, transpiraient les principes éthiques originels : faire des jeunes des hommes complets et leur permettre d'accéder à la réalisation pleine et entière d'eux-mêmes par l'exercice du métier qu'ils avaient choisi. Le tour de France qu'ils entameraient dans quelques mois leur ferait partager l'expérience de la solidarité et de la fraternité, et contribuerait à faire d'eux des artisans accomplis, professionnellement, certes, mais aussi socialement et intellectuellement.

La longueur et la densité des journées partagées entre le travail à la boulangerie, les cours en soirée, et les échanges avec les autres itinérants et compagnons aspiraient toute l'énergie de Gabriel et l'empêchaient de trop penser. Il se lia au fil des mois plus particulièrement avec Louis, un compagnon charpentier, qui lui conta le voyage qu'il venait d'achever après huit années d'itinérance. Mais il trouva surtout en madame Chondeau une personne de confiance et de grande bonté, à laquelle il confia peu à peu son histoire. Elle lui fit entendre que le temps finit toujours par refermer les plaies d'amour et qu'il lui faudrait être patient.

Le métier qu'il avait choisi et la nouvelle famille qu'il avait rejointe étaient des milieux réservés aux hommes. En dehors de madame Chondeau, il ne croisait aucune femme, et c'est peut-être ce qui fit rester tellement présent le souvenir de Lise. Après six mois, il présenta son travail d'adoption, inspiré des pains avec lesquels il l'avait régalée, et devint « Normand, aspirant compagnon boulanger ».

Au bout d'un an, alors qu'il s'apprêtait à changer de ville, il appela l'ami qu'il avait laissé en Seine-Maritime. Il le savait à la recherche d'une maison pour s'installer avec sa famille qui s'agrandissait et il connaissait ses modestes ressources. Il lui proposa l'endroit qu'elle lui avait laissé en lui défendant cependant d'habiter dans la maisonnette où elle avait vécu. L'ami reconnaissant allait habiter dans la longère principale pendant plus de vingt-cinq ans, rénovant chacune des pièces de cette vieille bâtisse qui avait été laissée peu à peu à l'abandon. Il prit soin de la petite maison en l'entretenant régulièrement, mais en respectant toujours le souhait de son propriétaire.

14

Lundi 11 mai 2010

Agatha était méconnaissable. Elle s'était endormie tôt la veille, mais avait passé une nuit très agitée, entrecoupée de mauvais rêves. Sarah s'était levée à trois reprises, inquiète des sons rauques qui s'échappaient de la chambre, et l'avait trouvée chaque fois endormie, mais couverte de sueur et secouée de mouvements vifs.

Au petit matin, la fièvre était tombée, mais son état restait préoccupant. Elle se tenait assise au fond de son lit, son bol de chocolat chaud entre les mains. Sarah touchait son front, caressait ses cheveux, lui parlait doucement, essayait de comprendre. Agatha ne disait rien, ne se plaignait pas ; elle avait l'air partie ailleurs.

Sa seule réaction fut de refuser catégoriquement de se rendre à l'hôpital ou même chez le médecin.

— S'il te plaît, non, maman, gémit-elle. Je ne suis pas malade, je t'assure… Ma jambe me fait un peu mal, mais je sais que je ne suis pas malade.

— Je ne peux pas te laisser à la maison seule dans l'état où tu es, ma chérie. Je ne sais pas quoi faire…

Sarah se parlait à elle-même et retournait la situation dans tous les sens. Son premier réflexe avait été d'appeler Didier pour lui dire qu'elle ne pourrait pas venir travailler. Au moment de décrocher le combiné, elle réfléchit et se rappela leur conversation du vendredi précédent, où il lui avait fait part de ses doutes quant à sa motivation. Elle se dit que ce ne serait peut-être pas la meilleure chose à faire. Elle adopta la solution qui lui sembla la moins compromettante vis-à-vis de son patron (et la moins mauvaise pour sa fille) et composa à nouveau le numéro. Elle tomba sur la femme de Didier.

Elle lui expliqua la situation le plus simplement possible et lui fit part de sa demande de venir travailler l'après-midi en remplacement du matin, afin de pouvoir veiller encore un moment sur sa fille.

— Et pourquoi ne viendriez-vous pas avec elle ce matin ? La boutique est fermée le lundi. Je pourrais rester auprès d'elle en cas de besoin ? J'ai cru comprendre que Didier avait vraiment besoin de vous ce matin. Il vous a pris un rendez-vous pour l'organisation d'un baptême la semaine prochaine.

Sarah accepta.

Une scène étrange se produisit quand elles arrivèrent sur place. Didier vint leur ouvrir la porte et soulagea Sarah en portant Agatha, qui n'avait pas encore ses béquilles. Il la déposait sur le canapé du salon quand sa femme entra dans la pièce en chantant. Elle stoppa net en voyant la jeune fille et devint toute pâle. Elle s'appuya sur la chaise la plus proche qu'elle put trouver et s'affaissa lourdement. Didier se retourna à ce moment-là.

— Qu'est-ce qui t'arrive, ma Prune ? Tu ne te sens pas bien ? Tu es blanche comme un linge !

— Ça va, mon loup, ne t'inquiète pas…

Ses joues rosirent à nouveau, comme si de rien n'était. Elle se leva, embrassa son mari et dit bonjour à Sarah et sa fille.

Didier passa une demi-heure dans son bureau avec sa nouvelle recrue, à lui transmettre quelques informations en vue de son rendez-vous de dix heures.

Dans le salon, Prune apportait un plateau garni de biscuits et le posa sur la table basse. Elle s'assit lentement dans le fauteuil et regarda Agatha qui la fixait avec un peu de méfiance.

— Comment vous avez fait ? lui demanda la jeune fille.

— Comment j'ai fait quoi ?

Prune avait une voix très douce. Agatha se laissa envelopper par la chaleur qui émanait de cette étrange femme et murmura dans un souffle :

— Vous les avez senties et vous me les avez enlevées...

— Comment les appelles-tu, ces choses que je t'ai enlevées ?

Agatha baissa les yeux et prononça tout bas :

— Les petites billes noires...

Prune hocha la tête.

— Tu en as souvent ?

— Jamais aussi noires... Elles m'ont vraiment fait du mal cette fois...

Prune ne répondit pas tout de suite.

— Écoute, ma petite : tu vas avoir envie de dormir dans pas longtemps. Laisse-toi aller, je vais te chercher un oreiller. Nous reparlerons toutes les deux quand tu seras reposée.

Sarah arriva un peu en avance chez sa cliente. Elle fut chaleureusement invitée à partager un café avant de prendre connaissance des lieux où était prévue la réception familiale. Peu familière de ce type de cérémonie, elle eut du mal à cacher sa surprise quand la maîtresse de maison lui fit part de ses intentions pour les trente convives attendus le prochain week-end. Elle posa scrupuleusement chacune des questions qui figuraient sur la check-list que lui avait donnée Didier. Elle vérifia ses besoins en verrerie, vaisselle ou couverts, évalua la taille du four qui réchaufferait le plat principal, s'assura qu'elle disposait d'un volume suffisant pour conserver au frais le sucré, proposa un bac à glaçons pour rafraîchir les bouteilles... Les deux femmes épluchèrent ensuite la carte, effeuillèrent les photos des mets qui la composaient. Sarah n'omit pas de faire préciser le budget dont disposait le jeune couple et repartit vers midi, satisfaite de cette première expérience.

Agatha venait de dormir deux heures sur le canapé. Sa mère la retrouva alors qu'elle se réveillait tout juste et nota instantanément le changement qui s'était opéré.

Prune s'était également assoupie dans le fauteuil. Elle entendit la mère et la fille échanger quelques mots et s'extirpa de sa somnolence :

— Elle était épuisée. Je crois qu'elle a encore besoin de récupérer.

— Je lui trouve vraiment meilleure mine. Je suis soulagée... On dirait que ça va mieux, ma grande, hein ?

Agatha la regarda et sourit. Son visage, si fermé depuis la veille, avait radicalement changé d'expression. Prune se leva du fauteuil et s'adressa à Sarah :

— Ça vous ennuierait si je passais chez vous en fin d'après-midi ? Nous avons commencé une petite discussion que nous n'avons pas terminée, Agatha et moi.

Elle interrogea du regard sa fille qui hocha la tête plusieurs fois de suite.

— Avec grand plaisir. Et pourquoi ne pas venir dîner avec nous ? Si Didier est d'accord, bien sûr.

— C'est une proposition qui ne se refuse pas ! Nous viendrons avec joie...

La jeune fille était affamée. Sitôt rentrée, elle avala deux assiettes de pâtes au fromage sous les yeux ravis de sa mère. Elle dormit ensuite encore près de trois heures.

Sarah se rendit alors seulement compte qu'elle avait complètement oublié Natalia Ficher et qu'elle était partie le matin sans se préoccuper de son petit-déjeuner. Elle ne se souvint pas d'avoir entendu une voiture dans la soirée ou dans la nuit et se dit qu'après tout elle n'était peut-être pas rentrée dormir. Elle se félicita aussi de ne pas avoir questionné Agatha au sujet de cette conversation mystérieuse à laquelle Prune avait fait allusion. Elle attendrait que sa grande fille ait envie de lui en parler. Les invités arrivèrent vers dix-neuf heures. Ils avaient apporté un gâteau au chocolat et une bouteille de champagne qui fut vite débouchée sur la terrasse où ils s'installèrent.

Agatha sirotait un coca et avait le plus grand mal à détacher ses yeux de Prune. Elle attendit que sa mère et Didier parlent du rendez-vous du matin et lui proposa une visite de la maison.

Elles s'installèrent dans le salon.

— J'ai dormi tout l'après-midi ; vous aviez raison.

— Tu vas beaucoup mieux.

— C'est grâce à vous.

— Je t'ai donné un petit coup de pouce, c'est vrai, mais tu t'es laissé faire. Je dois t'avouer que tu m'as prise par surprise ! Il ne m'était jamais encore arrivé de ressentir des émotions si fortes avec un enfant, même si tu n'es plus tout à fait une enfant ...

— Vous êtes comme moi, alors ?

— Nous sentons toutes les deux les émotions des gens, effectivement. Comme beaucoup d'autres personnes, mais, chez toi et moi, ces émotions peuvent s'installer et s'accrocher malgré nous. C'est ce qui a dû t'arriver hier. C'était la première fois que tu allais à l'hôpital ?

— Oui... Et il y avait tellement de peur, de souffrance... J'ai cru que j'allais étouffer. Et quand nous sommes ressortis, rien n'est parti. C'est comme si j'avais tout gardé à l'intérieur et que ça ne voulait plus me lâcher.

— Il faut que tu comprennes quelque chose de très important. Tout d'abord, tu n'es pas une bête curieuse. Beaucoup de gens ressentent les émotions d'autrui ; on appelle cela avoir de l'empathie. La différence, c'est que, nous deux, on n'a pas besoin de connaître les gens, ni même de leur parler pour les sentir. Les émotions viennent jusqu'à nous comme ça.

Elle prit la main d'Agatha.

— Chacun d'entre nous est tantôt heureux, tantôt triste ou en colère. En général, les bonnes émotions restent en nous parce qu'elles nous font du bien et nous tiennent chaud, mais quelquefois elles sont tellement fortes qu'elles s'échappent aussi…

— Les petites billes roses…

— Pour toi, ce sont des petites billes roses, pour moi c'est comme un nuage de coton qui chatouille, et, pour la plupart des gens, c'est un sourire contagieux qui les gagne sans qu'ils s'en rendent compte, à la simple vue de quelqu'un qui a l'air très heureux… En revanche, la colère, l'inquiétude, la peur, la rancune, la tristesse… sont des sentiments désagréables, que nous faisons tout pour chasser. C'est la raison pour laquelle ils s'échappent plus facilement et qu'ils sont les plus nombreux à nous atteindre.

— Et pourquoi ils restaient en moi depuis hier ?

— Ce n'étaient pas tes sentiments. Tu ne pouvais pas les chasser par la simple volonté. Si je ne t'avais pas vue ce matin, ils seraient peut-être restés encore quelques jours.

— Et comment tu as fait pour les faire partir ?

Prune nota le tutoiement qu'Agatha venait d'employer et s'en réjouit. Elle poursuivit en gardant toujours son doux sourire :

— Ta détresse remplissait toute la pièce… Je t'ai vue et je t'ai un peu aidée à les chasser. Tu en avais tellement besoin que c'est venu tout de suite ; ça m'a fait comme un coup de poing. Je ne m'étais pas préparée à cela !

Elle sourit et lui lâcha la main.

— Et pourquoi je suis comme ça ?

— Et pourquoi tu as les yeux marron ou la peau mate ?

— Alors, ça ne partira pas ?

— Je ne sais pas. Mais ce n'est pas forcément une mauvaise chose, tu sais. Tu sais tout de suite à qui tu as affaire ! Et puis ce n'est pas comme si tu lisais dans les pensées des gens non plus…

— Ce qui est le plus compliqué, c'est quand je sens que maman est inquiète ou que papa se pose des tas de questions. Pourtant, ils font des efforts pour pas qu'on le voie ! J'aimerais leur dire que ça ne me regarde pas, que je n'ai pas envie de savoir…

— C'est le plus difficile, je te l'accorde. Mais, avec un peu de concentration et d'entraînement, tu pourras n'attraper que les émotions positives et barrer la route aux autres. Avec les gens qu'on aime, bien sûr, c'est plus compliqué…

— Tu as déjà vu des personnes comme moi jusqu'à présent ?

— Quelques-unes, mais, la plupart du temps, on ne s'est même pas parlé. Ça me fait du bien à moi aussi, tu sais, de rencontrer quelqu'un comme toi…

Elles se turent toutes deux. Dans le silence qui s'installa, Agatha lâcha prise un peu plus et laissa couler les larmes qu'elle retenait depuis le début de leur conversation. Des larmes de joie, des larmes de réconfort et de soulagement de savoir que son esprit n'était pas dérangé et qu'elle avait trouvé quelqu'un à qui elle pourrait parler de ses étranges dispositions.

15

Mardi 12 mai 2010

« *France Inter, il est sept heures, le journal. Le
sélectionneur de l'équipe de France de football
Raymond Domenech dévoilera ce soir la liste des vingt-trois
joueurs retenus pour le Mondial sud-africain...* »

Sarah écoutait d'une oreille distraite les nouvelles du jour,
un bol de café au lait à la main et un magazine de décoration
dans l'autre. Ses pensées étaient dispersées, et son esprit avait
du mal à se fixer sur quoi que ce soit. Elle fit défiler mentalement les sept jours qui venaient de s'écouler. Il lui semblait
qu'il s'était passé beaucoup plus d'une semaine depuis son
découpage de pain de mie du précédent mardi. Son univers
s'était comme déplacé de quelques mètres depuis le week-
end d'emménagement : elle avait commencé une nouvelle
activité et avait déjà invité son patron et sa femme à venir
manger chez elle, elle avait rencontré pour la première fois
de sa vie une actrice renommée à laquelle elle vouait une
grande admiration (et qu'accessoirement elle hébergeait chez
elle moyennant le tarif d'un hôtel trois étoiles), elle avait
laissé une dispute en plan avec Daniel, sa fille s'était cassé la
jambe... Elle voulut regarder l'heure à son poignet et réalisa
qu'elle n'avait plus porté sa montre depuis plusieurs jours. Le
changement le plus remarquable, assurément, sans compter
celui de ne pas avoir tenu son agenda ! Elle se leva et alla le
chercher sur la commode. Elle aurait normalement dû déjà

relancer l'artisan au sujet du chantier du gîte, inscrire ses filles à l'école et au collège, prévoir le ramonage du conduit de cheminée du gîte... Elle décida de faire au moins cette dernière chose dans la journée. Ralentir, certes, mais avec modération.

Il faisait frais en cette heure matinale, le temps était couvert et le vent balayait les pommiers en fleurs. Elle chargea de bûches la cheminée, froissa quelques pages de *Paris-Normandie* et se fit un feu pour se réchauffer. Cette pièce était la plus grande de la maison, partagée entre un espace salle à manger spacieux, au milieu duquel était posée une grande et solide table en chêne, et une cuisine ouverte assez bien aménagée. Les ouvertures sur l'extérieur consistaient en deux grandes portes-fenêtres donnant sur le jardin. La cheminée faisait face aux visiteurs quand ils entraient dans la maison, délimitant les deux fonctions principales de la pièce. Côté repas, il y avait une porte qui donnait sur une chambre, elle-même en enfilade avec une salle de douche, puis une autre chambre à l'extrémité de la maison. C'était l'espace dédié aux filles.

Une seconde porte, à gauche de la cheminée, ouvrait sur une pièce tout en longueur, la seule dont les fenêtres donnaient sur le chemin. Cet endroit tenait lieu de salon et de bibliothèque, et permettrait aux membres de la famille de se retirer au calme en cas de forte affluence au gîte. La pièce principale était en effet destinée à être un lieu de rencontres et d'échanges, et accueillerait les hôtes pour les repas. Côté cuisine, il n'y avait pas d'ouverture, mais deux autres pièces auxquelles on accédait de l'extérieur étaient mitoyennes. Elles étaient habitables, mais avaient besoin d'un coup de pinceau et ne disposaient pas de salle de bain.

Enfin, on découvrait en haut d'un large escalier en colimaçon un ancien grenier qui abritait désormais sous une belle charpente deux chambres et une salle d'eau que des fenêtres de toit rendaient lumineuses.

« *Sept heures trente, la revue de presse.* »

Agatha venait de se lever. Elle s'approcha sans bruit dans

le dos de sa mère qui sursauta lorsqu'elle l'embrassa par surprise.

— Bien dormi, Mamouche ?

— En dehors du coup de klaxon à deux heures du matin, parfaitement bien, oui.

— Un coup de klaxon ? J'ai rien entendu.

— Tant mieux. Viens là que je t'embrasse comme il faut.

Elle lui prit les deux joues entre ses mains et lui donna deux longs baisers sonores.

— Aah ! maman !

Agatha s'essuya les joues en riant.

— Ça t'apprendra à me faire des tours au petit matin ! Tiens, regarde qui voilà ! La star du clos des Reinettes !

En effet, Natalia frappait à la vitre. Elles lui firent signe d'entrer.

— Bonjour !

Elle regarda le plâtre d'Agatha qui dépassait du pyjama.

— Eh bien ? Qu'est-ce qui t'est arrivé ?

Agatha lui expliqua sa mésaventure en remuant son chocolat.

— Vous prenez quoi, ce matin, Natalia ? s'enquit Sarah.

— Un café. Un grand bol de café noir, il n'y a que ça qui me permettra d'ouvrir les yeux…

Et sans que personne ne lui demande quoi que ce soit, elle leur fit le récit des deux journées qu'elle venait de passer à… Londres !

— Un taxi m'a conduite au Havre dimanche matin. Au début, je voulais aller à Sainte-Adresse, où Monet a peint tant de belles choses, et puis j'ai réalisé qu'en un peu plus de cinq heures je pouvais traverser la Manche et me retrouver à Londres pour la soirée. J'ai appelé une amie qui est venue me récupérer à Portsmouth et, le soir, nous avons dîné à deux pas de Trafalgar Square.

— Et vous avez fait le même voyage au retour ?

Agatha était abasourdie : faire près de six heures de bateau et au moins une de plus en voiture pour un dîner !

— Je vous avoue que non. J'ai pris l'Eurostar et je me

suis fait ensuite conduire jusqu'ici en voiture. Je suis arrivée au milieu de la nuit. Oh ! et je suis désolée pour le bruit. Le chauffeur a appuyé sur le klaxon sans faire attention...

Eh oui, se dit Sarah que cette histoire laissait songeuse. Une envie de marmelade et, hop ! Un coup de ferry, bonjour Londres. Pas envie de supporter le folklore du bateau deux jours de suite ? Pas de problème, qui me ramène ? Deux heures de route de Paris, quand même ! Elle aurait tout aussi bien pu s'envoler pour Marrakech en jet privé et nous décrire sa petite escapade avec le même détachement naturel !

— Le seul inconvénient de votre gîte, c'est qu'il est loin de tout. Je vais peut-être prendre une voiture de location pour la fin de semaine afin d'être un peu plus autonome.

— Ça, c'est sûr, la tranquillité a quelques revers, lui rétorqua Sarah sans pouvoir retenir le rire qui montait.

— Enfin, aujourd'hui, je vais en profiter. Le tournage reprend demain à l'aube et je vais avoir besoin de calme.

— Pour vous mettre dans la peau de votre personnage ? demanda Agatha.

— Non, pas vraiment. Pour dormir, surtout. J'ai à peine fermé les yeux cinq heures. Et vous ? Quel est votre programme de la journée ?

— Moi, je vais travailler sur le site Internet du gîte !

Elle regarda sa mère.

— J'ai demandé à papa de m'envoyer par mail les fichiers html et de mettre en ligne les pages Web qu'il a commencé à construire.

Sarah l'interrogeait du regard en haussant les sourcils.

— Hier soir ! J'ai voulu te passer le téléphone, mais t'étais occupée.

Il y avait comme un petit air de reproche dans l'intonation de sa voix.

Natalia dut percevoir que l'heure était à une explication familiale. Elle but d'une traite la fin de son bol et leur souhaita une bonne journée.

Sarah attendit qu'elle soit dehors pour répondre à la question implicite que venait de lui poser sa fille.

— Je l'appellerai ce soir. Nous ne sommes pas fâchés.

— Bien sûr que si. Tu sais, je suis au courant pour l'histoire de sa chef qui ne veut pas qu'il parte.

— Ah ?

— Il n'a pas été d'une folle discrétion, je peux te dire. J'ai entendu tout ce qu'il racontait à Paul.

Elle soupira.

— Il avait l'air tellement content… Au début, je lui en ai vraiment voulu et ça m'a mise en colère qu'il pense qu'à lui comme ça. Et puis après, j'ai réalisé que ça le rendait super fier que cette Fanny je-sais-pas-quoi lui dise qu'elle voulait le garder pour elle, enfin, pour l'hôpital, parce qu'en fait ça voulait surtout dire qu'il était un super pro.

— Fanny ?

— Fanny, oui. C'est comme ça qu'il parlait d'elle à Paul. C'est la responsable du personnel, je crois ?

— Madame Jasmin ?

— Peut-être, oui, Fanny Jasmin, oui, c'est ça, il me semble.

Elle posa son bol.

— Oh là là, maman, non ! T'es en train de te monter la tête, là, arrête ! C'est vraiment cette formation qui le mettait dans cet état de béatitude, je t'assure !

— Tu parles bien, toi, dis donc.

— C'est dans *Bridget Jones* : « un état de béatitude ».

Agatha croqua dans sa tartine.

— Tu vas me chercher mes béquilles après le travail ? Parce que c'est vraiment la galère de me déplacer depuis deux jours…

— C'est *Bridget* aussi, la « galère » ?

Agatha lui renvoya un sourire exagéré et se leva en se déplaçant de manière non moins exagérément laborieuse.

Sarah resta assise avec sa tasse de café et dit tout bas :

— Fanny Jasmin… Je ne me monte pas la tête, mais je ne t'aime pas beaucoup…

16

Mercredi 13 mai 2010
6 h 30

ÉTRETAT – 30 KM. Virginie Ficher venait de dépasser Bolbec et filait à cent cinquante kilomètres-heure vers le lieu du tournage qui reprenait à sept heures pile.

Quelle gourde cette stagiaire ! C'est pas possible de manquer de jugeote à ce point-là ! Si elle croit que ça me fait quelque chose de l'entendre pleurer comme ça et de la voir se mettre dans tous ses états, elle se met le doigt dans l'œil ! Ah ça, elle peut toujours courir après sa lettre de recommandation, celle-là ! C'était pourtant pas compliqué : faire un peu de ménage, nettoyer le matériel, ranger la mallette, la mettre à l'abri et me la déposer à l'hôtel ! Ça m'apprendra. On est jamais mieux servi que par soi même !

Samedi matin, Benjamin l'avait prise de court en lui proposant une vraie coupure à l'occasion du week-end.

— Thalasso, massages, cuisine raffinée… À deux heures d'ici, on se retire en amoureux, rien que tous les deux ! J'ai réservé une table pour le déjeuner, gommage à quatorze heures. Tu as une heure pour préparer tes affaires...

Et, en une heure, même un peu plus, il lui faudrait aussi remettre son matériel en ordre. Épuisée la veille au soir, elle avait tout laissé en vrac ; les pinceaux n'étaient pas nettoyés, les fards, les faux cils, les cache-sourcils gisaient épars sur l'atelier. Elle avait jeté les crânes factices et les prothèses diverses dans une boîte en se disant qu'elle avait toute la journée du lendemain pour tout ranger et faire son inventaire pour un éventuel réapprovisionnement.

— Virginie chérie, tu as deux assistantes et une stagiaire qui sont tout à fait capables de se charger de ce type de chose. Appelle-les.

Elle avait acquiescé un peu à contrecœur. Il aurait quand même pu la prévenir avant ; cette manie de faire des surprises... Seule la stagiaire avait répondu au téléphone. Dix minutes plus tard, elle était venue à l'hôtel recueillir les instructions et chercher les clés de l'Algeco où les équipes maquillage et coiffure étaient installées. Elle avait juré sur trois générations d'aïeuls qu'elle s'acquitterait de cette mission avec le plus grand soin. Elle déposerait l'ensemble du matériel à l'hôtel le soir même pour que Virginie puisse inspecter son contenu sans se déplacer le lendemain.

Elle fulminait en se repassant pour la trentième fois la scène du dimanche soir, quand ils étaient rentrés à l'hôtel. Un message l'attendait à la réception. Tous les bienfaits des deux jours de relâche avaient été anéantis par ce bout de papier.

Virginie – Impossible de vous joindre – Gros problème avec la mallette – Appelez-moi dès que vous avez ce message.

Son portable. Elle avait bien pris son portable avec elle, mais dans la précipitation avait omis de prendre le chargeur et elle s'était retrouvée sans batterie le samedi soir.

Sitôt dans la chambre, elle l'avait appelée. Au bout de deux minutes, elle avait lancé sans ménagement le téléphone sur le lit et avait hurlé le résumé de la situation à Benjamin.

— Un problème avec la mallette ! Tu parles d'un problème ! Plus de mallette, oui ! Disparue ! Volatilisée ! Pfuiiit, envolée ! Une fortune en matériel, et des semaines de labeur sur ces fichus masques en latex ! La moitié des personnages est censée vieillir de trente ans en quatre-vingt-dix minutes de film ; c'est sûr que sans les masques ça va tout de suite être beaucoup, beaucoup moins crédible ! Tu te rends compte ? Cette cruche s'est fait piquer tout le matos ! Et tu aurais dû l'entendre miauler...

Elle grimaça en plissant les yeux.

— « Mais j'vous jure, madame, je l'ai laissée deux minutes à côté de la voiture. J'avais oublié mes clés dans l'Algeco. Le temps que je revienne, elle était plus là... »

Virginie n'avait pas eu d'autre choix que de partir à Paris dans l'heure. Dans l'atelier que la production avait mis à sa disposition, elle avait les moulages originaux des visages à partir desquels il lui fallait reproduire en quarante-huit heures ce qu'elle avait mis un mois à faire. Elle devait aussi récupérer les fichiers numériques des photos modèles, outils indispensables pour reproduire les maquillages testés de longues heures sur les acteurs, et reconstruire tout son stock de produits. Elle était venue à bout de ce travail herculéen en ne s'autorisant que quatre heures de sommeil sur les trois nuits précédentes et en appelant une équipe de trois personnes à la rescousse. Elle arrivait à l'hôtel. Debout depuis quatre heures du matin, elle s'autoriserait un café avant de rejoindre la falaise. Benjamin devait être prêt à partir, mais elle le rejoindrait un peu plus tard. Elle l'avait prévenu la veille au soir qu'elle n'arriverait qu'en milieu de matinée ; la surprise serait plutôt bonne.

La chambre était vide. Le lit était un peu froissé, mais ne semblait pas avoir été défait de la nuit. Elle posa sa valise et repartit aussitôt, oubliant son envie de caféine serrée.

Sur le plateau du golf, des dizaines de personnes s'affairaient, mais nulle trace de Benjamin. Rechignant à demander si quelqu'un avait aperçu son mari, elle l'appela et tomba sur la messagerie. Il ne pouvait être qu'à un seul endroit, se dit-elle. Elle fit demi-tour, monta dans la voiture et prit la direction du clos des Reinettes.

Emportée par la contrariété, elle dépassa la maison de Sarah et roula encore sur un kilomètre avant de s'en apercevoir et de faire demi-tour.

Dans cet intervalle, la voiture de Benjamin sortait de la cour et partait dans la direction d'Étretat pour rejoindre le tournage.

17

6 h 35

Levé très tôt après une courte nuit, Benjamin était arrivé le premier sur le golf. Comme l'équipe arrivait peu à peu, il l'avait laissée s'installer et avait décidé d'aller chercher Natalia Ficher pour pouvoir commencer à l'heure convenue. Virginie avait réalisé l'exploit de reconstruire en quarante-huit heures les visages factices impératifs aux scènes prévues pour la journée. Il avait hâte de la retrouver et il était de très bonne humeur.

Il se gara dans la cour de la fermette et perçut des mouvements à l'intérieur de la maison principale. Il frappa à la vitre. Sarah vint lui ouvrir.

— Bonjour ?

— Bonjour, je viens chercher Natalia Ficher. Elle est avec vous ?

— Non, elle m'avait pourtant avertie qu'elle serait matinale, mais je ne l'ai pas encore vue. Vous voulez entrer un instant ?

Il sembla réfléchir.

— Après tout, si vous m'offrez un petit café, je vais lui accorder cinq minutes de répit avant de frapper à sa porte !

— Vous travaillez sur le film ?

— C'est le moins qu'on puisse dire, oui.

Sarah le dévisagea et s'aperçut de sa maladresse.

— Oh ! pardon ! Vous êtes Benjamin Centaure ! Entrez, entrez !

Elle lui servit une tasse de café fumant qu'elle posa sur la table. Elle-même était sur le point de partir. Didier serait en cuisine pendant les prochains jours en raison de l'activité liée aux repas à livrer sur le film, et il n'avait que peu de temps à lui consacrer pour lui transmettre les informations concernant l'organisation de la matinée. Elle avait prévenu Agatha qu'elle partagerait peut-être le petit-déjeuner avec Natalia, mais elle ne pouvait pas partir tant que le réalisateur était là. Autant faire un peu de conversation.

— Vous la connaissez bien, madame Ficher ? Elle habite presque avec nous depuis trois jours, mais je n'arrive toujours pas à l'appeler Natalia !

— Je vous rassure : elle fait cet effet à pas mal de gens.

Benjamin avait déjà bu sa tasse. Le feu de cheminée chauffait fortement la pièce, et la différence avec l'extérieur était presque étouffante. Il ôta son manteau.

— Je peux vous demander un peu d'eau, s'il vous plaît ?

Pendant que Sarah remplissait une carafe, il continua à parler :

— Je ne la connais pas très bien, non ; en tout cas, moins bien que n'importe quel gendre !

Sarah s'apprêtait à verser l'eau dans le verre qu'elle venait de poser devant lui quand il prononça ces paroles. La surprise la fit se redresser brusquement, et le contenu de la carafe se déversa sur le pull de l'homme.

Elle laissa s'échapper un cri.

— Oh non ! Je suis tellement maladroite. Je suis désolée, vraiment !

— Ce n'est rien, ça va sécher.

— Mais il fait drôlement froid aujourd'hui. Laissez-moi vous prêter de quoi vous changer. Mon mari a laissé tout un stock de vêtements chauds là-haut.

— Ne vous embêtez pas avec ça. C'est de vous dire que je suis son gendre qui vous a étonnée comme ça ?

— Oui. Je suis incapable de vous dire pourquoi.

— Vous avez dû croiser ma femme la semaine dernière. Elle m'a dit qu'elle vous avait déposé les arrhes pour la semaine.

— Cette femme est la fille de Natalia Ficher ? Elle a bien trente ans pourtant ?

— Trente-deux, pour être tout à fait exact. Nous sommes mariés depuis trois ans et je n'ai jamais autant vu sa mère que depuis deux semaines. Mais, bon, je vous raconte ça… Il serait temps que j'aille la réveiller. Elle va mettre tout le monde en retard.

Il se leva et sortit dans le jardin. Arrivé sur la terrasse, il entra à nouveau.

— Je la vois qui arrive. Je vais lui laisser quelques minutes pour manger quelque chose et, si votre proposition tient toujours, je vais profiter de ce moment pour aller me changer dans le gîte. Il fait vraiment très froid, vous aviez raison.

— Surtout sans votre manteau ! Je vais vous chercher une chemise de rechange.

Dix minutes plus tard, les visiteurs quittaient l'endroit en voiture.

Sarah alla embrasser sa fille.

La voiture de Benjamin Centaure devait déjà être arrivée à la route principale quand elle voulut sortir à son tour, mais elle se trouva nez à nez avec celle d'une femme qu'elle reconnut tout de suite. Elle descendit et alla à la rencontre de la conductrice qui baissa sa vitre.

— Bonjour, madame ! Vous venez de les manquer : ils sont partis à l'instant !

— Qui ça, « ils » ? demanda abruptement Virginie.

— La grande actrice et l'illustre réalisateur !

— Ah.

Il y eut quelques secondes de silence.

Virginie réfléchissait à toute allure. Elle revint à elle et s'adressa à Sarah de la manière la moins désagréable qu'elle put.

— Je recule et je vous laisse passer.

— Merci. Bonne journée !

Elle fit marche arrière, Sarah passa devant elle. Les deux voitures se suivirent jusqu'à la route principale et bifurquèrent chacune de leur côté.

Virginie roula encore quelques centaines de mètres, s'arrêta sur le bas-côté et fit demi-tour.

Pourquoi cette femme lui avait-elle fait un clin d'œil en lui parlant de sa mère et de Benjamin ? Elle ne pouvait pas savoir qu'elle était la fille de la première et la femme du second ; sa mère se serait bien gardée de lui en parler, et elle-même n'y avait fait aucune allusion lorsqu'elle était venue la semaine précédente. Elle y vit par conséquent une allusion grossière, et la paranoïa s'empara d'elle. Benjamin avait passé la nuit ici.

Arrivée dans la cour, elle freina brutalement, sortit comme une furie du véhicule et se dirigea vers le gîte. La porte était ouverte. La première chose qu'elle vit en entrant lui comprima la poitrine et confirma la pire de ses craintes. Une chemise de Benjamin reposait sur une chaise. Sa tête tourna, ses mains se mirent à trembler ; elle avait envie de frapper, de se laisser aller à toute la rage qui bouillait en elle. Elle donna un grand coup de pied contre le mur et hurla de douleur.

Elle avait cogné si fort que la pierre s'était enfoncée de plusieurs centimètres. Elle attendit que la douleur se passe et se pencha pour la remettre en place. Elle agrippa le morceau de roche du mieux qu'elle put et le tira du bout des doigts. La facilité avec laquelle il bougea la surprit. Elle fut déséquilibrée par le manque de résistance et se retrouva assise avec entre les mains la pierre qui s'était complètement extraite du mur.

Un chaton entra à ce moment dans la pièce. Il se frotta à ses jambes en miaulant et se détourna d'elle pour aller griffer le mur à l'endroit de la béance. Aussitôt après, il bondit à l'intérieur.

Elle entendit un bruit de plastique, puis le chat ressortit et s'assit face au trou du mur comme s'il attendait quelque chose. Poussée par la curiosité, elle se releva et plongea le bras dans la cavité. Elle toucha du bout des doigts un objet carré, assez volumineux, qui bruissait au toucher. Il semblait coincé. Quand elle eut une prise un peu plus ferme, elle tira du mieux qu'elle put et réussit à arracher le paquet des entrailles du mur. Le chaton fixait l'objet. Il posa lentement une patte sur la couverture qu'il griffa presque délicatement. Virginie le repoussa brutalement du revers de la main et défit l'enveloppe de papier en lui tournant le dos.

Elle tomba tout d'abord sur une aquarelle de petit format, représentant un couple enlacé qui semblait la regarder. Derrière, il y avait plus d'une centaine de pages remplies d'une écriture fine et élégante, régulièrement interrompue par d'autres illustrations colorées. Elle se leva et s'apprêtait à ressortir avec l'objet sous le bras quand une pièce métallique s'échappa des feuillets et tinta sur le sol. Le chat fut plus rapide qu'elle : avant qu'elle ait eu le temps d'identifier de quoi il s'agissait, il l'avait saisi dans sa gueule et s'était échappé.

Elle jeta un œil sur le premier dessin, nota que deux noms et une date étaient inscrits dans le coin supérieur gauche : *Gabriel et Lise, juin 1970.* Cette page était détachée du reste du cahier. Elle la réduisit en une boule de papier qu'elle enfonça dans le mur avant de replacer la pierre qui s'était descellée, enfourna le reste dans son sac et sortit.

Une gamine en robe de chambre se trouvait sur la terrasse avec des béquilles. Elle essayait d'attraper le chat qui s'était allongé sous une chaise. Elle dut se rendre compte de sa présence et se retourna vers Virginie.

— Ça fait longtemps que t'habites là ?

— Vous êtes qui ? Qu'est-ce que vous faites là ?

Virginie s'approcha. Agatha se concentra en pensant de toutes ses forces aux conseils de Prune pour se protéger de la noirceur qui émanait de cette femme. Aucune émotion positive dans cet esprit torturé ; les billes noires attaquaient.

— Je suis la fille de Natalia Ficher ; je suis venue chercher quelque chose qu'elle avait oublié.

Elle lui montra le sac qu'elle portait en bandoulière.

— Bon, à l'occasion, tu demanderas à ta mère si les noms

de Lise ou de Gabriel lui disent quelque chose. Je te laisse ma carte.

Sans dire au revoir, elle repartit.

Agatha secoua la tête pour chasser ce que cette femme avait laissé en elle. Elle était assez contente : au moment où elle s'était sentie agressée par les sombres perceptions que lui procurait sa présence, elle avait focalisé son attention sur le chaton et sur l'objet brillant avec lequel il jouait, et avait réussi à esquiver le pire. Elle l'observa et constata qu'il s'agissait bien du même petit chat. Il ne s'était pas enfui depuis le week-end. Il tenait entre ses minuscules dents ce qui ressemblait à une broche.

— Tu vas te faire mal, Minouche. Donne-moi ça, ça pique.

Le chat la regarda tendre la main vers lui ; il se laissa caresser, mais, dès qu'elle tenta de saisir le bijou, il s'éloigna, l'entraînant entre ses griffes. Puis, comme s'il attendait qu'elle le suive, il s'arrêta. Dès qu'elle s'approchait trop près, il reproduisait le même manège. Arrivé au chemin, il parcourut quelques dizaines de mètres et lui laissa le temps de le rejoindre avant d'entrer dans le jardin du voisin.

Quand Matthieu sortit de chez lui, Agatha se sentit un peu ridicule avec sa robe de chambre au beau milieu du chemin.

— Agatha ? C'est bien toi ? Mais qu'est-ce que tu fabriques ?

Elle était frigorifiée. Elle s'accroupit comme elle put en posant ses béquilles, prit doucement le chaton qui, cette fois, se laissa faire sans pour autant lâcher sa proie de métal, et se réfugia chez le voisin qui lui faisait signe d'entrer. Il récupéra à l'extérieur la béquille qu'elle avait laissée au sol et referma la porte. Il lui fit ensuite chauffer du lait et lui découpa une belle tranche de pain. Il la laissa manger avec plaisir, tandis qu'il ravivait le feu de la cheminée.

Agatha raconta à nouveau son accident tout en caressant le chaton. Il avait lâché la broche qui reposait maintenant sur ses genoux. Elle aimait bien Matthieu. Cet homme dégageait une joie douce, semblable à celle qu'elle percevait en présence de gens très amoureux. Quand elle le connaîtrait un peu mieux, elle lui demanderait où était la femme qui le rendait si heureux.

Elle était arrivée au moment de l'histoire où elle avait aperçu le petit chat par la fenêtre de sa chambre et, comme pour illustrer son récit, elle prit la broche et la lui montra.

— Et voilà l'objet de toutes mes craintes !

Matthieu regarda le bijou sans ciller.

— Ça ne va pas, monsieur ?

Elle sentit un grand froid envelopper la pièce. Le vieil homme était submergé par des sentiments contradictoires. Il tendit la main, et elle lui laissa prendre le bijou. Il l'observa pendant de longues secondes. Ce chat semblait vouloir lui jouer un mauvais tour. Il avait fait resurgir le passé en un éclair. Il leva les yeux et s'adressa à lui :

— Où as-tu trouvé cela, petit chat ?

Comme s'il avait senti qu'on attendait une réaction de sa part, l'animal sauta des genoux d'Agatha et alla se blottir sur ceux de Matthieu.

— J'ai déjà vu une broche pareille à celle-ci, mais il y a tellement longtemps.

La jeune fille hésita à prononcer les mots qu'elle avait sur les lèvres.

— La femme de ce matin m'a posé une drôle de question à propos du passé. Je sais que vous n'habitez ici que depuis quelques années, mais avez-vous déjà entendu parler d'une femme qui s'appelait Lise et d'un homme qui, zut, je me rappelle plus... Gaspard ?

— Lise et Gabriel... Oui, on m'en a parlé.

L'homme se tut quelques instants ; il avait les yeux dans le vague.

— Ils ont habité dans la petite maison un temps. Mais il y a très, très longtemps. À l'époque où ta propre maison n'était encore qu'une grange.

— Et que sont-ils devenus ?

— Ils sont morts.

Il sembla se réveiller et revenir au présent.

— Pourquoi t'a-t-elle demandé cela ? Comment est-elle tombée sur ces noms ?

— Je ne lui ai pas posé la question ; elle était tellement désagréable. Mais elle m'a laissé sa carte, si vous voulez l'appeler.

— Garde la carte, je vais noter le numéro. Il faut que je réfléchisse un peu à tout ça... Tu as encore faim ?

— Non, c'est bon, merci beaucoup en tout cas. Je vais rentrer, maintenant.

Il lui couvrit les épaules d'un gilet en laine et l'accompagna jusqu'au chemin. Agatha se retourna et vit le chat qui s'était assoupi dans le fauteuil.

— Apparemment, il se sent bien chez vous. C'est le vôtre ?

— Je ne l'avais jamais vu avant aujourd'hui.

Une fois rentré, il reprit place à côté du chat et observa longuement la broche qui était posée sur la table. Si la vue du bijou l'avait troublé, entendre les prénoms de Lise et Gabriel avait réveillé des images qu'il pensait avoir enfouies plus profondément que cela.

18

10 h 30

De Léa Delerre à Sarah Delerre

Sarah,
J'exerce mon droit d'ingérence entre deux coups de fil à des médecins. De toute façon, ils ne répondent pas ce matin, tout comme toi. Je viens d'avoir Agatha sur le fixe. Elle me dit qu'elle travaille sur ton site et que tu es partie de bonne heure. Ton portable doit encore être en mode vibreur au fond de ton sac, ou alors tu fais mine de pas l'entendre devant une cliente à qui tu vends des macarons pour ses prochaines noces d'or ! Peu importe, rappelle ton homme ! Et ne traîne pas ! Il file un mauvais coton. Je te signale au passage qu'il a mandaté mes filles pour aller chercher Noémie à l'école depuis le début de la semaine et qu'il ne la récupère jamais avant vingt et une heures (vingt-deux heures hier).
Bon, je vais m'y remettre ; dur, dur depuis ce matin. Va expliquer à un homme de soixante ans, dont le médecin est aux abonnés absents, qu'il est en hyperkaliémie, que cela peut lui donner des troubles du rythme cardiaque, et lui demander le plus normalement possible s'il n'aurait pas par hasard des douleurs au cœur, tout ça sans le faire paniquer...

Allez, je te laisse. Tiens-moi au courant.
Bises,

Léa

À treize heures Sarah consulta ses messages. Elle rappela sa sœur, mais elle était à son tour indisponible. Elle appela ensuite sa fille pour la prévenir qu'elle passait chercher du pain avant de rentrer.

Elle avait accompagné Didier sur les livraisons du matin. Ils avaient terminé leur tournée par le golf, et elle avait aperçu au loin les acteurs en pleine action. Le matin, elle avait tenu la boutique pour soulager un peu Prune et avait entre autres vérifié la caisse. Elle se sentait légère. La polyvalence conviviale de sa nouvelle activité et la présence de sa fille à la maison atténuaient fortement la sensation de malaise qui persistait, due aux difficultés de communication entre elle et Daniel. Elle évitait soigneusement de lancer la discussion avec lui. Elle avait eu l'intention d'aborder le sujet la veille au soir, mais s'était dégonflée au dernier moment et lui avait demandé de lui passer Noémie. Ce soir, se dit-elle. Ce soir, je lui parle. Il faut que les choses soient posées avant le week-end. Le problème, c'est qu'elle n'avait pas vraiment avancé sur la question. Elle se sentait toujours tiraillée entre l'envie de continuer sur la lancée du projet initial, et celle de laisser Daniel poursuivre ses aspirations professionnelles. Elle en était là de ses réflexions quand elle arriva à la boulangerie.

— 'jour, m'dame ! Alors, c'est vous la nouvelle propriétaire de la grand' maison du ch'min ?

— Euh, oui, le clos des Reinettes, si c'est à cette maison que vous pensez ? Comment savez-vous que c'est moi ?

— Z'êtes immatriculée en 75, et j' vous ai vue aller travailler chez Prune et Didier ! La pharmacienne m'a parlé d'vous. Z'avez une p'tite qu'est blessée, non ?

Sarah sourit en se disant qu'elle avait trouvé la colporteuse des nouvelles du coin.

— Eh bien, vous avez raison sur toute la ligne. D'ailleurs,

je compte faire une petite fête d'inauguration dans quelques semaines.

Elle fouilla son sac à la recherche de son porte-monnaie.

— Là, tout s'est un peu bousculé, mais, dès que les choses reviennent à la normale, je viendrai faire le tour des commerçants.

— En v'là, une bonne nouvelle ! C'était malheureux aussi, c'te belle bâtisse laissée à l'abandon ! On a eu quoi, quatre ou cinq couples qui passaient pour l'week-end, mais n'étaient pas causants et ne sont jamais restés bien longtemps. J'espère que vous tiendrez plus le coup qu'eux !

— J'en ai bien l'intention ! Allez, bonne journée !

Sur le tournage, le tyran qui sommeillait en Virginie s'était réveillé et elle passait son temps à martyriser son équipe. Benjamin se vit obligé d'intervenir devant les plaintes qui remontaient jusqu'à lui.

— Qu'est-ce qui t'arrive, ma chérie ? T'es crevée ? Tu veux faire un break ?

— Tu t'inquiètes pour moi, toi, maintenant ! Tu viens de te rappeler que t'avais une femme ?

— Je ne comprends pas. Écoute, c'est pas le moment, et tout le monde nous regarde. On en parle tout à l'heure, d'accord ? Mais calme-toi, sinon plus personne ne voudra de toi d'ici la fin de la journée !

— J'ai pas besoin d'elles, de toute façon ! Et t'as pas viré la stagiaire ? Qu'est-ce qu'elle fait encore là, celle-là ?

— T'es insupportable.

L'atmosphère resta électrique jusqu'à la tombée de la nuit. Natalia, qui était pour le moins imperméable au climat ambiant, proposa à la fin de la journée :

— Et si nous dînions tous les trois au gîte ce soir ? Je peux appeler Sarah et lui demander si on peut se joindre à leur table…

— Allez-y tous les deux, moi je rentre.

Benjamin ne lutta pas contre l'humeur exécrable de sa femme et accepta la proposition.

Sarah les accueillit vers vingt et une heures, elle leur servit une soupe et le poulet basquaise qu'elle avait fait dans les quantités familiales habituelles. Ils passèrent une soirée agréable, à parler de tout sauf des problèmes conjugaux qui les préoccupaient les uns et les autres, ce qui leur fit le plus grand bien. Si, pour Benjamin et Sarah, les nœuds qui s'étaient formés dans leur couple étaient tout frais, Natalia commençait de son côté à s'interroger sur le sens de la relation qu'elle entretenait avec son mari. Il n'habitait pourtant qu'à trente kilomètres de là avec son fils, mais elle n'avait pas plus envie de les voir que cela.

Virginie, quant à elle, passa la soirée à éplucher le carnet qu'elle avait découvert le matin. Elle se laissa entraîner par l'histoire d'amour malgré elle et se coucha avec une idée dans la tête. Elle fit semblant de dormir quand son mari la rejoignit vers minuit.

Sarah n'avait pas vu l'heure passer.

Les convives étaient partis ; Agatha dormait. Elle consulta ses mails.

Il y avait deux réservations pour juillet. Elle les parcourut rapidement, nota que la boulangère serait une alliée précieuse puisque ces gens se recommandaient d'elle, et les imprima. Elle tomba ensuite sur le mail de Léa et réalisa qu'elle n'avait pas appelé Daniel. Au moment où elle allait fermer la messagerie, la boîte de réception afficha un nouveau message.

De Daniel à Sarah

Sarah,
Besoin de réfléchir et d'un peu de recul. Ne viendrons
pas ce week-end.

Daniel

Ce n'était pas un mail, c'était un télégramme. Il ne manquait que les « stop » entre les mots. Cette annonce dans sa forme l'agaça profondément. Elle descendit et le rappela sur-le-champ.

— Oui ?

— C'est moi. Je viens de lire ton mail. Pourquoi t'as pas appelé ?

— Je pensais que tu dormais.

— Ben non, tu vois.

— Noémie a demandé pourquoi tu n'avais pas téléphoné ce soir.

— Rien ne t'empêchait d'appeler de ton côté. Nous avions du monde à la maison. Je viens juste de finir de ranger.

— Elle est fatiguée en ce moment. C'est un peu dur sans sa mère ni sa sœur.

Elle se garda de faire toute allusion aux propos que Léa lui avait tenus concernant le rythme qu'il imposait à sa fille et poursuivit :

— Tu veux que je vienne ce week-end ? Le gîte sera vide. Je peux ramener Agatha samedi et passer les deux jours avec vous.

— Je vais travailler ce week-end. Ta sœur et Paul prendront Noémie.

— Ah ? Changement de programme ?

— Oui.

— Bon. On fait comment, alors ? Pour Agatha, je veux dire. Elle ne va pas rater deux semaines de cours non plus ?

— Je ne sais pas. Tu pourrais la ramener dimanche soir.

— T'as donné ta réponse ?

— J'ai demandé une semaine de plus.

— Bon. On se rappelle pour ce week-end, alors ?

— OK. Bonne nuit.

— Bonne nuit.

En allant se coucher, elle s'étonna du soulagement qu'elle ressentait à l'idée du sursis que Daniel leur octroyait.

19

Jeudi 14 mai 2010
7 h 20

Quand ils se levèrent, Benjamin tenta de désamorcer la bombe qu'il sentait à deux doigts d'exploser chez sa femme. Il n'obtint aucune réponse claire. Elle lui demanda s'il avait passé une bonne soirée, et, devant l'enthousiasme avec lequel il lui répondit, elle se braqua de plus belle. La discussion vira à l'absurde quand elle lui demanda s'il avait une nouvelle fois couché avec sa mère.

— Ça va pas, non ? Qu'est-ce qui te prend, à la fin ? T'es complètement dingue de penser à un truc pareil !

— Arrête de nier : t'as laissé une chemise chez elle, je l'ai vue de mes propres yeux hier matin !

Quand il lui expliqua comment sa chemise s'était retrouvée à cet endroit, elle lui rit au nez !

— T'es prêt à inventer n'importe quoi !

Elle n'envisagea pas un seul instant qu'il pût lui avoir dit la vérité.

— Prends ton sac. On va voir ta mère. Elle te dira la vérité elle-même !

— Hors de question d'entrer dans votre petit jeu.

— Si tu le prends comme ça, je vais la prévenir… Il faut qu'elle sache dans quel état tu es.

— C'est ça, vas-y !

Elle attendit qu'il parte et mit son plan à exécution. Le

tournage ne reprenait qu'à midi. Il venait de lui donner sur un plateau la pièce qui lui manquait.

Elle appela d'abord le mari de Natalia. Sa mère l'avait eue très jeune et elle ne connaissait pas son propre père. La Diva, comme elle l'appelait la plupart du temps, s'était ensuite entichée de plusieurs hommes et s'était finalement mariée pour la première fois à trente-huit ans avec Jeff, un professeur de philosophie sous le charme duquel elle était tombée. Elle avait eu un deuxième enfant avec lui, et Virginie avait donc un frère. Elle le connaissait à peine, n'ayant jamais surmonté la relation avec sa mère pour aller à la rencontre de ce garçon. Tout ce qu'elle savait de lui, c'est qu'il ne parlait pas, en raison d'une malformation des cordes vocales, et qu'il passait le plus clair de son temps avec son père, Natalia ne s'étant vraisemblablement pas découvert de fibre maternelle avec l'âge.

Son couple était ruiné par sa faute ; elle ne s'en tirerait pas à si bon compte.

— Allo, Jeff ? C'est Virginie. Je t'appelle de la part de Natalia. Tu sais qu'on bosse ensemble ? Bon, elle ne m'a pas dit de quoi il retournait, mais ça avait l'air assez urgent. Il faut que tu la retrouves le plus vite possible ce matin. Je te donne l'adresse…

Elle raccrocha, puis contacta la presse à scandale en masquant son numéro. Se présentant comme la propriétaire du gîte dans lequel séjournait la star, elle révéla d'un ton outragé que l'actrice était en train de commettre l'adultère avec le mari de sa propre fille.

Elle raccrocha à nouveau.

Elle avait un peu épanché sa soif de vengeance.

À peu près au même moment, Natalia Ficher arborait une tenue inhabituelle, et c'est vêtue d'une robe de chambre et de chaussons qu'elle frappa à la porte de la maison. Sarah vint lui ouvrir.

— Vous êtes matinale. Je pensais que vous aviez le temps de vous reposer, ce matin !

— C'est le cas, mais la faim m'a tirée du lit. Et puis, j'ai un petit problème.

— Entrez, ne restez pas dehors comme ça et installez-vous. Tout est prêt.

Elle attendit qu'elle s'asseye et lui demanda ce qu'elle pouvait faire pour l'aider.

— Je n'ai plus d'eau chaude.

Elle se regarda et écarta les mains.

— Ce qui explique ma tenue ! Pouvez-vous jeter un œil afin que je puisse prendre une douche ?

— Bien sûr. Il y a un interrupteur qui fait des siennes, parfois. Ce n'est rien du tout... Le problème, c'est que, même si je vous le débloque, l'eau va mettre plusieurs heures à chauffer.

Elle sembla réfléchir.

— Vous n'avez qu'à utiliser ma salle de bain. Je m'apprêtais à partir. Je n'ai qu'à prévenir ma fille pour qu'elle ne s'étonne pas de vous voir là-haut en se réveillant.

— C'est très aimable, je vous remercie. Je vais chercher mes affaires et je reviens.

Sarah alla embrasser sa fille, encore endormie, l'avertit de la proposition qu'elle venait de faire et lui dit qu'elle serait de retour pour le déjeuner.

20

Benjamin claqua la porte de la chambre d'hôtel, conte-nant du mieux qu'il put son irritation. Virginie avait le don de l'excéder avec ses crises de jalousie. Il faillit renoncer à prévenir Natalia, se disant que la folie passagère passerait comme à l'accoutumée. Finalement, il essaya de la joindre sur son portable afin qu'elle soit tout au moins prête à affronter les regards foudroyants de sa fille quand elles se croiseraient sur les prises de l'après-midi. Virginie était tout à fait capable de faire voler en éclats le bon déroulement du tournage. Mieux valait désamorcer tout ce qui pouvait l'être. Le téléphone sonna dans le vide et se mit en messagerie. Il rappellerait. Pour l'heure, il allait s'octroyer un petit-déjeu-ner en bord de mer. Il acheta la presse du jour, s'installa en terrasse et savoura ses premiers moments de tranquillité de la semaine. La coupure n'avait pas été de tout repos. Passé le week-end à Granville, dont la fin avait été entachée par l'aventure de la malle de maquillage, il n'avait cessé de travailler avec son premier assistant, la scripte et le chef opérateur à visionner les rushes de la semaine. Il avait peu dormi. Estimant nécessaire d'ajouter quelques scènes, il en avait écrit la plus grande partie durant la nuit et s'était chaque fois réveillé au lever du jour, tout habillé, sur un lit intact.

Il farnienta ainsi deux heures, survolant les nouvelles sans vraiment les lire. Il essaya à nouveau de rappeler Natalia, et, comme elle persistait à ne pas répondre, se décida finalement à aller la voir. À deux cents mètres du chemin qui menait au gîte, il perçut que quelque chose clochait. La petite Ford noire qui épiait le tournage depuis dix jours était garée un peu plus loin, à l'entrée de la valleuse qui descendait à la plage. Il identifia immédiatement, même de dos, son propriétaire, un journaliste que l'ensemble des acteurs du film avait mis en quarantaine en raison de clichés dont ils avaient pratiquement tous été victimes un jour. Benjamin accéléra et s'engouffra dans le sentier vers la gauche avant que le type ne se retourne et se précipita vers le gîte à la recherche de Natalia. Son repaire avait vraisemblablement été découvert.

Elle n'était pas à l'intérieur.

Il frappa à la porte de l'autre maison ; la jeune fille vint lui ouvrir.

— Bonjour, Agatha, excuse-moi, je cherche Natalia... Sais-tu où elle est ? J'ai frappé à la porte du gîte, mais elle ne répond pas.

Cet homme était d'une transparence absolue ; elle ressentit la vive inquiétude qui montait en lui.

— Elle est ici ; elle prend un bain.

— Je crois qu'il y a un problème. Personne n'est venu te voir avant moi ce matin ?

— Non. Il n'y a que nous deux.

— Je peux entrer ?

Elle hocha la tête et ouvrit plus grand en lui cédant le passage. Une fois la porte refermée, il s'adressa à elle :

— Écoute, j'espère me tromper, mais j'ai bien peur qu'il y ait pas mal de monde ici dans très peu de temps. Si c'est le cas, il ne faudra surtout pas ouvrir la porte, et encore moins adresser la parole à qui que ce soit. Tu comprends ?

Elle hocha à nouveau la tête et, parcourue d'un frisson, croisa ses bras contre elle.

— Je vais aller la prévenir. C'est par là ?

— En haut de l'escalier.

— Je redescends tout de suite.

Il n'avait pas encore réapparu quand un attroupement se

forma soudain de l'autre côté de la porte-fenêtre. Agatha écarquilla les yeux, laissa s'échapper un cri malgré elle, et hurla aux inconnus de s'en aller. Elle eut le réflexe de fermer les rideaux pour calmer la peur irrationnelle que lui avait causée cette vision, puis elle décrocha le téléphone et appela sa mère.

21

10 h 30

Sarah se tenait devant un écran, tapant sur le clavier des devis depuis plus d'une heure. Certaines demandes étaient très anciennes. Elle avait pris la précaution d'appeler les clients au préalable pour s'éviter un travail inutile. La renommée de Didier et Prune était telle qu'aucun ne s'était offusqué du retard. Elle vérifiait les quantités et les prix quand Prune entra dans le bureau.

— C'est calme pour un jeudi matin. Je viens prendre un petit café avec vous si ça ne vous dérange pas…

— Au contraire, attendez, je pousse tous ces dossiers…

Prune s'installa. Sarah enregistra le travail en cours.

— Tenez, je vous ai pris une tasse aussi.

— Merci beaucoup.

Elle se réchauffa les mains sur la porcelaine et huma la bonne odeur du café.

— Vous ne me direz pas, Prune, ce qui s'est passé entre vous et ma fille lundi ?

— Comme vous dites, ça s'est passé entre elle et moi, mais, rassurez-vous, rien qu'elle ne puisse vous dire elle-même.

— C'est ce que je pense aussi, mais le changement a été tellement brutal… Je suis un peu intriguée.

— Je peux comprendre. Le principal, c'est qu'elle se porte bien maintenant. Vous, en revanche, ma petite Sarah, j'ai l'impression que quelque chose vous tracasse.

— Rien à voir avec le travail, je vous assure.

— Je sais bien.

Le portable de Sarah se mit à sonner.

— Excusez-moi, c'est Agatha.

La jeune fille criait au téléphone. Des gens avec des appareils photo frappaient aux carreaux ; elle appelait au secours.

Une barrière de voitures empêchait l'accès au chemin. Sarah se gara sur le bas-côté et sortit en courant. Elle vit Matthieu, avec une énergie qu'elle ne lui connaissait pas, gesticuler devant un groupe d'une dizaine de personnes. Dès qu'il l'aperçut, il la tira par le bras et l'entraîna vers chez elle. En pénétrant dans la cour, elle fut saisie par l'étrangeté de la scène qui se dressait devant elle : les deux maisons étaient hermétiquement closes, volets fermés ou rideaux tirés. Aucun bruit n'animait ce qui avait l'allure d'un décor abandonné ; même les oiseaux semblaient s'être tus. Mais la curiosité la plus insolite résidait au centre de la cour, au pied du pommier, où se dressaient, droits comme des i, un chevalier barbu aux cheveux hirsutes et Spider-Man.

Matthieu rompit le silence sans quitter des yeux l'homme et le garçon.

— J'ai repoussé les fauves qui s'accrochaient à votre maison en invoquant le respect de la propriété privée. Mais j'ai cru ces deux-là quand ils m'ont dit qu'ils n'étaient pas journalistes.

Il avait souri en prononçant ces derniers mots ; il poursuivit :

— J'ai renvoyé les autres au bout de la route en leur disant que ce chemin aussi était privé, mais ils ne vont pas tarder à s'apercevoir que je leur ai menti. On ferait mieux de se mettre à l'abri.

L'homme déguisé se pencha vers l'enfant et s'approcha de Sarah et Matthieu.

— Euh, bonjour. Je ne sais pas où nous avons atterri exactement. J'ai reçu un message de ma belle-fille. Elle me disait que Natalia avait un problème. Elle est bien ici ?

Il avait dit ça d'une traite en regardant Matthieu droit dans les yeux. Ce dernier se tourna vers Sarah et répondit à sa place :

— Écoutez, j'en sais rien, mais, si c'est le cas, elle est pas la seule à en avoir, des problèmes. Dépêchons-nous de rentrer.

Sans qu'aucune autre présentation ne soit faite, ils se dirigèrent vers l'entrée de la maison. Sarah frappa à la vitre sans obtenir de réponse. Elle fouilla dans son sac à la recherche de ses clés et finit par ouvrir la porte.

Agatha, visiblement émue, lui sauta dans les bras.

Sarah présenta Matthieu à Natalia et Benjamin, puis les regards se tournèrent en silence vers le garçon qui devait avoir une douzaine d'années et l'homme déguisé en chevalier. Le type sourit à l'assemblée et répondit à la question muette qui lui était posée.

— Jeff, et Jules, notre fils. Je suis le mari de Natalia.

Comme si elle venait juste de remarquer leur présence, la star alla vers eux et les embrassa.

— Qu'est-ce que vous faites là ? Et cette tenue ?

— Ta fille m'a appelé tout à l'heure en me disant qu'il y avait une urgence et qu'il fallait venir le plus vite possible. Pour les costumes, c'est une longue histoire. On est venus comme on était...

Pendant une minute, plus personne ne parla, comme si chacun essayait de se remettre les idées en place avant d'envisager la suite.

Benjamin s'adressa à Sarah :

— Vous savez bien mentir, madame ?

— Non.

— Bon, il va falloir essayer, pourtant. J'ai une petite idée de ce qui se passe, mais, tant que nous ne savons pas ce qui a amené ces vautours jusqu'ici, ni ce qu'ils cherchent exactement, nous ne pourrons pas les faire partir et nous aurons le plus grand mal à sortir. Vous vous sentez capable d'aller les voir et de tirer ça au clair ?

— Que voulez-vous que je leur dise ?

— Vous leur demandez ce qu'ils font là. S'ils vous parlent de Natalia, essayez de prendre l'air le plus étonné possible. Non, elle n'est pas là, et vous ne saviez pas qu'elle était dans la région... Il faut les amener à vous dire ce qui les a attirés jusque chez vous.

Il balaya des yeux les personnes en présence. Chacun buvait ses paroles.

— Vous et monsieur êtes les seuls à avoir été vus, dit-il à Sarah en désignant Matthieu. J'étais déjà entré quand ils sont arrivés, et Natalia était hors de vue. Je pense que Jeff, étant donné sa tenue du jour, n'a pas été reconnu, et il me semble que Jules n'a jamais été mis sous le feu des projecteurs. Donc, officiellement, dans cette pièce, il y a vous, votre fille, votre voisin, et deux amis qui aiment se déguiser. Ni Natalia ni moi n'avons jamais mis les pieds ici. Ça va aller, vous pensez ?

— J'en sais rien du tout. Matthieu, ça vous embête de m'accompagner ?

— On y va. Allez, Sarah.

Et joignant le geste à la parole, il lui prit le bras et l'emmena dehors. Sarah revint seule dix minutes plus tard et fit le compte rendu de ses échanges avec les photographes et les journalistes. Chacun écouta avec attention.

Agatha s'adressa au jeune garçon qui s'était installé sur le canapé avec une bande dessinée.

— Je sais pas toi, mais moi, ça me saoule, toutes ces histoires. Ça te dit, une partie de Wii ?

Il acquiesça et la suivit.

Benjamin hésita à faire part de ce qu'il savait, effaré de constater que les craintes qu'il essayait de repousser depuis son arrivée étaient fondées. Il leur fit néanmoins le récit du début de journée, et le puzzle commença à s'assembler.

Natalia s'était allongée dans le grand fauteuil à côté de la cheminée. Elle fixait les cendres froides et ne paraissait prêter aucune attention à ce qui se disait. Elle se leva brusquement.

— Bon. Je résume, Benjamin. Ma fille rentre de Paris à l'aube hier matin. Elle arrive à l'hôtel où elle ne vous trouve pas. Elle vous cherche et pense vous trouver ici. Elle arrive trente secondes après notre départ, n'est-ce pas, Sarah ? Sans que nos voitures se croisent… Premier mystère. Ensuite, elle voit votre chemise posée sur une chaise dans mon salon, et ça, sans être entrée dans le gîte, puisque Sarah a vu sa voiture suivre la sienne en partant d'ici… Deuxième mystère. Donc, elle voit la chemise, elle s'imagine que nous avons passé la nuit ensemble. Sur cette supposition, elle décide d'appeler les chacals qui sont dehors en se faisant passer pour vous et appelle Jeff pour que tout ce petit monde surprenne mes ébats extraconjugaux. C'est bien ça ?

Personne ne répondit.

— Alors, écoutez-moi, les amis : ma fille est, comment dire, un peu excessive, certes, mais là, on s'approche plus d'une pathologie psychiatrique, vous ne trouvez pas ? Et je ne vous parle pas des incohérences dans le scénario !

— Natalia, en dehors de Sarah et de sa famille, qui d'autre qu'elle était au courant que vous étiez ici ?

— Mais plein de gens ! Phil, le régisseur, le traiteur et certainement beaucoup d'autres !

— J'ai entièrement confiance en Phil.

— Didier ne ferait jamais une chose pareille ; il m'a pratiquement obligée à l'accueillir chez moi.

Sarah se rendit compte de ce qu'elle venait de dire et se rattrapa comme elle put en se tournant vers Natalia.

— Et il a bien fait, d'ailleurs !

Benjamin parla plus bas.

— Et votre fille, Sarah ?

— C'est une plaisanterie ? Vous avez vu l'état dans lequel cette histoire l'a mise ?

Ils épuisèrent toutes les hypothèses imaginables, mais les soupçons les plus prononcés étaient toujours portés sur la fille de Natalia.

Matthieu appela vers midi pour signaler que Sarah avait dû être convaincante puisque les voitures étaient enfin parties et que la voie était libre. Benjamin et Natalia s'en allèrent rapidement après cette nouvelle. Un pique-nique improvisé fut décidé pour ceux qui restèrent.

Agatha avait littéralement accaparé le jeune garçon. Après le repas, et sans se soucier du programme qu'avait sans doute prévu son père, elle lui fit visiter la maison et lui montra le site qu'elle était sur le point de terminer.

Les adultes sirotaient leur café en silence. L'homme ne parlait guère plus que son fils. Sarah ne se souvint pas de l'avoir entendu prononcer plus de quelques phrases depuis son arrivée. La matinée l'avait vidée de toute énergie, exténuée ; elle luttait contre l'envie de dormir. La politesse, mais aussi les questions qui s'entrechoquaient dans sa tête la maintenaient à peu près en éveil. Elle se demandait entre autres comment elle réagirait si elle était amenée à croiser à nouveau cette Virginie, si jamais cette femme osait seulement venir la voir. En sentant la colère monter au souvenir du visage désemparé d'Agatha quelques heures plus tôt, elle eut au moins la réponse à cette question : elle l'enverrait sur les roses ! Heureusement, les enfants n'avaient rien entendu de cette sordide histoire.

Au milieu de ses rêveries, elle sentit le regard de l'homme sur elle et leva les yeux.

— Oui ?

— Oh ! rien, pardonnez-moi. Je vous voyais songeuse et je me demandais à quoi vous pouviez bien penser !

— À trop de choses, comme d'habitude !… À mon envie de dormir, à toute cette histoire, à vos costumes ! À mon pauvre jardin en friche, au travail que j'ai lâché au beau milieu de la matinée… À tout ce que je ne vais pas faire cet après-midi faute de courage… Je me disais aussi que le silence me faisait du bien… Et voilà que je me remets à parler…

Il ne dit rien.

— Vous aussi, vous semblez aimer le silence.

Il sourit, se rapprocha de la table pour saisir la cafetière et la souleva.

— Je peux ?

— Oui. Bien sûr. J'ai dû boire un litre depuis ce matin, et ça n'a plus aucun effet sur moi, de toute façon…

Il se servit le fond qui restait, sucra sa tasse et remua lentement jusqu'à ce que le morceau soit complètement dissous.

— Je me suis habitué au silence. Jules parle très peu. Il a subi des opérations au larynx quand il était beaucoup plus jeune, mais il a gardé des séquelles qui lui donnent une voix un peu étrange qu'il utilise peu... J'ai pris l'habitude de faire comme lui... J'ai dû perdre un peu celle de parler... Nous communiquons surtout avec les yeux et les gestes...

Après quelques secondes de silence, Sarah lui demanda la raison de son accoutrement.

Il se rassit au fond de son siège.

— Aujourd'hui, c'est une sorte de journée portes ouvertes au collège. Les enfants inventent et organisent toutes sortes d'ateliers... Il m'a inscrit sur le « forum des métiers ». Je fais partie des heureux élus parmi les parents qui viennent présenter leur métier, en habit de travail si possible, et répondre aux questions. Et lui, il est chargé de la visite de la bibliothèque. Il est fan de BD et s'est habillé en conséquence...

— Et vous êtes chevalier, donc ?

— Bien vu. Je suis prof, mais j'écris aussi des histoires pour les petits. Le personnage préféré de Jules est un chevalier héroïque qui sauve le monde à chacune de ses aventures. C'est ce métier-là qu'il m'a prié d'expliquer. Beaucoup plus drôle que prof pour des gamins de onze ans !

— Il doit être déçu d'avoir raté tout cela...

— Entre nous, il n'a pas l'air. Il semble absolument séduit par votre fille... et, en ce qui me concerne, je n'étais pas complètement tranquille, je vous avoue. Je ne suis pas sûr que les autres parents aient joué le jeu à ce point-là. Je crois que toute cette histoire m'a évité un grand moment de solitude !

Il vida sa tasse.

— Nous n'allons pas tarder. Je ne voudrais pas vous déranger plus longtemps. Je vais prévenir Jules.

Elle hocha la tête. Elle avait très envie de se retrouver seule avec sa fille et de laisser la journée filer tranquillement avec elle. D'un autre côté, elle était presque déçue que cet homme qui posait sur elle un regard si doux s'en aille.

— Maman !

Elle se retourna sur sa chaise. Agatha sortait de la maison, suivie de Jeff et de son fils.

— Oui ?

— Pourquoi on ne les invite pas à rester ?

— Agatha, s'il te plaît, c'est pas très poli ce que tu me fais là.

— Mais, maman, on n'a eu le temps de rien faire, Jules et moi ! Pour une fois qu'on s'amuse, dans cette maison !

— Agréable.

— Pardon, maman, mais s'il te plaît !

Jeff s'adressa à la jeune fille :

— Nous devons rentrer, mais peut-être une autre fois.

Sarah se retint de renchérir pour les convaincre de rester un peu plus.

— Vous connaissez le chemin maintenant…

— Je vous ai laissé mon numéro sur la table, au cas où.

Au cas où quoi ? se demanda-t-elle.

Ils repartirent comme ils étaient venus, refermant la parenthèse de cette étrange rencontre. Elle laissa la cuisine et la table en plan, et alla s'allonger. Elle dormit trois heures.

22

Juillet 1978

Gabriel allait présenter son « chef-d'œuvre » dans quelques semaines. Son tour de France était sur le point de s'achever et il avait arrêté son choix sur la ville dans laquelle il s'installerait. Tout au long des sept dernières années, il avait parcouru cinq régions et sept villes différentes. Il avait considérablement enrichi ses connaissances, accru la maîtrise de son métier, et son voyage l'avait confronté à des spécificités locales, techniques et culturelles. Mais cette expérience lui avait surtout donné l'occasion de nombreuses rencontres passionnantes et passionnées.

Il avait prévenu son père et sa mère qu'il ne reprendrait pas sa place dans la boulangerie familiale.

Profitant d'une semaine de congés, il se rendit à Tours pour voir madame Chondeau, avec laquelle il n'avait cessé d'entretenir les liens forts qu'ils avaient noués lors de sa première étape. Comme il expliquait son choix de s'installer à Saint-Étienne, sur l'argument principal de la distance qui le tiendrait éloigné de son amour de jeunesse, elle l'incita à mettre un terme à sa période de deuil et d'aller à la rencontre de celle qui l'avait quitté sept années plus tôt.

C'est ce qu'il fit.

Il se rendit à Paris et retrouva ses traces sans grande difficulté. Il téléphona sans se présenter, prétextant une livraison urgente à remettre en mains propres. Il tomba sur une employée qui lui confirma que Lise habitait bien sur place et qui lui indiqua l'heure à laquelle il pourrait passer pour lui déposer ce colis.

Il prépara cette entrevue une journée entière, choisissant les mots qu'il allait employer, répétant ses gestes devant un miroir. Il sélectionna parmi ses modestes affaires les vêtements les plus élégants et fit briller ses chaussures.

Le jour dit, sans l'avoir avertie d'aucune façon de sa venue, il se rendit à son adresse et attendit dans un café qu'elle sorte de l'immeuble.

Il patienta près de cinq heures.

Quand enfin la porte cochère s'ouvrit et la fit apparaître, il se leva pour aller à sa rencontre. Il eut le temps de remarquer les légers changements que le temps avait opérés (des cheveux plus courts, une tenue plus sage) avant qu'elle ne lui tourne le dos et se penche pour cueillir un enfant. Une petite fille qui devait avoir six ou sept ans, belle comme le jour et pleine de vie.

Le cœur transpercé de jalousie à l'égard du père de cet enfant, il renonça à sortir du café. L'homme ne tarda pas à sortir à son tour, prit la petite dans les bras de sa mère et embrassa tendrement sa femme.

Gabriel quitta Paris et descendit directement à Saint-Étienne sans s'arrêter à Tours. Il reprit alors son nom de baptême, bannissant à jamais l'usage de Gabriel, son deuxième prénom, par lequel elle n'avait jamais cessé de l'appeler (« Mon ange, disait-elle, mon ange Gabriel… »).

Quelques jours plus tard avait lieu la cérémonie de « réception », qui ferait de lui un « compagnon fini ». On lui attribua son nom de compagnon, composé comme depuis plusieurs siècles de sa région d'origine associée à une qualité qui le caractérisait.

Il écrivit à son père à l'occasion de son anniversaire. Il signa Normand la Patience.

23

Jeudi 14 mai 2010

Benjamin était assez content de lui. Il avait clos l'affaire du matin d'un coup de fil avec le directeur du grand hôtel qui avait été ravi de conduire les paparazzis sur une fausse piste. Natalia devrait se trouver un autre endroit pour les deux prochaines nuits, mais ce n'était plus son problème. Pour l'heure, ses préoccupations étaient autrement plus complexes ; il négociait avec le chef décorateur depuis une demi-heure.

Ils n'avaient plus que deux jours pour mettre en boîte les scènes de la fin du film et il sentait poindre un retard conséquent. Si les acteurs avaient pris un sacré coup de vieux, à grand renfort de latex et de perruques, les bâtiments et le paysage avaient traversé trois décennies sans bouger d'un pouce. La façade de la maison, construite expressément pour le tournage, était toujours d'un blanc immaculé, les arbustes n'avaient pas grandi... Bref, ils allaient s'arracher les cheveux au montage si tout restait dans cet état.

Virginie l'observait de loin.

Tout semblait absolument normal.

Personne n'était venu la trouver.

Benjamin et sa mère n'avaient fait aucune allusion à quoi que ce soit d'inhabituel.

Sa curiosité piquée au vif, elle appela le journaliste qu'elle avait mis sur le coup quelques heures plus tôt.

— Rebonjour. Je suis madame Delerre. Je vous ai appelé ce matin au sujet de l'actrice Ficher.

— …

— Allo ?

— Qui êtes-vous ?

— Je viens de vous le dire, je suis…

— Non, qui êtes-vous vraiment ? On ne peut pas dire que ça m'amuse, vous savez, d'être mené en bateau comme vous l'avez fait ! Vos tuyaux percés, vous pouvez vous les garder pour vous, à l'avenir !

— Mais je…

— Je l'ai vue, madame Delerre, ce matin. Elle n'a pas du tout votre voix, d'ailleurs ! Et pas plus de Ficher dans ce trou que de scoop dans mon prochain papier ! Cette pauvre dame, elle comprenait rien à ce qui lui arrivait !

— Vous allez me faire pleurer. Jouez pas avec moi au type qui a des scrupules ! Elle était là-bas !

— Ça m'étonnerait. J'ai vérifié une info qui venait d'un groom du grand hôtel. Vous vous êtes plantée en beauté !

Et il raccrocha.

Elle regarda sa montre. Rien n'avait encore été tourné ; elle était coincée sur cette fichue falaise pendant encore au moins quatre heures. Dès qu'on n'aurait plus besoin d'elle, elle irait faire un tour au clos pour tirer les vers du nez de cette pimbêche de Sarah.

Agatha s'ennuyait. Elle avait épuisé sa réserve de livres et il n'y avait rien d'intéressant dans ce que sa mère avait rapporté. Les romans étaient restés à Paris. Il n'y avait ici que quelques ouvrages traitant de géographie, de peinture ou de photographie. Elle en survola quelques-uns et tourna en rond à la recherche d'une activité plus ludique, compatible avec sa mobilité réduite du moment. Sa mère s'étant écroulée dans son lit, elle lui laissa un petit mot sur la table : *Je vais me dégourdir le plâtre. Si je ne suis pas là, c'est que je me suis arrêtée chez Matthieu. Bises.*

Elle n'avait rien compris au sketch du matin. Ces photographes lui avaient fichu la trouille de l'année. Matthieu pourrait peut-être l'éclairer si jamais il était chez lui. Sur le moment, elle n'avait eu qu'une envie, celle de s'échapper de la pièce où ces adultes l'asphyxiaient de stress. Ils avaient tous bien joué le jeu, mais, derrière ce contrôle apparent, ça suintait la panique. Les deux seuls à ne pas s'être emballés avaient été cet homme, Jeff, et surtout Jules, chez qui elle avait senti une vraie joie rieuse, qui l'avait presque chatouillée. À sa grande surprise, elle avait pour la première fois perçu également quelque chose chez la comédienne, habituellement si lisse et imperméable à ce qui l'entourait. Mais cela n'avait rien eu à voir avec le cirque ambiant ; c'est l'entrée de son mari et de son fils qui l'avait nouée, comme si elle s'était resserrée de l'intérieur, recroquevillée l'espace d'un instant, et puis c'était parti, très vite. C'était pénible tout de même, cette faculté d'attraper toutes ces choses très intimes. Elle aurait volontiers troqué cette curieuse aptitude contre un bon coup de crayon ou un don pour la musique.

De la musique, il y en avait qui s'échappait par la fenêtre ouverte du voisin, un air entraînant, qui sentait le soleil et donnait envie de danser. Elle frappa, et il arriva tout de suite.

— Coucou, Matthieu. Alors, ça guinche ?

— Plus de mon âge, jeunette ! Tu as besoin de quelque chose ?

— Besoin de compagnie, oui. Pour la première fois de la semaine, je trouve le temps long.

Tout en l'écoutant parler, il lui fit signe d'entrer.

— Et qu'est-ce que tu aurais envie de faire de beau ?

— Quelque chose de beau, déjà, ce serait pas mal !

— On pourrait faire quelque chose de bon aussi ? Tu aimes cuisiner ?

— Ben, là, franchement, Matthieu...

Sa moue en disait plus long encore.

— As-tu déjà seulement essayé ? Vraiment essayé ? Choisir une recette en fonction de ton inspiration, composer avec les ingrédients, suivre au détail près les instructions, —

puis t'en éloigner subitement et donner ta touche personnelle, sentir les mélanges, toucher les matières ?...

Elle le regardait, perplexe devant le pétillement de son regard à l'évocation de ce qui s'apparentait pour elle au passe-temps le plus ennuyeux qui soit. Elle ne voulut pas le vexer.

— Quelque chose de sucré, alors ? Je veux bien tenter le coup.

— Alors, viens.

Elle le suivit dans la pièce voisine, un endroit frais et moins lumineux que la grande cuisine qu'elle connaissait, mais qui renvoyait une tranquillité chaleureuse, une ambiance presque protectrice. Elle se dit qu'elle adorerait se plonger dans un long roman sur ce fauteuil au milieu de la pièce.

Il y avait toute une étagère de livres de cuisine.

— Waouh ! Quelle collection !

— J'aime les beaux livres de cuisine, les photos, surtout. Quand mon fils avait ton âge, nous passions des dimanches entiers à essayer de nouvelles recettes ou à en adapter d'anciennes à nos goûts.

Agatha prit ce qui ressemblait à une encyclopédie.

— Et votre femme ?

— Elle n'aimait pas trop cela. D'ailleurs, elle n'était plus avec nous, à cette époque. Nous nous sommes séparés assez jeunes.

Il disait cela avec un grand détachement, sans amertume ni tristesse. Curieux, se dit-elle. J'aurais misé n'importe quoi sur une histoire passionnée. Elle le regarda, comme pour s'assurer qu'elle ne s'était pas trompée.

— Alors ? Qu'est-ce qui t'inspire ?

Elle regarda la couverture du pavé qu'elle tenait entre les mains.

— On pourrait faire des macarons ? Maman adore les macarons. Ça lui remonterait le moral.

— Si des macarons peuvent remonter le moral de ta mère, alors, pas d'hésitation… Je te propose de cuisiner au soleil, je vais sortir la table.

Elle s'appliqua de tout son cœur, fit preuve de toute sa bonne volonté et goûta au plaisir de faire plaisir... L'enthousiasme de Matthieu n'était pas feint ; il s'exaltait devant la finesse de la poudre d'amandes passée au tamis, sur la fermeté des blancs montés en neige ou encore sur le parfum des gousses de vanille... Elle était en train de se débattre avec la poche à douille (une invention diabolique, pensa-t-elle ; elle l'avait trop remplie, et la pâte sortait davantage par son sommet que par l'embout métallique) quand quelqu'un l'appela depuis le chemin. Elle leva la tête, plissa les yeux et mit plusieurs secondes avant de reconnaître la femme désagréable qui était passée la veille en se présentant comme la fille de Natalia.

— Eh, petite ?

Agatha retourna à sa douille dégoulinante sans lui répondre. Matthieu revenait avec une plaque garnie de la première fournée. Il aperçut la femme qui se tenait derrière la barrière.

— Je peux vous aider, madame ?

Tout en gardant la tête baissée, Agatha marmonna assez fort pour qu'il puisse entendre.

— C'est elle, la fille qui posait des questions et qui m'a laissé sa carte.

Il se tourna vers la femme sans bouger, lui demanda de patienter quelques secondes et se pencha vers son apprentie pâtissière. Elle leva les yeux et lui signifia du regard qu'elle n'avait aucune envie d'avoir affaire à elle. Il posa la plaque de macarons sur la table, lui fit signe qu'il avait compris et s'approcha de la barrière.

— Je vous écoute, madame ?...

Sans lui répondre, elle désigna Agatha.

— Je passais voir madame Delerre, mais j'ai aperçu sa fille devant votre maison. Je lui ai posé une question à transmettre à sa mère et, comme je n'ai pas eu de nouvelles, je me suis dit qu'elle avait peut-être oublié de passer le message.

— Un message concernant deux personnes qui auraient vécu ici par le passé ?

— Euh, oui... Gabriel et Lise... Comment savez-vous ?

— Je sais, c'est tout. Et je veux bien répondre à vos questions si vous me dites d'où vous tenez ces prénoms.

Elle n'avait pas pensé à ça, mais n'eut aucun mal à répondre du tac au tac.

— J'ai trouvé un vieux dessin dans le gîte. Les noms étaient écrits dessus. Il y avait une date aussi…

— Je peux le voir ?

Elle se gratta la tête et réfléchit à toute allure au scénario le moins bancal. Hors de question de dévoiler le carnet ; trop risqué. Ce pépé avait l'air d'en savoir plus qu'il ne voulait bien le laisser paraître ; mieux valait rester prudente et en dire le moins possible. « J'ai trouvé une magnifique aquarelle, je l'ai réduite en boule et remise à l'endroit où je l'avais découverte » serait une réponse pour le moins absurde. Elle opta pour une version un peu plus crédible :

— Je le garde avec moi depuis. Je crois l'avoir laissé dans la voiture. Je reviens.

Elle monta dans le véhicule, se pencha pour faire croire qu'elle cherchait dans la boîte à gants, extirpa de son sac à main le carnet et arracha l'une des nombreuses aquarelles qui reprenaient invariablement le même couple. Elle revint vers Matthieu, l'air dégagé, en arborant un grand sourire.

— Le voilà !

Elle lui tendit le dessin ; il le lui arracha presque des mains.

— Où l'avez-vous trouvé ?

« En donnant un coup de pied dans le mur » ne serait peut-être pas la réponse la plus intelligente qui soit. Elle mentit donc à nouveau, avec le même naturel désarmant :

— Il y a une grande armoire dans la pièce principale ; il s'était glissé derrière. Un coup de vent ou une porte qui claque a dû l'en faire sortir. Toujours est-il qu'il dépassait un peu et que cela m'a intriguée.

Matthieu ne quittait pas la peinture des yeux.

— Il est intact. On ne dirait pas qu'il a pris la poussière derrière une armoire pendant toutes ces années.

Elle haussa les épaules.

— Je peux le garder ? Je le trouve très beau.

— Si ça vous fait plaisir, mais vous les connaissez ?

Elle allait enfin savoir si ce carnet était tombé dans les oubliettes ou si quelqu'un pourrait s'en rappeler un jour.

— C'est une très vieille histoire. Je les ai croisés dans le temps, effectivement. Mais ils sont morts maintenant.

— Tous les deux ?

— Tous les deux, oui.

— Vraiment ?

Elle avait toute la peine du monde à contenir son excitation. Elle continua malgré tout. Il fallait qu'elle soit absolument sûre.

— Vous pensez que ce dessin pourrait faire plaisir à quelqu'un, des enfants ?...

— Pas d'enfant, non…

— Et vous ? Vous les avez bien connus ?

— Non, à peine croisés, je vous ai dit. Bon, je crois que j'ai répondu à assez de questions comme ça, maintenant.

Un miaulement se fit entendre. Il venait de la voiture. Le chaton sauvage avait sauté par la fenêtre ouverte et semblait demander de l'aide. Matthieu ouvrit la barrière pour aller voir. Virginie le devançait d'un mètre et vit la première ce qui se passait.

— Sale bête ! Sors de là !

L'animal avait la tête et les pattes avant enfouies dans le sac à main, d'où dépassait maintenant très nettement le carnet. Elle envoya le sac sous le siège et agrippa l'animal qu'elle fit voler sans ménagement à l'extérieur.

— Qu'est-ce que ce pauvre petit vous a fait pour que vous le traitiez de cette façon ?

— Il a massacré la housse de mon siège.

Elle s'assit derrière le volant et roula jusqu'à la maison de Sarah.

Matthieu s'agenouilla et caressa le petit chat.

— Quelle drôle de femme ! Qu'est-ce qui lui a pris ? Ça va, petit père ?

Agatha avait lâché sa poche à douille et les avait rejoints.

— Viens, Minouche… C'est une méchante femme, dit-elle en s'adressant à Matthieu… Elle ne ressemble pas à sa mère. C'est l'actrice qui dort chez nous, vous savez ?

Il n'avait pas assisté aux échanges qui avaient suivi son numéro devant les photographes et ne fit donc pas le lien avec le grand chambardement du matin.

— Ne sois pas si catégorique. Elle est un peu abrupte et elle n'aime pas les chats, mais elle m'a paru animée d'un bon sentiment.

Il lui montra le dessin.

— Elle a trouvé cette magnifique aquarelle dans le gîte et voulait la remettre à qui de droit. C'est un geste d'une grande gentillesse, tu ne trouves pas ?

— Mouais. Je crois qu'elle cache quelque chose plutôt. Et puis, cette colère. Elle est en rage, comme l'autre matin !

— Tu exagères. Allez, finissons ces macarons.

Agatha ne dit plus rien. Même Matthieu lui cachait quelque chose, à présent. Il faisait bonne figure, mais il s'était laissé envahir par une infinie tristesse. Un chagrin lourd et épais lui était subitement tombé dessus et était en train de le dévorer. Elle ne prit pas la peine de s'installer à la table et resta debout.

— Matthieu ?

— Oui.

Il décollait doucement les biscuits de la plaque avec un couteau.

— Laissez tomber les macarons. Si vous voulez être un peu seul, vous n'avez qu'à me le dire.

— Pourquoi je voudrais être un peu seul ? Je suis très bien avec toi.

Elle prit une grande inspiration.

— Bon, si vous voulez qu'on soit amis, il faut que vous sachiez qu'il est quasiment impossible de me mentir. Là, par exemple, j'ai de la peine parce que vous me racontez des histoires et que vous en rajoutez des caisses.

Il posa le couteau et la regarda.

— Ce que tu me dis est très étrange, mais, va savoir

pourquoi, je n'ai aucun mal à te croire. Tu as raison : je crois que j'ai besoin d'être un peu seul.

— C'est cette femme, je vous l'avais dit. C'est du poison, croyez-moi.

— Prends une boîte et mets les macarons cuits dedans. Tu me diras l'effet qu'ils ont eu sur ta mère !

Elle l'embrassa sur la joue sans rien dire.

Elle arrivait chez elle quand, au coin de la maison, Virginie Ficher surgit en trombe, vociférant et gesticulant dans tous les sens. Elle fit trébucher Agatha qui faillit tomber, mais elle ne s'arrêta même pas.

Sarah s'assurait que la furie quittait bien la maison en la suivant des yeux par la fenêtre. Elle n'en revenait pas de l'attitude de cette fille. Elle assumait complètement son comportement du matin ! Elle avait nié du bout des lèvres, mais elle s'était vite débarrassée du discours qu'elle avait préparé pour tout lui déballer. Le plus invraisemblable, c'est qu'elle semblait plutôt fière d'elle, comme si elle avait eu besoin de se vanter à quelqu'un ! Tout juste si elle n'attendait pas des félicitations pour cette machination tordue !

Sarah lui avait sorti ses quatre vérités, sans prendre de gants, et lui avait interdit de remettre les pieds chez elle.

Retour au calme maintenant. Finies, les stars et leur cohorte de complications ! Natalia Ficher était certes charmante, mais elle se contenterait d'elle sur grand écran, en épouse de Claude Monet si elle avait bien compris. La veille au soir, la comédienne lui avait confié avec humour combien ce rôle était à l'opposé de ce qu'elle était et à quel point elle devrait composer pour rendre crédible ce personnage inspiré d'Alice Hoschedé.

— Alice Hoschedé ? avait questionné Sarah.

— La maîtresse de Monet. Elle s'est finalement mariée avec lui au décès de sa première femme, morte à l'âge de trente-deux ans seulement ! Cette Alice a élevé pas moins de huit enfants !

Elle lui dit aussi que cette femme avait reçu de nombreuses

lettres de l'artiste, tandis qu'il errait au pied des falaises d'Étretat et lui écrivait ses doutes. Elle avait bravé toutes les règles de morale et de bienséance de l'époque en vivant avec un homme sans y être mariée pendant plusieurs années et alors même que son propre mari était encore en vie. Si Sarah voulait se faire une idée, elle pourrait rechercher une photo d'un tableau la représentant : *Alice Hoschedé dans le jardin*.

— Tout le contraire de moi ! avait-elle conclu. Toujours à l'affût du qu'en-dira-t-on !

— Vous ? Ça alors, je n'aurais jamais imaginé cela ! Vous êtes tellement pleine d'assurance, Natalia ! Vous avez plutôt l'air de quelqu'un qui dicte sa vie sans se soucier du regard des autres.

— C'est curieux, je sais. Je ne m'intéresse pas plus que ça aux histoires des gens. J'ai toujours été comme ça et j'aimerais qu'il en soit de même dans l'autre sens. J'évite au maximum de faire parler de moi parce que je ne supporte pas la critique. Je n'ai pas choisi le métier le plus approprié, je vous le concède !

C'était vers la fin de la soirée. Benjamin était dans ses pensées ; il griffonnait un peu nerveusement des sortes de hiéroglyphes sur un bout de papier en relevant de temps en temps la tête, le regard vague. Les deux femmes discutaient sans se préoccuper de lui, mais Agatha ne le quittait pas des yeux et il avait dû se sentir observé.

— Vous travaillez ? lui avait-elle demandé.

— En quelque sorte, oui.

Il posa son stylo et regarda ce qu'il avait écrit.

— Je griffonne sans cesse, et toujours dans des moments comme celui-ci. J'ai beaucoup de mal à me concentrer dans le calme. J'aime sentir une certaine effervescence autour de moi. C'est dans ces instants-là que mes meilleures idées me viennent. Alors, je les note avant qu'elles ne s'envolent… C'est comme ça que m'est venue celle du film que nous tournons en ce moment, si tu veux savoir, au beau milieu d'un dîner, alors que les conversations tournaient autour d'un sujet qui n'avait rien à voir !

Comme pour se rappeler les choses à lui-même, il lui avait raconté comment lui était venue l'envie de raconter l'histoire de l'impressionniste, son enfance au Havre, ses rencontres avec ses contemporains, ses premières exposi- tions et, surtout, sa vie amoureuse qu'il trouvait presque révolutionnaire pour l'époque. Il dit également les petites libertés qu'il avait prises avec l'histoire, et notamment celle d'installer le peintre sur la falaise d'Étretat, et non pas dans le centre de la ville, à l'hôtel Blanquet, alors qu'il réali- sait quelques-uns de ses plus beaux chefs-d'œuvre marins, *Grosse mer à Étretat, La porte d'Armont...*

Il racontait bien. Agatha était hypnotisée par ce récit très imagé qui donnait envie d'aller voir dans les livres de sa mère à quoi ressemblaient les toiles de l'artiste.

Sarah regarda l'heure sur le four de la cuisine. À faire défiler la soirée de la veille ainsi, elle avait perdu la notion du temps. Elle aperçut Agatha qui arrivait en clopinant, et elle se dit qu'il lui faudrait parler du week-end qui arrivait avec elle. Mais, pour le moment, elle se félicitait de ne pas s'être laissé marcher sur les pieds par cette Virginie et de lui avoir signifié combien elle trouvait son comportement méprisant. Elle ne se doutait pas que la liberté et la franchise de ses mots allaient lui coûter très cher.

24

Mai 1983

Le compagnon « Normand » se maria et eut un fils qu'il appela Louis. Attirée dans un premier temps par la célébrité locale de la boulangerie qu'il avait reprise à Saint-Étienne, sa femme s'était vite désintéressée de ce quotidien qu'elle jugeait ennuyeux, des journées décalées, et du peu de fréquentations qu'ils avaient. Il partageait donc son temps entre son fils qu'il aimait plus que tout et son métier qui continuait de le passionner.

Il recevait de temps à autre des nouvelles de son ami de Normandie. Celui-ci lui envoyait régulièrement des photos de l'ancien bâtiment agricole qu'il avait peu à peu transformé en une très belle maison aux aspects polychromes, incrustant entre les colombages de la façade une diversité de matériaux dans le respect architectural du pays. Briques, grès et silex avaient métamorphosé ce qui avait longtemps fait office d'une simple grange.

Il n'avait plus cherché à savoir ce que devenait Lise. Mais, malgré sa volonté de faire table rase du passé, ses nuits étaient hantées de réminiscences de cette époque. Son visage ne s'effaçait pas, et il lui semblait même entendre sa voix douce lui raconter une vie qu'il lui avait construite dans ses songes. Elle avait tout d'abord concilié ses dons picturaux et ses connaissances en architecture, et avait mis ses talents au service de riches propriétaires. Depuis quelque temps, elle avait pris son indépendance et ne faisait plus que peindre. Elle était régulièrement exposée et obtenait un petit succès avec ses toiles. Elle s'occupait de sa fille avec amour et tendresse, mais ne parlait jamais de son père, l'homme qu'il avait aperçu en 1978 avenue de Wagram ne faisant pas partie de leurs conversations nocturnes, comme s'il n'existait pas.

Ces rêves se déroulaient invariablement dans la même scène : ils étaient tous les deux assis dans de confortables fauteuils, face à une cheminée qui, à quelques détails près, était identique à celle de la petite maison où elle avait habité près de chez lui. Elle lui parlait le visage de côté, face au feu qui éclairait son profil, et il l'écoutait sans dire un mot. Sur ses genoux se pelotonnait un petit chat qu'elle caressait et dont il pouvait percevoir le ronronnement.

25

Vendredi 15 mai 2010
7 heures

*I*nformation à destination de Monsieur le Maire
et des habitants du Tilleul.

Mesdames, Messieurs,
Je vous mets en garde contre les malversations d'une
personne nouvellement arrivée dans votre charmante
petite ville. Vous l'avez sans doute déjà croisée.
Madame Delerre s'est installée chemin des Reinettes,
dans cette grande maison un peu isolée. Elle a l'in-
tention d'en faire un gîte renommé pour supplanter les
hébergements de la région qu'elle juge rustiques et sans
aucun charme (je reprends ses mots). Sans compter le
mépris que cette Parisienne a pour vous (et qu'elle ne
prend même pas la peine de cacher !), sachez qu'elle
accueille chez elle des couples illégitimes et qu'elle
prend un malin plaisir à briser les mariages les plus
solides.
Méfiez-vous d'elle ; elle ne vous apportera que de
mauvaises choses. Son mari a dû l'apprendre à ses
dépens puisqu'il ne semble pas habiter avec elle. Je
sais aussi que sa fille est cloîtrée chez elle avec une
jambe dans le plâtre, à l'âge où tous les enfants vont
à l'école.

Vous comprendrez que, pour des raisons de sécurité, je ne puisse vous dire mon nom. Sachez que mes informations sont de sources sûres et que je veux vous éviter de supporter, à cause de cette femme, ce que j'ai moi-même dû subir.

26

De virginie@fichcent.fr à info@gîtedupays.fr

Je tiens à vous signaler la médiocrité d'un lieu portant votre label. Le clos des Reinettes, tenu par madame Delerre Sarah, et dont l'ouverture est très récente, ne respecte aucun des principes dont votre fédération se réclame. L'accueil y est froid, et les services, quasiment absents. Le gîte proposé est pour le moins sommaire, le confort, minimum, et le jardin est une ode aux mauvaises herbes ! Je ne recommanderais cet endroit à personne, et j'espère que vous ferez de même en le supprimant de vos adresses. Les tarifs sont par ailleurs prohibitifs. J'ai donné plus de mille euros pour une semaine de location.
Comptant sur votre promptitude à réagir, je vous prie de croire à mes salutations les meilleures.

Virginie FC

De info@gîtedupays.fr à virginie@fichcent.fr

Madame,
Nous vous remercions de nous avoir fait part de vos remarques. La qualité des hébergements référencés auprès de notre fédération dépend du respect de la charte commune par l'ensemble de nos adhérents.

Il vous appartient d'effectuer auprès des propriétaires du lieu les démarches que vous estimerez nécessaires pour réparer le préjudice que vous avez subi.

Nous avions visité ce gîte il y a quelques mois en prévision de son ouverture et nous vous assurons qu'il correspondait, à l'époque, aux critères exigés. Nous allons néanmoins nous rendre sur place pour clarifier cette situation et ne manquerons pas de prendre les décisions appropriées.

Avec nos salutations les meilleures.

La Fédération des Gîtes du Pays.

27

10 heures

Il y avait la queue dans la boutique, comme chaque veille de week-end, lui avait expliqué Prune.

— Les gens qui ne travaillent pas se donnent rendez-vous ce jour-là, il faut croire ! Souvent, ils reçoivent le soir ou bien la famille vient passer le week-end, surtout avec les beaux jours qui arrivent ! Et nous, on ne chôme pas ! Heureusement que les repas pour le film s'arrêtent demain. Nous sommes épuisés, Didier et moi !

Sarah avait un rendez-vous à l'heure du déjeuner. Elle se dépêchait de rattraper son retard de la veille en mettant sous pli les propositions de buffet, repas ou autre cocktail dînatoire, en réponse aux sollicitations auxquelles elle avait répondu depuis le début de la semaine. Elle avait tenté d'accélérer le mouvement le matin en arrivant :

— Il faudrait peut-être songer à envoyer tout cela par mail, vous ne croyez pas, Didier ?

— On verra. Pour l'instant, le papier, c'est très bien.

Elle n'avait pas insisté.

Elle était de bonne humeur. La veille, elle avait pris le temps de regarder le beau travail qu'Agatha avait réalisé sur le site Internet, et le résultat l'avait impressionnée. Elles avaient passé une heure devant l'écran, à naviguer sur les différentes pages. Ensuite, elles avaient discuté du week-end et avaient convenu de rentrer à Paris le samedi midi. Elle avait été sur le point d'appeler Daniel pour le tenir informé de ce programme, quand Léa avait téléphoné. Sa sœur proposait deux jours « entre filles ». Elle viendrait avec les siennes et passerait prendre Noémie. Elle pourrait ainsi ramener Agatha dimanche soir. Cette perspective réjouissait plus encore Sarah qu'elle ne l'aurait cru. En revenant de son rendez-vous, en vue de l'inauguration d'une maison de quartier à Criquetot-l'Esneval, elle s'arrêta chez le fleuriste et acheta un joli bouquet de tulipes pour Prune.

— Merci, Sarah ! Mais pour quelle raison ?

— Comme ça.

— C'est la meilleure qui soit !

Comme Sarah allait repartir pour retrouver Agatha, Prune la retint par le bras.

— Il est déjà tard, et je suis certaine que vous n'avez eu le temps de rien préparer pour le déjeuner. Faites-moi plaisir et servez-vous de ce qui vous tente dans la vitrine.

— Vous n'allez pas me le dire deux fois… Et si vous faisiez une pause avec nous ? Vous allez fermer la boutique jusqu'à quinze heures, et Didier est parti en livraison…

Prune ne se fit pas prier. Elles choisirent un plat de lasagnes végétariennes et partirent toutes les deux.

Sur la route, Sarah lui fit part du plaisir que lui procurait la venue de sa sœur pour le week-end, et, comme Prune l'interrogeait sur l'absence de Daniel, elle lui confia ses préoccupations du moment.

— C'était donc cela qui vous chiffonnait ? Je vous comprends. C'est une décision importante. Si vous m'autorisez à vous donner un conseil, ma petite Sarah, ne pensez pas à l'avenir immédiat. Mon loup et moi, nous avons vécu séparément pendant trois ans avant de nous retrouver et de nous installer ensemble. Ce qui compte, c'est qu'aucun de vous deux n'ait le sentiment de se sacrifier. C'est ce que j'ai compris quand mon Didier me parlait de son métier. C'est un grand cuisinier, vous savez ? Quand je l'ai connu, il était commis dans un grand restaurant à Paris. Il voulait se frotter à la gastronomie et prendre du galon. Et moi qui suis normande jusqu'au fond de moi, qui ai ce pays dans le sang, je ne m'imaginais pas pouvoir vivre ailleurs ! Alors, on s'est laissé le temps, on se voyait les week-ends et on se parlait de nos vies. On savait que l'on finirait par se retrouver ensemble, mais pas de quelle manière... Et puis, un beau jour, il m'a dit qu'il était prêt, qu'il avait vu ce qu'il voulait voir et que le temps était venu. Je crois que moi aussi j'étais prête : s'il n'était pas venu à moi, je l'aurais rejoint. Il ne m'a jamais forcé la main et je n'aurais pas eu non plus cette impression si c'est moi qui étais partie. Cela dit, j'étais bien contente qu'il prenne l'initiative !

Sarah écoutait en silence.

Quand elles arrivèrent à la maison, elle sut qu'elle appellerait Daniel le soir même pour lui dire qu'elle comprenait et qu'elle attendrait patiemment qu'il soit allé au bout de son projet. Il l'avait laissé construire le sien, et cette décision équitable était la seule possible. Cela lui semblait d'une telle évidence qu'elle se demanda pourquoi elle s'était mise dans un pareil état.

Une autre bonne nouvelle l'attendait sur place. Le Conseil général leur avait accordé une subvention sur laquelle elle ne comptait plus pour les travaux. Elle était certes modeste (deux mille cinq cents euros), mais elle financerait une bonne partie du chantier.

28

23 heures

Une ombre se déplaçait dans la petite ville du Tilleul, où les quelque six cents habitants semblaient s'être endormis. Elle glissa une trentaine d'enveloppes dans des boîtes aux lettres, chez les commerçants, à la mairie et dans quelques maisons aux volets fermés, où personne ne se souviendrait de l'avoir vue.

Le mail aux Gîtes du Pays était parti tôt le matin d'un cybercafé.

La perfidie allait se diffuser par différents canaux et se déverser sur cette petite maligne de Sarah qui n'y comprendrait rien.

29

Samedi 16 mai 2010
9 heures

Sarah n'avait pas passé une nuit aussi reposante depuis plusieurs semaines. Les nuages accumulés avaient été chassés la veille au soir ; sa conversation avec Daniel avait été apaisante, et ils avaient même plaisanté à nouveau. Elle conduisait en chantonnant. Agatha avait proposé de l'accompagner pour faire quelques courses et, assise à ses côtés, elle se laissait contaminer par cette douce euphorie. Elles avaient décidé de s'épargner l'hypermarché et de partir en quête d'un marché. Elles s'offrirent celui d'Étretat. Après avoir flâné dans les boutiques gourmandes de la vieille halle, elles partirent à la recherche d'étals plus traditionnels, mais ce n'était pas jour de marché. Le plus proche était ce jour-là à Fécamp. Dix kilomètres plus loin, elles s'arrêtèrent à nouveau et prirent le temps entre chaque stand, goûtant un morceau de fromage ici ou une lamelle de jambon là. Une fois les paniers bien garnis, elles firent halte dans leur petite ville pour acheter du pain et récupérer un plateau de canapés que Sarah avait commandé à Prune la veille. Une petite folie, mais elle était fière d'offrir à sa sœur les petites pâtisseries salées qui avaient fait la réputation de Didier.

Agatha tint absolument à saluer Prune et, tout en se débattant avec ses béquilles, s'extirpa à nouveau de la voiture pour suivre sa mère. Midi approchait, la petite boutique était pratiquement déserte. Prune était en train d'encaisser la dernière cliente quand elle les vit entrer. Elle les accueillit à bras ouverts, avec sa spontanéité habituelle, mais Agatha sentit tout de suite que quelque chose allait de travers. —

Elle se garda de dire quoi que ce soit et, fuyant le regard de Prune, s'assit sur le tabouret, dans le coin du magasin.

Didier apparut à ce moment-là.

— Bonjour, Sarah... et Agatha !

Il se retourna vers sa femme.

— Tu leur as dit ?

— Dit quoi ? demanda Sarah.

— Non, pas encore, mon loup. Écoutez, ce n'est pas bien joli, mais il faut que vous voyiez cela.

Elle disparut dans l'arrière-boutique et revint avec une simple feuille de papier à la main.

— C'est un ramassis de saletés ! s'énerva Didier. Je voulais le jeter à la poubelle, mais ma Prune m'a retenu. Une femme avertie en vaut deux, elle m'a dit !

Prune tendit la lettre anonyme qui avait été glissée sous leur porte pendant la nuit.

Sarah fronça les sourcils et lut lentement. Son premier réflexe fut de se tourner vers sa fille, qui fixait obstinément son plâtre. Il fallait qu'elle la protège, qu'elle soit absolument préservée de la malveillance nauséabonde qu'elle tenait entre ses doigts. Désarmée, elle fit de son mieux pour garder bonne figure et tenta de tourner la situation en dérision.

— Et c'est cela qui vous inquiète ? Allons ! Ce n'est rien ! Qui croirait des choses pareilles ? C'est tellement grossier ; les gens ne sont pas stupides ! Une lettre anonyme en plus, c'est tellement..., tellement...

Elle essaya de rire, mais elle ne réussit qu'à sortir un son un peu trop aigu, plutôt faux.

Agatha entendait presque les larmes de sa mère derrière son masque. Maman, non, tiens le coup. Je ne sais pas ce qu'il y a sur ce bout de papier, mais cela ne peut pas être si grave que cela...

Elle essayait d'envoyer toute l'énergie positive qu'elle gardait au chaud vers Sarah.

Didier claqua ses mains.

— Bon, allez, on ferme. Sarah, Agatha, vous venez boire un verre avec nous avant de repartir.

— Il me faut du pain, répondit Sarah.

Elle sortit cette phrase d'une voix atone. Elle voulait mesurer l'impact des mots calomnieux sans traîner. Agatha attrapa le papier qui était sur le point de glisser de ses mains et l'enfouit au fond de sa poche.

— Je viens avec toi, maman.

— Vous êtes sûres ? Ce n'est peut-être pas…

— Je ne vais pas laisser cette folle m'empêcher d'aller chercher du pain !

— Vous savez qui c'est ?

— Oh oui !

La boulangerie n'était qu'à quelques mètres. À l'intérieur, il y avait une dizaine de personnes et, quand la mère et la fille entrèrent, tout sembla normal. Lorsque Sarah demanda son pain, la boulangère lui sourit très aimablement, lui demanda si elle le voulait bien cuit ou pas et plaisanta même un peu.

Une fois dans la rue, Sarah respira une grande bouffée d'air.

— Tu vois, mon Agatha, elle, c'est madame Je-sais-tout-ce-qui-se-passe, et elle n'a fait aucune allusion à quoi que ce soit ! Tout va bien ! Cette fichue lettre est un pétard mouillé ! On va passer un bon week-end et préparer le meilleur repas du mois pour nos invitées !

Elles repassèrent chez Didier et Prune pour récupérer le plateau de canapés qu'elles avaient laissé et se faire offrir le verre proposé quelques instants plus tôt. Sarah exprima son soulagement et se moqua d'elle-même de s'être tellement inquiétée pour une mauvaise blague qui passerait inaperçue.

Prune observait la jeune fille ; leurs regards se croisèrent, et elle la vit qui hochait la tête de gauche à droite en grimaçant imperceptiblement, de manière à ce que sa mère ne la voie surtout pas. La boulangère avait dupé Sarah, mais elle n'avait pas pu dissimuler le dégoût et le mépris qu'elle lui inspirait aux antennes d'Agatha. Si elle en restait là, tout irait bien, mais rien n'était moins sûr.

Une fois à la maison, deux surprises les attendaient : les Parisiennes étaient arrivées et le répondeur annonçait l'annulation de deux réservations pour le mois de juillet. Sarah chassa le doute et la suspicion que les deux messages avaient fait naître et se consacra entièrement à accueillir sa fille cadette, ses nièces et sa sœur.

Sa sœur avait l'air épuisé. C'était une belle femme, qui s'habillait avec goût. Mais aujourd'hui ses traits fins et réguliers étaient tirés et lui donnaient un air triste qui ne lui ressemblait pas. Elle avait attaché ses cheveux blonds avec une simple pince, et, si elle avait pris la peine de souligner ses yeux noirs d'une ligne de crayon, ses joues semblaient s'être creusées, et elle était vraiment pâle.

— Ah ! ma Sarah ! Si tu savais comme je suis contente d'être là avec toi !

Elle la serra dans ses bras. Sarah lui murmura :

— Tu as l'air crevée, sœurette ?

Léa s'écarta et, tout en se penchant pour attraper sa valise, elle poursuivit :

— Disputes conjugales depuis trois jours… On en parlera plus tard. Pour l'instant, je suis affamée ! Je pose ça où ?

— Dans la suite « Natalia Ficher », si tu veux bien !

— C'est vrai qu'on a du retard à rattraper ! Tu as un certain nombre de choses à me raconter, toi !

Après le repas, alors que les filles s'étaient lancées dans la réalisation d'une véritable fresque sur le plâtre d'Agatha, les deux sœurs s'allongèrent sur des transats. Léa regardait le ciel et, sans se tourner vers elle, s'adressa à Sarah.

— Dis donc : le gîte à la campagne, l'air marin, le retour à la nature, d'accord. Mais qu'est-ce que c'est que ce look ?

— Qu'est-ce qu'il a, mon look ?

— Pantalon sans forme, tee-shirt large…

— Confortable.

— C'est ça ! Confortable ! C'est tout à fait ce qui ne va

pas ! Tu t'habilles confortable, tu as une coupe de cheveux pratique, tu ne te maquilles plus parce que ça prend du temps !

— Il y a un peu de ça, oui…

— Veto sur toute la ligne. Dans deux jours, tu vas te mettre à faire des confitures en jogging, à ce rythme !

— Arrête !

— Bon. Parle-moi de Natalia Ficher, alors. Comment est-elle ?

— Belle, grande, brune, yeux verts magnifiques. Ce ne sont pas des lentilles, au fait !

— Comment s'est passée la semaine ? Vous avez discuté un peu ?

— Elle est un peu curieuse comme femme. Elle survole les choses de la vie, comme si le réel ne s'accrochait pas sur elle… J'ai l'impression que rien ni personne ne peut vraiment l'atteindre, pas même son fils qui doit avoir à peu près l'âge d'Agatha. C'était très étrange. Quand elle l'a vu l'autre jour, on aurait dit qu'elle ne savait pas trop quoi faire… En revanche, s'il y a quelque chose qui la touche, ce sont les racontars qu'elle déteste par-dessus tout !

Elle marqua une pause.

— À propos de racontars, j'ai eu droit à ma dose, moi aussi…

Et elle lui raconta la lettre anonyme et le lien qu'elle ne pouvait s'empêcher de faire avec les deux annulations du jour, qui, comme de bien entendu, étaient celles des clients envoyés par la boulangère…

Léa s'étira, se leva doucement et se mit debout face à Sarah.

— Tu sais ce qu'il nous faut ? Une immersion dans l'anonyme société de consommation ! Loin de toute cette mesquinerie locale. De toute façon, tu ne peux absolument pas continuer à t'habiller comme ça ; on va te trouver une tenue confortable, mais chic ! Et moi, j'ai besoin de me changer les idées !

— Je croyais que tu voulais te reposer, voir la mer ?

— Moi, le shopping, ça me repose, tu sais bien. Et puis il y a des vraies villes avec des magasins, sur la côte, non ?

— On peut aller au Havre, si tu veux. Mais les filles ?

— Combien tu mets qu'elles sont partantes ?

Sarah se leva à son tour.

— Si tu veux.

Elle alla se changer et se refaire une tête sommairement. Léa la suivit dans la salle de bain. Loin des oreilles des filles, elle lui lâcha ce qui avait été la source de ses disputes avec son mari.

— Daniel et lui sont copains comme jamais depuis quelque temps, mais, là, ça devient vraiment pénible. Il a pris l'habitude de le défendre à tout bout de champ : sa formation ceci, son épanouissement professionnel cela, toujours à passer après tout le monde, et je t'en passe !

— En fait, tu t'es fâchée avec Paul à cause de moi ! Je te rassure, c'est réglé avec Daniel. Je lui ai lâché la bride. Je suis d'accord pour sa formation. C'est vrai que c'est bien pour lui et c'est une occasion en or qui ne se reproduira peut-être pas avant longtemps...

— Ce n'est pas une raison pour nous ramener sa madame Jasmin à l'apéro !

— Qu'est-ce que tu dis ?

L'eye-liner dérapa sur les joues de Sarah.

— Mercredi soir, ils sont partis du travail ensemble. Trente secondes avant de rentrer, Paul m'appelle pour me dire qu'il a invité Daniel à dîner. Entre nous, de toute façon, Daniel était obligé de passer, vu qu'il a mis sa fille en pension tous les soirs chez nous ! Bref. Mais ils n'étaient pas deux, ils étaient trois, il y avait cette grande godiche avec eux.

— Je ne vois pas en quoi Daniel...

— Toute la soirée, ils n'ont parlé que de ça ! Des opportunités de carrière, de la reconnaissance des pairs, de l'augmentation de salaire ! Obsessionnel ! Et tout ça pour moi, rien que pour moi ! Comme s'ils essayaient de te convaincre à travers moi !

— Mais pourquoi elle était là, elle ?

— C'est pour ça qu'on s'est embrouillés, Paul et moi... Je te répète son argumentaire grosso modo : « Sarah n'entend rien, et toi, tu restes aveuglément de son côté. On s'est dit, Daniel et moi... » « On s'est dit, Daniel et moi ! » Tu entends bien : c'est eux, le couple, maintenant ! Je reprends. « On s'est dit, Daniel et moi, que, si une femme qui s'y connaît t'expliquait, tu pourrais peut-être comprendre et adopter un point de vue différent... et en parler à ta sœur. »

— Tu te rends compte de ce que tu me dis ? Quand je pense que je l'ai appelé hier soir. Il a dû croire que son petit manège avait marché...

— Impossible. J'ai été très claire à ce sujet. Jamais je ne servirai d'intermédiaire entre ma sœur et qui que ce soit !

— Et elle, qui l'a invitée ?

— Daniel. Mais ne t'en fais pas : ce n'est pas la reine du bal, et elle est un peu empotée. Ils ont voulu l'utiliser elle aussi ; c'est tout, rien de plus.

— Quand même, il aurait pu m'en parler...

— Je ne te le fais pas dire. Je suis énervée à un point, tu ne peux pas t'imaginer !

— Je crois que si, un peu quand même.

— Bon. Tu es prête ?

— Je suis désolée pour toi et Paul.

— T'inquiète. Ça va nous passer. Et puis, une bonne dispute de temps en temps, ça recimente un peu le couple. On repose les bases et on repart !

— Alors, je crois que je ne sais pas me disputer. C'est toujours pire après...

— Tu ne sais pas, je confirme. Tu redoutes tellement le conflit que tu cherches à l'arrêter le plus vite possible, quitte à ravaler tout ce que tu as en travers de la gorge. Et c'est naturellement pire après, parce que tu as toujours l'impression de t'être fait avoir et d'avoir cédé sur des choses importantes.

— C'est exactement ce que je ressens. Tu as raison, comme d'habitude...

— Tu es la seule femme que je connais à laisser ta place

dans un bus à une dame âgée alors que tu es enceinte de huit mois !

— Je me souviens de ça ! Tu étais debout dans ce bus bondé et tu as littéralement effrayé ce pauvre garçon assis à côté de moi en lui demandant de se lever !

Elles étaient arrivées dans le jardin.

— Les filles ! Shopping au Havre, ça vous tente ?

— Cool ! On a un budget ?

— Eh bien ! Y en a qui perdent pas le nord, par ici ! Sarah ?

Elle répondit le plus discrètement possible :

— Je fais un peu attention en ce moment... Je ne sais pas trop... Quinze euros maximum ?...

Léa reprit plus fort, à l'intention des filles :

— On avisera, mesdemoiselles ! Crédit de dix euros par tête pour l'instant.

— Et pas dix euros de bonbons, précisa Sarah en direction de Noémie.

Elles commencèrent par une ronde touristique en voiture. Elles longèrent le front de mer, puis remontèrent vers le centre en passant devant l'église Saint-Joseph et la Maison de la culture...

— Autrement nommée le volcan d'Oscar Niemeyer !

... jusqu'à l'hôtel de ville.

— Signé quant à lui Auguste Perret !

Agatha avait pris les brochures que sa mère avait ramenées de l'Office du tourisme et s'appliquait à commenter chaque monument ou site particulier. Elles se garèrent près des halles centrales qui regorgeaient de boutiques et partirent à l'assaut des vitrines.

Après que chacune eut épuisé son crédit à force d'écluser les différents étages, elles décidèrent de se poser pour un goûter aux jardins suspendus, de l'autre côté de la ville. Sarah tomba en admiration devant la démesure des lieux. L'ancien fort s'ouvrait sur un parc de plusieurs hectares, structuré en différents paliers, et au sommet duquel la vue sur la Manche était imprenable.

— C'est pas mal, Le Havre, en fait ! dit Agatha. Regardez-moi ça ! Il y a des gens qui se baignent là-bas !

— Et tu n'as pas tout vu, ma fille. Quand tu seras débarrassée de ton plâtre, nous ferons le circuit des escaliers dans le centre-ville. Ça vaut vraiment le détour !

Il y eut ensuite discussion sur le programme de la fin d'après-midi. Léa et ses filles avaient envie de s'enfoncer dans la ville, Noémie voulait s'approcher de la mer, et Agatha, fatiguée de traîner sa lourde jambe en s'appuyant sur ses béquilles, ne rêvait que de se poser quelque part et de ne plus bouger. Sarah prit donc ses filles avec elle en direction de la plage du bout du monde à Sainte-Adresse, où l'une pourrait tremper ses pieds, et l'autre, se reposer. Léa et les siennes les retrouveraient après leur petite randonnée citadine.

Arrivée sur la plage, Sarah reçut un appel sur son portable. Elle décrocha et reconnut, surprise, la voix de Natalia Ficher.

Elle colla son portable contre son oreille pour couvrir le vent qui gênait la communication.

— Oui, Natalia ?

— … jour … suis sur le départ, mais je... quand même vous… avant de… Paris.

Elles parvinrent tant bien que mal à se comprendre. Sarah lui expliqua où elle se trouvait, et Natalia lui répondit qu'elle serait là une demi-heure plus tard. Malgré le beau temps, la terrasse du café était presque déserte, et la plage, peu fréquentée. L'actrice ne fut pas importunée quand elle retrouva Sarah et Agatha, assises face à la mer. Elles profitaient de la luminosité et de la vue dégagée tout en jetant un œil aux constructions périlleuses que Noémie s'appliquait à réaliser avec des galets.

— Natalia ! Que nous vaut ce plaisir ?

— J'avais un peu de temps devant moi avant de repartir et je voulais vous voir pour discuter un peu.

Elle s'installa, commanda un soda et continua.

— Je ne suis pas très douée pour les relations… sociales,

disons. Le contact avec les autres m'est toujours un peu difficile… Vous avez dû le constater ? La seule chose dont je sais parler avec facilité, c'est mon métier !

Sarah sourit et la laissa poursuivre.

— Malgré ce handicap, j'ai quand même senti combien le remue-ménage d'avant-hier vous avait affectée, et je tenais à vous présenter mes excuses pour le comportement de ma fille.

Sarah baissa les yeux.

— Vous n'y êtes pour rien.

— J'y suis pour beaucoup, au contraire.

— Elle est passée dans l'après-midi ce même jour.

— Et ?...

— Et les doutes que nous avions se sont confirmés. Elle a reconnu être responsable de la venue de ces photographes, dans le but de vous piéger, de vous faire payer la nuit passée avec son mari.

— Elle en est donc réellement convaincue… C'est invraisemblable. J'ai déjà le plus grand mal à assumer mon propre mariage, il ne me viendrait jamais à l'idée de m'encombrer d'un homme supplémentaire, a fortiori celui de ma fille ! J'ai un minimum de décence tout de même…

— En tout cas, je lui ai dit ce que je pensais d'elle… Sur le moment, cela m'a fait beaucoup de bien…

— Vous avez très bien fait. Moi-même, je n'arriverai jamais à lui faire le moindre reproche. C'est en cela que je suis en partie responsable de ce qui s'est passé. Virginie est une enfant qui a poussé toute seule. Je n'ai pas su m'en occuper, je n'ai pas même cherché à comprendre, cela ne venait pas… Je ne ressens aucun attachement particulier ; pour mon fils, c'est pareil. Je suis comme ça, loin des autres, quand bien même ils sont ma propre famille. Alors, vous imaginez bien qu'elle n'a aucune leçon à recevoir de moi. Ce serait pour le moins déplacé, étant donné l'éducation que je lui ai donnée…

— Elle est allée plus loin, vous savez…

Agatha, qui suivait la conversation sans en perdre une

miette, sortit la feuille qu'elle avait conservée dans sa poche et la tendit à Natalia.

L'actrice parcourut les quelques lignes et regarda encore longtemps le papier après avoir fini de le lire.

— Je suis tellement navrée. Que puis-je faire pour réparer ?

— Pas grand-chose. Il n'y a rien de précis à démentir… Il faut que j'apprivoise mes nouveaux voisins peu à peu, que je leur démontre au fil du temps que je ne suis pas la sorcière qui est dépeinte là-dedans. Il faut qu'ils se fassent leur propre idée, et je vais m'employer à retourner la situation…

— Je vous laisse quand même mon téléphone, au cas où vous changeriez d'avis.

— Je suis flattée de votre confiance.

Léa et ses filles venaient d'apparaître au loin. Sarah prévint la comédienne de l'admiration démesurée que ces trois-là lui vouaient et qu'il lui serait impossible de se dérober à une photo. Natalia se plia de bonne grâce à l'exercice et fit preuve de patience et d'une grande amabilité avec ses trois fans, littéralement subjuguées par sa présence.

Quand elle les quitta, Agatha lui glissa une curieuse phrase à l'oreille :

— Vous devriez enlever ce collier, madame Ficher… Ne plus jamais le porter.

Natalia ne répondit pas. Elle fixa la jeune fille qui avait prononcé ces mots avec certitude et conviction. Elle s'éloigna, puis revint sur ses pas et lui dit :

— Je le porte depuis mon enfance !

— Je sais.

Et elle répéta :

— Vous devriez le retirer et ne plus jamais le porter.

30

21 heures

Chaque soir, mon cœur oscille entre la déception de le quitter et l'exquise impatience de le retrouver le lendemain. Je ne vis plus qu'au jour le jour, me délectant de la plénitude d'avoir trouvé celui qui m'était destiné. Gabriel est un très bel homme ; ses yeux bleus transpercent mon âme et lisent à travers moi, ses larges épaules m'invitent à me blottir contre lui. Il est doux, drôle, brillant... Et il me fabrique de délicieuses brioches...

Il faut que je trouve un autre prénom, se dit Virginie en se grattant la tête. C'est pas mal, Gabriel, mais on ne sait jamais. Comment je vais les appeler, les tourtereaux ?

Elle avait à peine défait ses valises qu'elle s'était attelée à la tâche. Elle tapait avec frénésie depuis près de trois heures sur le clavier, recopiant mot à mot le manuscrit découvert en Normandie, quand Benjamin rentra. Il ne lui avait toujours pas parlé de ce qui s'était passé le jeudi matin. Elle savait qu'il savait, cela l'intriguait, mais elle gagnait du temps en se gardant bien d'amorcer toute discussion sur le sujet. Ils n'avaient pas reparlé de Natalia et ne la reverraient pas de sitôt. Ils avaient tacitement conclu une sorte de trêve.

Elle dissimula le carnet et se leva pour l'embrasser.

— Bonsoir. Qu'est-ce que tu fais sur l'ordinateur ?

— J'écris.

— Tu écris ?

— Une histoire…

— C'est bien ! Je ne savais pas que tu t'étais remise à écrire… Tu tapes directement à l'écran, maintenant ?

— Oui. Et figure-toi que ça coule beaucoup plus facilement comme ça…

Benjamin ne fit pas d'autres commentaires. Sa femme avait fait de nombreuses tentatives par le passé, mais aucune n'avait abouti.

Elle enregistra le document et éteignit l'ordinateur.

— Bon, allez, ça suffit pour aujourd'hui.

Il la regarda, elle était rayonnante. Il eut envie de crever l'abcès et de mettre à plat les événements des derniers jours, sa jalousie maladive qui l'avait poussée à trahir sa mère et à mettre tant de monde dans l'embarras, et son comportement insupportable sur le tournage. Il était tellement fatigué qu'il renonça. Mieux vaudrait être en forme pour ce qui serait inévitablement un affrontement. Il ne s'expliquait pas son attachement irrationnel à cette femme. Ses sautes d'humeur et ses excès récurrents n'avaient jamais entamé la passion qui l'habitait. Il ne voulait pas déclencher un conflit irrémédiable et devrait préparer cette conversation minutieusement.

31

Juillet 2001

Son fils venait de fêter ses dix-huit ans et d'empocher son bac professionnel. Il voulait maintenant se présenter au concours d'entrée d'une prestigieuse école de cuisine, mais réclamait depuis plusieurs mois un voyage à travers l'Europe. Il voulait se confronter à des cultures et des pratiques gastronomiques différentes avant de poursuivre ses études. Il venait de lui donner son autorisation. Les affaires marchaient bien, il pourrait l'aider financièrement en cas de besoin.

Il aimait sa vie qu'il traversait paisiblement ; ses liens avec les compagnons étaient moins étroits que par le passé ; il avait assumé pendant quelques années la fonction de prévôt au sein de la Maison stéphanoise, dans laquelle il avait été garant de la formation et des contrats de travail de plusieurs dizaines de jeunes employés dans la région. Il était revenu à sa boulangerie au bout de trois années et se contentait désormais d'assister de temps à autre à une cérémonie et d'accueillir régulièrement de jeunes itinérants. Il ne désespérait pas de voir arriver des itinérantes d'ici la fin de sa carrière. L'institution semblait prendre son temps sur ce sujet.

Il n'avait pratiquement plus de contact avec son ex-femme, qui s'était remariée ; elle appelait occasionnellement pour prendre des nouvelles de son fils. Son ami de Normandie était quant à lui sur le point de quitter la maison. Il lui avait proposé de se charger de la mettre en location en attendant qu'il se décide à la vendre ou à la garder.

Il accepta. Il savait qu'il retournerait un jour là où ses racines l'appelaient, mais il avait jusqu'à présent évité, dans la mesure du possible, de retourner sur les lieux de sa jeunesse et était rarement remonté en Normandie.

Les rêves avec Lise s'étaient espacés, et il en était presque soulagé. Aux conversations intimes et chaleureuses des premières années s'étaient substituées des scènes plus inconfortables. Elle n'était plus assise dans son fauteuil au coin de la cheminée, mais étendue sur un lit immense. Le petit chat était toujours là, et ses miaulements résonnaient dans cette illusion onirique. Lise ne parlait plus ; il y avait même quelques nuits où elle pleurait.

32

Dimanche 17 mai 2010
10 heures

Au clos des Reinettes, la grasse matinée était au programme de ce dimanche matin… La soirée s'était étirée au-delà de minuit, et chacune récupérait le sommeil en retard. Au retour d'Étretat la veille, l'excitation avait rempli le monospace. Léa n'en revenait pas d'avoir échangé quelques mots avec son actrice favorite, les adolescentes avaient déballé leurs sacs et comparé leurs acquisitions respectives à grand renfort d'exclamations. Même Agatha était sortie de sa réserve habituelle. Noémie, en revanche, imperméable au brouhaha ambiant, s'était endormie au bout de cinq cents mètres.

Une fois rentrée, Sarah avait soufflé de soulagement en constatant qu'aucune annulation supplémentaire n'était survenue en leur absence. Il y avait bien un message des Gîtes du Pays, une femme qui disait qu'elle rappellerait, mais sans préciser l'objet de son appel. Les canapés de Didier avaient remporté un grand succès. Cette mise en bouche délicate n'avait toutefois pas rempli les estomacs affamés, et elles avaient poursuivi le repas sur le mode du buffet campagnard en déballant fromages et charcuteries. La fin de journée avait ensuite filé à toute allure. Devant un auditoire conquis, les jumelles avaient animé la soirée en caricaturant les élèves de leur classe avec des mimiques dignes de Tex Avery. Emportée par la fatigue et certainement aussi par les deux verres de chablis qu'elle avait bus, Léa s'était lancée à son tour dans une galerie de portraits inspirés de son quotidien. La prise de sang du grand gaillard qui n'en mène pas large, la mamie qui gémit alors qu'on commence tout juste à mettre le garrot, le gamin qui hurle rien qu'en voyant la blouse blanche et qui va se cacher sous le fauteuil, la femme qui-sait-tout qui veut être piquée dans la main parce que « même à New York ils trouvent pas de veine au pli du coude », l'homme qui a pris un jour de RTT et qui raconte son dossier médical des vingt dernières années alors que quinze personnes trépignent dans la salle d'attente… Ils y passèrent tous, sans pitié !

Au détour d'une de ces parodies, Agatha prit sa mère au dépourvu en lui disant qu'elle aimerait bien aller dans le même collège que Jules, le garçon dont elle avait fait la connaissance deux jours plus tôt.

— Ça a l'air trop bien, maman ! Ils n'ont des cours que le matin et, l'après-midi, c'est théâtre, musique ou sport ! Il y a même une option handball ! Les élèves organisent plein de choses eux-mêmes, la fête de fin d'année, par exemple ! Ça a l'air incroyable comme endroit…

— Ça m'a l'air cher aussi !

— Je ne sais pas.

— Eh bien, moi non plus, je ne sais pas. On en parlera avec ton père. Je ne sais même pas où c'est.

— C'est au Havre. Jules m'a écrit l'adresse !

— Je vois que tu es déjà fort bien renseignée, demoiselle… J'irai jeter un œil sur Internet. Il doit y avoir un site ?

— Je t'ai imprimé les pages de présentation.

— OK. Le message est bien passé, chérie. On verra, je te dis.

Elle avait réprimé un fou rire en s'imaginant aller aux fameuses portes ouvertes en jogging, un pot de confiture à la main et un plateau de canapés dans l'autre.

En ce dimanche matin, le temps était gris, mais elle était quand même décidée à s'attaquer au jardin. Elle serait seule pour la semaine et comptait bien sur les quelques paires de bras disponibles jusqu'à la fin de la journée.

Léa venait d'entrer dans la maison, en pyjama et pas vraiment très alerte.

— Coucou !

— Coucou… Vite un café… Ma pauvre tête…

— Tu nous as bien fait rire hier soir ! Les filles dorment encore ?

— Comme un bébé après son biberon. Les tiennes aussi ?

— Je les entends. On ne va pas tarder à les voir arriver.

— Quand je serai réveillée, on fera ton programme de la semaine.

— Mon programme de la semaine ?

— T'as plein de choses en plan. J'ai l'impression que tu as besoin de mon grain de sel pour mettre un peu d'ordre !

— Je me laisse guider. Tiens, ton café !

Léa était bien la seule à lui dicter ainsi sa conduite sans qu'elle s'en offusque. Elle avait un sens aigu de l'organisation et un œil de lynx pour juger des priorités. Ses intentions étaient sincères et généreuses ; Sarah accueillait ses conseils sans jamais se sentir dévalorisée. Pour ce faire, sa sœur procédait invariablement de la même façon : elle l'écoutait et notait ses idées comme on fait une liste de courses, puis les réorganisait chronologiquement, par ordre d'importance, en tenant compte des contraintes incontournables.

Alors que les cousines vidaient le pot de pâte à tartiner, elles s'attelèrent à la tâche :

— Je t'écoute.

— Inscrire les filles à l'école, préparer l'inauguration avant les grandes vacances, relancer l'artisan pour les travaux du gîte, faire du ménage dans le jardin, acheter une tondeuse…

Sarah se tut, étudiant d'un air circonspect la liste que sa sœur griffonnait sur un coin de feuille.

— Oui ? la relança Léa.

— Je veux dire, acheter une tondeuse d'abord, faire du ménage dans le jardin ensuite. Je dois aussi avoir une conversation avec Daniel, inviter Murielle et Nathalie, rappeler les

Gîtes du Pays, chiffrer l'aménagement de l'aile gauche de la maison, me renseigner pour les prochaines dates des cours de botanique, appeler les parents ou au moins leur envoyer un mail…

— Stooop ! C'est bon. Il y a de quoi faire là déjà.

Une demi-heure plus tard, armée d'un calendrier structuré et d'une détermination ambitieuse, mais réaliste, Sarah se sentait d'attaque pour affronter les jours à venir.

Le départ fut quand même un peu émouvant. Voir ses filles monter dans la voiture lui serra la gorge, mais elle n'en laissa rien paraître. Elle les reverrait le week-end suivant. Daniel l'avait assurée qu'il ne prendrait aucun engagement, cette fois. Quand elles reviendraient, se promit-elle, elles auraient la surprise de découvrir une pelouse tondue et un parterre de fleurs multicolores.

20 h 30

Natalia fit monter ses bagages jusqu'au sommet de l'escalier qui menait à sa maison, perchée dans la campagne discrète du XXe arrondissement. Cette demeure était certes un peu démesurée pour elle, surtout depuis qu'elle était seule à l'occuper, mais elle s'y sentait en paix. Elle n'aimait pas recevoir, et peu de personnes avaient eu l'occasion d'admirer cet endroit qu'elle gardait jalousement comme un repaire intime. Les murs en pierre meulière dataient du début du siècle dernier, quand les pavillons de ce quartier avaient été construits sur les remblais de la carrière de gypse pour les ouvriers de l'époque, et le calme y était étonnant, compte tenu de la proximité du périphérique et des grandes avenues de la porte de Bagnolet. Elle avait pu s'offrir ce petit joyau après ses premiers grands succès au cinéma, assez rapidement après ses débuts.

Sa carrière avait commencé fortuitement, grâce à sa beauté académique et à la couleur jade de ses yeux qui suscitait la fascination. Le métier avait été appris avec une facilité

déconcertante. Elle observait et reproduisait avec un mimétisme parfait les émotions qu'on lui demandait d'incarner.
Elle ne comprenait pas que l'on trouve son talent extraor-
dinaire. Les gens s'imaginaient que ses personnages l'habitaient avec force, alors qu'il ne s'agissait pour elle que d'un
simple exercice d'imitation. Les expressions du visage, les
intonations qu'elle donnait à sa voix, ou encore les postures
qu'elle adoptait s'inspiraient de photographies ou de scènes
réelles qu'elle s'entraînait à reproduire devant un miroir.

Elle s'installa dans le salon spacieux et parcourut les journaux et les magazines qui étaient arrivés pendant la quinzaine.
Son regard accrocha une publicité pour un grand bijoutier.
Elle se leva, se posa devant la glace et défit l'accroche de son
pendentif. Elle regarda la fine chaîne en or entre ses mains et
la perle grise qui y était attachée. Elle essaya de se rappeler la
première fois qu'elle l'avait portée, mais du plus loin qu'elle
s'en souvînt, elle l'avait toujours vue autour de son cou. Sa
mère lui avait fait rallonger la chaîne lorsque, vers quatorze
ou quinze ans, l'étroitesse du collier était devenue inconfortable, mais ce bijou était à ses yeux comme n'importe quelle
autre partie de son corps.

Elle le posa.

Elle observa son reflet, comme si elle s'attendait à quelque
chose de magique, mais rien ne se produisit.

Elle se fit couler un bain et, pendant que l'eau remplissait
la baignoire, elle vida ses valises. Elle ne serait pas dérangée
pendant plusieurs jours. Elle avait bien une ou deux interviews à la fin de la semaine, mais elle pourrait se consacrer
à son activité fétiche : installée au soleil de son petit jardin,
avaler des romans sans mesurer le temps qui passe.

33

Mercredi 20 mai 2010
15 heures

Le petit chat sauvage du coin rôdait depuis l'arrivée des deux ouvriers l'avant-veille. Il tournait autour de la chaux et des seaux de sable, malgré toutes les diversions que Sarah avait pu imaginer : lait, fins morceaux de viande, pelotes de laine et autres balles de tennis n'avaient eu aucun succès. Rien ne l'intéressait plus que le travail des deux hommes qui étaient sur le point d'achever la rénovation des murs de la pièce principale. Le plus gros du chantier avait consisté à creuser entre les pierres, à sceller une partie de celles qui menaçaient de se déchausser et à refaire les joints à base d'un mélange de chaux et de sable. La subvention récemment octroyée par le Conseil général permettrait de refaire la salle de bain et de la rendre plus confortable. La pose des parquets dans les deux chambres était quant à elle prévue la semaine suivante.

Sarah admirait sa pelouse verte et uniforme. Le parterre de narcisses, de tulipes et de myosotis était désormais accessible au regard et mettait en valeur le fond du jardin. Dans quelques semaines, les reines-marguerites qu'elle venait de mettre en place, ainsi que les capucines et les bégonias qu'elle avait semés quelque temps plus tôt, apporteraient une touche de couleur supplémentaire. Le parfum des lilas embaumait l'entrée de la cour ; il lui restait bien quelques bordures à finir, mais, avec le pommier en fleurs au milieu de la pelouse, l'ensemble était plutôt très agréable à regarder.

Son attention fut détournée par l'arrivée d'une voiture. Cela devait être la dame des Gîtes du Pays qui lui avait demandé un rendez-vous sans trop de détails.

Madame Lefebvre se présenta rapidement et inspecta les lieux du regard avant de répondre à la question de Sarah.

— Un thé, je veux bien, oui.

Quand elle revint avec son plateau, elle la vit plantée devant l'entrée du gîte. Elle posa la théière et les petits gâteaux et la rejoignit.

— Je vous avais prévenue : c'est un peu le chantier cette semaine. Mais vous pouvez entrer. Il y a de la poussière, mais rien de dangereux.

Elle en profita pour dire aux deux maçons qu'elle avait sorti des boissons fraîches qui les attendaient sur la terrasse s'ils souhaitaient se désaltérer. Ils la remercièrent et laissèrent les deux femmes faire le tour des pièces.

— C'est une jolie petite maison, madame Delerre. Mon collègue me l'avait dit, mais je ne m'attendais pas à autant de charme.

— Je vous remercie. La salle de bain va être complètement refaite, et je fais poser du parquet dans les deux chambres la semaine prochaine. Tout devrait être terminé dans huit jours.

— Bien.

La dame se dirigea vers la sortie.

— Votre jardin est plutôt accueillant également...

— Merci.

— Étonnant...

Sarah attendit d'en savoir plus et ne posa aucune question. Elles gagnèrent la terrasse et prirent place sur les fauteuils de jardin.

— Et vous louez à quel tarif ?

— Quarante-cinq euros la nuit ; cinq euros par adulte pour le petit-déjeuner. Pour les prix à la semaine, je n'ai pas encore eu de demande, mais je pense proposer deux cent cinquante euros.

La femme buvait son thé en silence tout en griffonnant quelques notes sur un carnet.

— Il faudra que je vous montre la future chambre d'hôte également. Pour l'instant, elle n'est pas aménagée, mais je pense pouvoir la proposer dès l'année prochaine.

— Oui. Nous verrons cela plus tard.

Sarah n'y tenait plus. Elle attendit que les deux hommes regagnent le gîte pour poser la question qui lui brûlait les lèvres.

— Madame Lefebvre, y a-t-il une raison particulière à votre venue aujourd'hui ? J'ai passé une journée entière avec un responsable au mois de mars, et il ne m'avait pas informée de ce type de visite supplémentaire…

— Ce n'est pas habituel, effectivement. Sauf en cas de plainte d'un client…

— Pardon ?

La femme posa une sacoche sur ses genoux et sortit une feuille qu'elle lui tendit.

— Tenez, je vais être totalement transparente avec vous. Je vous ai imprimé le mail que nous avons reçu la semaine dernière.

Le visage de Sarah se décomposa. Elle posa la feuille sur la table et résista de toutes ses forces à l'envie de la rouler en boule ou à celle de taper du poing sur la table. Comment cette femme avait-elle osé ? Combien de temps devrait-elle payer sa franchise de la semaine précédente ? Et comment expliquer tout cela à cette femme des Gîtes du Pays ?

— Pour l'ode aux mauvaises herbes, j'avoue que j'ai beaucoup travaillé dans le jardin cette semaine…

Elle essaya de sourire.

— Pour le reste, comment vous dire ?... Je n'ai eu qu'une seule cliente jusqu'à présent ; elle est restée dix jours… Et je vous assure qu'elle était très contente de son séjour.

— Puis-je la joindre, madame Delerre ?

— C'est-à-dire que… C'est une personne très connue. Je ne peux pas vous donner son numéro sans son accord.

— Appelez-la, alors. Et passez-la-moi.

— Maintenant ?

— Ce sera fait. Et puis, si vous êtes sûre de vous, vous n'avez rien à craindre.

— Vous croyez donc ce qu'il y a dans ce mail ? Vous avez vu les lieux. Les trouvez-vous rustiques et sans aucun confort ?

— Avec les travaux, il m'est difficile de me faire une idée précise, pour être franche. Je suis désolée, madame. Vous m'avez l'air de bonne foi, mais il faut me donner une preuve pour démentir ces accusations. Aussi calomnieuses soient-elles.

— Très bien.

Sarah alla chercher son portable, se rassit, composa le numéro en regardant la femme. La comédienne n'était pas du genre à répondre sans connaître l'identité de son correspondant, et Sarah s'attendait à raccrocher quand elle entendit la voix de Natalia.

— Bonjour. C'est Sarah. Sarah Delerre.

— Sarah ! Quelle bonne surprise !

— J'espère que je ne vous dérange pas ?

— Pas du tout ! Je lis au soleil...

— Je ne serai pas longue... J'ai un problème un peu urgent... Puis-je vous passer une dame des Gîtes du Pays qui souhaite savoir comment s'est passé votre séjour ? Je vous expliquerai après...

— Lui avez-vous dit mon nom ?

— Je vous laisse le soin de la faire si vous en êtes d'accord.

— Passez-la-moi.

La conversation dura moins de deux minutes. À la fin, la femme demanda l'identité de son interlocutrice et faillit lâcher le téléphone. Puis elle lui communiqua une adresse et redonna le combiné à Sarah.

— Natalia ?

— Je ne sais pas de quoi il retourne, mais, avec ce que je lui ai dit, vous devriez avoir au moins trois étoiles sur leurs brochures !

— Merci d'avoir pris le temps. J'espère avoir une occasion plus agréable de vous appeler !

— Je n'en doute pas ! À bientôt !

Nul n'aurait su dire qui de Sarah ou de la femme des Gîtes était le plus sonnée. La première n'en revenait pas de la chaleur et de la gentillesse avec lesquelles Natalia avait accueilli son appel ; elle avait semblé sincèrement heureuse de lui prêter main-forte, à mille lieues de la réserve distante à laquelle elle l'avait habituée. La seconde réalisait qu'elle venait de faire une enquête de satisfaction avec l'actrice française la plus célèbre…

— Bien. Quelle est la suite du programme, madame Lefebvre ?

— Aucune, ne vous inquiétez pas. Madame Ficher a même proposé de nous confirmer par écrit les éloges qu'elle a eus à votre égard. Je crois que je n'ai plus qu'à vous présenter mes excuses au nom de la fédération locale…

Oh oui ! pensait Sarah. Mais elle répondit :

— Vous ne pouviez pas savoir… Une personne mal intentionnée me joue de tristes tours, ces derniers temps, et celui-ci a bien failli me coûter très cher.

— Je suis au courant, vous savez… Pour le reste.

— C'est-à-dire ? Comment ça ?

— J'ai une cousine qui habite ici, au Tilleul. Je lui ai demandé si elle vous connaissait et elle m'a raconté la rumeur qui circule à votre sujet. Je suis désolée. Avant même de vous rencontrer, j'ai eu une grande sympathie pour vous. Ces histoires poisseuses vous collent à la peau et elles sont rarement fondées…

— Ces mots me font plus de bien que ce que vous pouvez imaginer ! J'espère que vous répondrez présente à mon invitation pour l'inauguration ?

— Envoyez-moi la date, je viendrai avec mari et enfants !

Grâce à cette femme (et à Natalia), elle se sentait légère. Le jardin avait fière allure, les travaux avançaient, les ragots avaient perdu leur première bataille, et dans deux jours sa petite famille la rejoindrait pour le week-end. Une seule ombre planait encore au tableau : Didier et Prune étaient en passe de devenir une cible pour les quelques langues de vipère qui sévissaient dans le bourg. Ils l'avaient férocement défendue contre plusieurs allusions mesquines depuis le début de la semaine, et elle ne voulait pour rien au monde qu'ils subissent les dommages collatéraux d'une histoire qui leur était complètement étrangère. Le matin même, elle avait assisté à un échange salé entre Prune et Sylvie Panchot, la fameuse boulangère. Cette dernière était passée au magasin, alors que Sarah était en train de partir pour un rendez-vous, et, tout en la désignant de la tête, la boulangère avait mis Prune en garde sur les fâcheuses conséquences que pourrait lui en coûter d'avoir embauché ce genre de personne. Sarah s'était arrêtée sur le pas de la porte et s'apprêtait à riposter quand Prune lui avait fait comprendre de ne rien en faire. En gardant son sourire habituel, elle avait ensuite rétorqué par une autre question. Elle avait demandé à la boulangère si elle ne craignait pas de perdre sa clientèle la plus honorable en persiflant ainsi à tort et à travers. Elle lui avait ensuite emballé sa commande, une salade de carottes aux pommes et de la moussaka, et la lui avait tendue. L'autre l'avait fusillée du regard et lui avait craché qu'elle venait de perdre la première cliente d'une longue liste.

Demain, Sarah leur parlerait. Elle leur était extrêmement reconnaissante de ce soutien sans réserve, mais il ne fallait pas que le climat dégénère.

34

17 heures

Natalia avait refermé son livre et écrivait depuis maintenant une heure. Les mots coulaient avec facilité… Ils témoignaient de l'accueil simple et chaleureux qu'elle avait trouvé au clos des Reinettes. Elle illustrait ses propos de détails qui lui revenaient en mémoire et auxquels il lui semblait qu'elle n'avait pas porté d'attention particulière sur le moment.

Elle éprouvait d'étranges sensations ; une inconnue semblait vouloir se faire entendre du fond d'elle-même. Elle relut ses deux pages et ne les trouva pas encore assez proches de la réalité, ajouta des descriptions développées, raconta la convivialité du dîner du jeudi soir et la promptitude avec laquelle Sarah avait accepté de les recevoir pour ce repas imprévu sans même sourciller. Elle s'étendit sur la bonne odeur du café et le croustillant du pain… Plus elle en racontait, plus l'émotion la gagnait… En revoyant Sarah aller affronter, apeurée, la meute des photographes, les larmes lui montèrent aux yeux.

Mais que lui arrivait-il ?

35

Samedi 23 mai 2010
11 heures – appartement de Virginie Ficher, Paris

*D*emain, je le lui dirai. J'ai bien réfléchi à toutes les possibilités ; je ne vois qu'une seule issue. Il faut que je parte retrouver Philippe. Il faut que je quitte Gabriel.

Aujourd'hui, je suis allée à Fécamp, j'ai marché le long de la plage depuis l'entrée du chenal pour m'éclaircir les idées, puis j'ai erré dans le palais Bénédictine sans parvenir à me concentrer sur la belle charpente en bois ou sur les riches collections qui y sont exposées... Je suis rentrée tard, à la nuit tombante, moins résolue que jamais. Le courage m'a encore manqué. Gabriel m'avait ramené cette délicieuse brioche aux fruits confits dont il a fait sa spécialité, nous avons dîné dehors, au pied du pommier, avec notre tribu de chatons jouant entre nos jambes. Ils semblent désormais hors de danger ; ils s'aventurent de plus en plus souvent au-delà du clos, à la découverte des environs. Je le prends comme un signe. Ils me survivront, comme ils ont survécu à la mort de leur mère, abattue froidement d'un coup de fusil le mois dernier. Nous avons renoncé à dénicher l'auteur de ce crime odieux, préférant croire à un accident de chasse.

Au moment où j'écris, le plus chétif des trois, celui avec une petite tache blanche entre les yeux, se blottit sur mes genoux. Je l'emmènerais bien, mais je ne peux pas le séparer de ses frères. Il sera plus heureux ici qu'à Paris.

Virginie se demanda si elle n'allait pas couper ce passage. Quel ennui ! Et cette histoire de chats ! Cela n'apportait rien au récit, qui traînait en longueur depuis quelques pages ! Elle arrivait au bout du carnet. Encore une dizaine de feuilles et elle en aurait fini. À qui ferait-elle lire ce roman en premier ? À Benjamin, très certainement. Il saurait ensuite la conseiller sur les personnes les plus pertinentes à contacter. Elle avait laissé filer sa rancune liée à l'affaire du tournage. La conviction avec laquelle il l'avait assurée de sa méprise sur sa prétendue aventure avec sa mère avait même réussi à ébranler ses certitudes. Après tout, elle s'était peut-être trompée. Dans ce cas, elle avait provoqué tout ce bazar pour rien ! C'était plutôt comique en y repensant !

36

15 heures – clos des Reinettes

Daniel et les filles étaient arrivés la veille au soir. Le matin, ils étaient allés prendre l'air du large à la chapelle de Notre-Dame de la Garde, où Agatha avait profité des épaules de son père pour admirer le point de vue et faire enfin le tour du monument Nungesser et Coli qu'elle réclamait depuis si longtemps. Dédiée à la mémoire des aviateurs qui avaient tenté de traverser l'Atlantique pour la première fois sans escale, cette œuvre symbolisait leur appareil, l'*Oiseau blanc*, aperçu sur les côtes d'Étretat avant de disparaître mystérieusement. Férue d'aventures historiques et d'énigmes non résolues, la jeune fille avait plusieurs fois fait le tour de la flèche blanche de vingt-quatre mètres. Ils étaient redescendus, puis s'étaient rendus au marché de Fécamp, en prenant garde de ne pas oublier le pain, cette fois.

Pour le déjeuner de ce samedi, elle avait préparé un poulet vallée d'Auge en respectant la recette normande à la lettre : des petits oignons, une sauce relevée de cidre et d'une rasade de calvados, et, bien sûr, une riche portion de crème fraîche.

Gonflée du bonheur paisible qui flottait tout autour d'elle depuis le début du week-end, elle alla se blottir dans les bras de Daniel, qui fumait une cigarette dans le jardin. Il la serra dans ses bras et l'embrassa dans le cou.

— Je ne t'ai pas dit combien j'étais soulagé que tu acceptes de me laisser faire cette formation. Merci, ma chérie.

Tout en restant au creux de ses épaules, elle sourit en lui confiant les doutes qui l'avaient traversée, puis elle se redressa et poursuivit un peu plus sérieusement :

— Cette Fanny Jasmin m'a un peu tracassée quand même. J'en ai beaucoup entendu parler, ces derniers temps, et je commençais à me demander si l'avenir de ta carrière était ta seule motivation pour rester à Paris.

Pour toute réponse, il éclata franchement de rire.

Elle continua :

— Et puis Noémie qui restait chez Léa si tard tous les soirs... Je me suis fait des idées...

— Désolé. C'est la seule parade que j'ai trouvée pour m'épargner tante Helena. Je reconnais que cela lui faisait de grosses journées, mais j'ai fait des efforts cette semaine. Et puis Agatha est avec nous maintenant, c'est différent... Ça te dirait de descendre à la plage avec moi pour fêter notre réconciliation ?

— Nous n'étions pas vraiment fâchés... Je crois que je vais rester là si cela ne t'ennuie pas. La balade de ce matin m'a suffi pour la journée ! Mais tu devrais regarder les horaires des marées si tu veux profiter de la plage. Il se peut qu'elle soit recouverte à cette heure-ci.

Pendant que Daniel ouvrait les tiroirs à la recherche des horaires, Sarah se dit qu'elle aurait aimé une réponse plus explicite qu'un éclat de rire pour calmer ses inquiétudes concernant cette Fanny. Puis elle laissa tomber. Sa facilité à s'imaginer des choses allait finir par lui gâcher la vie si elle ne se maîtrisait pas plus que ça.

Il revint avec un bout de papier dans la main.

— Sarah ? Qui est Jeff ?

— C'est le père de ce garçon dont t'a parlé Agatha. Le mari de Natalia.

— Ah... Et pourquoi espère-t-il te revoir très vite ?

— Pourquoi me dis-tu ça ?

— C'est écrit là, à côté de son numéro, bien caché au fond d'un tiroir. *Jeff, en espérant avoir le plaisir de vous revoir très bientôt.*

— Je n'avais pas fait attention. J'ai cherché son numéro hier pour lui poser des questions sur le collège que fréquente son fils, mais je n'arrivais pas à remettre la main dessus.

— C'est moi qui vais m'inquiéter, petite cachottière ...

— Qu'est-ce que tu t'imagines ? Je l'ai vu une heure.

— Quelquefois, cela suffit... Bon, j'y vais, à tout à l'heure !

Il prit son portable et gagna le chemin. Au bout de cinq cents mètres, il composa un numéro, et son visage s'illumina quand Fanny Jasmin décrocha.

37

Dimanche 24 mai 2010

Le dimanche après-midi, ils avaient décidé d'inviter Matthieu, Prune et Didier au déjeuner. Chacun d'entre eux avait été d'un soutien sans faille ces derniers temps, et elle était heureuse de partager un repas en famille avec eux. Elle avait acheté ce qu'il fallait pour inaugurer sa première marmite dieppoise. Elle voulait être à la hauteur de ses talentueux invités et leur faire un plat réunissant le meilleur de la marée normande : turbot, sole, rougets, saint-jacques et moules, mêlés aux oignons, au céleri et aux poireaux, cuits dans un jus d'aromates, de cidre et de crème.

Elle avait passé la matinée dans la cuisine. Les filles s'étaient employées à dresser une très jolie table ; elles étaient même allées cueillir des fleurs dans le verger voisin pour égayer la nappe.

Matthieu apparut le premier. Il tenait un magnifique bouquet de roses. Quand Prune et Didier arrivèrent à leur tour, il admirait le travail réalisé dans le jardin et donnait quelques ficelles à Sarah sur la taille des arbustes en bordure du chemin.

Sitôt sur place, Didier ne dissimula pas son impatience à voir les travaux en cours de réalisation dans le gîte et prit l'initiative d'une visite collective improvisée. Comme Matthieu restait dans le jardin, Noémie courut le chercher pour lui faire découvrir ce qu'elle appelait le « château de la

princesse » en raison des pierres apparentes et du lit à balda-
quin dans l'une des chambres. Elle le traîna vers l'entrée, où
il se retrouva entre Prune et Agatha. Elles se regardèrent et,
sans se consulter, amorcèrent le même mouvement vers la
sortie. Prune lança à l'intention du voisin :

— Et si nous allions boire un verre ? Vous venez ?

Elles avaient toutes deux ressenti la forte appréhension qui
s'était infiltrée en lui en pénétrant dans la première pièce du
gîte et, comme par un réflexe protecteur, elles l'en avaient
éloigné sans lui demander son avis.

Le repas fut très agréable. Les conversations furent
animées et tournèrent principalement autour de thématiques
culinaires. La marmite dieppoise avait provoqué son petit
effet, et Sarah ne cachait pas sa fierté. Au moment où elle
s'apprêtait à servir le dessert, une mousse de mangue avec des
petits sablés au citron, Matthieu s'absenta quelques instants
et revint avec une bouteille de champagne dans la main.

— Chers amis, j'ai une nouvelle à fêter avec vous. Mon
fils va se marier !

Les flûtes tintèrent au milieu des félicitations… Emporté
certainement par l'euphorie qui gagnait la tablée, Daniel leva
son verre à son tour.

— Moi aussi, j'ai une bonne nouvelle ! J'ai appris hier
que j'avais réussi le concours d'entrée pour la formation de
cadre de santé !

Tous le congratulèrent, à l'exception de Sarah qui resta
coite.

Le café traînait en longueur ; elle échangeait quelques
mots avec Didier et Matthieu sans vraiment être à l'écoute.
Ces deux-là semblaient s'être trouvés et ne se lâchaient plus.
Agatha et Prune discutaient tranquillement, tandis que Daniel
jouait avec Noémie dans le jardin.

Quand les invités furent partis, elle attendit qu'il vienne
la trouver pour lui donner plus d'explications, mais il n'en
fit rien ; il ne semblait pas même se rendre compte de l'état
dans lequel l'avait plongée cette annonce.

Il était sur le départ lorsqu'elle le prit à part et l'interrogea :

— Tu n'as rien oublié avant de partir ?

— De quoi parles-tu ?

— De ton numéro à table, tout à l'heure ! Nous nous sommes mis d'accord sur ta formation la semaine dernière, et tu as déjà les résultats du concours d'admission ?

— Ça ? C'est plutôt une bonne nouvelle, non ?

— Cela n'a rien à voir, réponds-moi.

— Je ne vois pas pourquoi tu te mets en colère. Les inscriptions ont lieu en février, et les examens, en avril, voilà pourquoi j'étais tellement occupé, ces derniers temps ! Je ne voulais pas vendre la peau de l'ours avant d'être sûr... Si je n'avais pas été reçu, tout aurait été remis en question.

— Je n'en reviens pas !

— De quoi exactement ?

Il s'allumait tranquillement une cigarette et faisait des signes à Noémie assise dans la voiture.

— Comment peux-tu me poser cette question ? Et regarde-moi, s'il te plaît ! Tu m'as complètement menée en bateau ! Tu m'as manipulée ! Je croyais que tu me demandais mon avis, mais non, depuis des mois, tu avais tout calculé ! Je t'entends encore m'appeler de l'hôpital il y a deux semaines – il y a deux semaines ! – m'annoncer, presque larmoyant, que ta demande de mutation est rejetée ! L'as-tu au moins demandée, cette mutation ?

— ...

— Quel acteur ! Bravo ! Je suis tombée en plein dans le panneau !

— Écoute, Sarah, j'ai passé ce concours comme ça, pour voir... J'ignorais que l'hôpital accepterait de prendre en charge les coûts...

— Accepterait ?... C'est donc toi qui as demandé ?

— C'était il y a longtemps. Arrête ton cirque, les filles nous regardent !

— Quand ?

— L'année dernière.

— Avant ou après que nous avons acheté cette maison ?

— Tu me fatigues, là... Sarah, s'il te plaît...

— Je vais embrasser les filles ; je ne veux plus te parler.

Ce dimanche soir fut le pire qu'elle passa depuis son arrivée.

Balayées, les pensées positives du début du week-end... Une chape de plomb s'était abattue sur ses épaules. Le bilan qu'elle dressait de la situation ne pouvait être plus sombre : ses filles allaient beaucoup lui manquer, elle devrait se préparer à affronter les regards soupçonneux et les conversations à voix basse dès qu'elle sortirait de chez elle, et, alors qu'elle avait toujours cru en la transparence et la communication au sein de son couple, son mari lui mentait. Il avait pris l'une des plus importantes décisions de ces dernières années sans même la consulter...

Les prochaines semaines seraient très longues...

38

Décembre 2004 – Saint-Étienne

L'hiver était froid, et la ville, couverte d'une fine pellicule de neige qui rendait le sol glissant. Il marchait le long des rails du tramway, en direction du centre-ville de Saint-Étienne, où il comptait sur l'heure matinale pour éviter la foule de cette période de grande affluence. Il voulait acheter une encyclopédie de cuisine pour son fils, qui viendrait passer quelques jours avec lui à l'occasion de Noël. La grande librairie n'était pas encore ouverte et il s'offrit un café noir sur l'esplanade de l'hôtel de ville.

Il avait pris la décision de prendre sa retraite d'ici peu, le temps de vendre son fonds de commerce à une personne de confiance et de faire construire la maison dont il avait envie en Normandie. Il avait hésité un temps à reprendre la longère du clos des Reinettes, mais ses derniers voyages l'en avaient dissuadé. Il ne se voyait pas croiser le passé chaque jour, ni se résoudre à habiter cet endroit sans son unique amour. Cette maison était trop grande pour lui, de toute façon. Il l'avait laissée en location jusqu'à présent, mais devrait se préparer à s'en séparer pour tourner la page définitivement. La vente de sa boutique lui permettrait de faire construire sa propre maison, mais il tenait à assurer l'avenir de son fils, lui donner les moyens de construire un projet à la mesure de son talent. L'agence qui administrait la location lui avait d'ailleurs fait savoir l'intérêt des locataires actuels pour acquérir la propriété, mais il avait décliné la généreuse offre sans donner de détails. Plus encore que pour sa boulangerie, il voulait choisir les futurs propriétaires, trouver les bonnes personnes, celles qui redonneraient une âme au clos. Ces gens n'aimaient pas les animaux, voulaient recouvrir la cour champêtre de dalles de béton, raser le pommier et installer une piscine à la place... Ils ne lui avaient pas fait bonne impression du tout. Tant qu'il pourrait se le permettre, il attendrait.

Il regarda sa montre, régla son café et marcha jusqu'à la rue Louis-Braille. Il trouva assez rapidement ce qu'il cherchait et traîna un peu dans les allées. Au rayon « beaux-arts », son sang ne fit qu'un tour.

La couverture d'un ouvrage de peinture venait de lui frapper le visage.

Il fixa ce paysage urbain, où des enfants jouaient au ballon au pied de hauts immeubles... Rien qui ne lui fût familier si ce n'était ce coup de pinceau et cette manière très particulière de poser les expressions et les mouvements qu'il connaissait si bien. Il s'approcha doucement du livre, comme s'il craignait qu'il ne s'agisse que d'un mirage. Il souleva la couverture et parcourut le sommaire à la recherche de l'auteur de la couverture.

Page 34. Élisabeth Petit.

La peinture d'Élisabeth Petit est longtemps restée dans l'ombre. Le classicisme figuratif de ses toiles la tenait éloignée, à tort, des artistes novateurs. Depuis quelques années...

Deux pages entières lui étaient consacrées. Il relut le texte à la recherche d'éléments biographiques qui lui auraient échappé. Mais si, à l'exception de son année de naissance, rien n'indiquait que cette peintre fût sa Lise, les œuvres qui illustraient les commentaires élogieux en étaient la confirmation la plus convaincante.

Il garda le livre et, retourné par cette découverte, se dirigea vers la caisse. Il l'entendait encore lui raconter sa vie de peintre dans ses rêves, et lui raconter en souriant, et sans une once de rancœur, combien ses tableaux passaient pour des œuvres d'une autre époque… Il crut perdre la tête. Il s'empressa de rentrer pour essayer de comprendre ce qui lui arrivait.

Il chercha d'abord dans les pages blanches de Paris, puis des communes limitrophes. Il tapa ensuite son nom sur Internet, et plusieurs dizaines de références apparurent. Toutes renvoyaient à des images de ses toiles sans fournir aucune information sur leur auteur. À force de chercher, il trouva les coordonnées d'une galerie où elle avait récemment été exposée. Sans réfléchir, il appela. Un homme lui donna les coordonnées de son agent artistique et raccrocha. Il composa le numéro communiqué et tomba cette fois sur une femme.

— Bonjour, madame. La galerie des Lys m'a transmis vos coordonnées. Je cherche à joindre madame Élisabeth Petit.

— À quel sujet ?

— Je crois l'avoir connue autrefois et je voudrais lui parler.

— Vous croyez l'avoir connue ?

— J'ai reconnu sa manière de peindre dans un livre ; je suis certain qu'il s'agit bien d'elle !

— Madame Petit est quelqu'un de très discret, qui n'aime pas être dérangé. Je peux prendre vos coordonnées et les lui transmettre, mais je ne peux guère faire plus.

Il hésita. Lise se souviendrait de Gabriel ; elle l'avait toujours appelé ainsi. Mais si cet agent voulait vérifier son identité, elle ne trouverait rien à ce nom-là. Il lui donna son téléphone et son adresse.

— Votre nom, monsieur ?

— Je suis monsieur Carpentier. Matthieu Carpentier. Vous pouvez écrire également mon deuxième prénom : Gabriel. Je crois qu'elle se souviendra mieux de moi ainsi.

— C'est noté, monsieur. Au revoir.

Plus de trente ans s'étaient écoulés. Elle avait probablement oublié, mais l'étrange phénomène qui avait fait se croiser la réalité et ses conversations oniriques avec Lise l'avait poussé à franchir le pas qu'il s'était interdit pendant toutes ces années.

Deuxième
partie

I

Samedi 10 juillet 2010 – clos des Reinettes

La pelouse accueillait une petite quarantaine de personnes. La météo avait été menaçante en matinée, mais le ciel était parfaitement dégagé depuis le milieu de l'après-midi, fort heureusement, car aucune solution de repli n'avait été prévue pour tout ce monde.

Appareil photo en main, Agatha passait de groupe en groupe pour immortaliser cette soirée d'inauguration. Enfin libérée de son plâtre, elle avait investi son nouveau cadre de vie avec beaucoup d'enthousiasme. Elle avait confié à sa mère ses difficultés d'intégration au collège, qui l'avaient tenue à l'égard des autres élèves depuis le début de l'année. Elle s'était gardée d'en dire davantage pour le moment, mais elle était sincèrement heureuse de changer d'air et de têtes. Ses mésaventures lui avaient au moins enseigné une chose : la plupart des gens, et ceux de son âge plus encore peut-être, ne craignaient rien de plus que de voir découvert leur jardin secret. Elle l'avait appris à ses dépens.

Il y avait cette fille dans sa classe… Elle parlait fort et mal, et brandissait ses mauvaises notes comme des trophées. Agatha semblait être la seule à voir sa tristesse, à entendre le désarroi dans lequel elle se trouvait, empêtrée dans une montagne de problèmes qu'elle bravait dans une grande solitude. Avec une candeur qui n'était peut-être plus de son âge, elle était allée à sa rencontre et s'était ouverte franchement à elle en lui proposant une amitié sans faux-semblant, où chacune pourrait confier à l'autre ses soucis. En gage de sincérité, elle lui avait offert son secret le mieux gardé, instinctivement, persuadée que cette marque de confiance scellerait une relation qui leur permettrait de se soutenir l'une et l'autre. La fille avait semblé réfléchir pendant un instant, puis s'était brusquement tournée vers Agatha avec un air méprisant.

— Mais qu'est-ce que tu chantes là ? Tu joues la mystique ? Tu veux me filer les boules ? Ma parole, t'es mytho, ma pauvre, c'est nawak, ton délire !...

Elle l'avait regardée de la tête aux pieds en hochant la tête d'un air méchamment moqueur.

— Tu te plantes, la bonne fée ! J'ai pas envie de raconter ma life, et j'ai pas besoin d'une plouc qui me raconte des craques pour me changer les idées !

En deux jours, Agatha était devenue la risée de sa classe, observant avec stupéfaction la facilité avec laquelle ses quelques copines s'étaient détournées d'elle. L'une d'entre elles avait bien essayé de la secourir, mais la pression de la bande avait été trop forte. Agatha s'était juré de ne plus jamais parler de ses facultés particulières. Elle s'était réfugiée dans le sport, jusqu'à cet accident de pommier qui l'avait dispensée de quelques jours de brimades et qui l'avait surtout menée jusqu'à Prune. Elle lui avait fait comprendre à demi-mot qu'elle devrait, dans la mesure du possible, prendre de la distance vis-à-vis des secousses qu'elle ressentait chez autrui. Elle avait entrepris à ses côtés d'apprivoiser peu à peu sa sensibilité envahissante et elle apprenait progressivement à se protéger des reflux trop intenses. Cette mise en garde concernait plus particulièrement ses parents. Le froid qui s'était installé entre eux depuis plusieurs semaines était lourd et aurait affecté n'importe quel enfant. Sa petite sœur était capricieuse, exigeante et épuisait toute la famille. Malgré les efforts de son père et de sa mère pour ne rien laisser paraître, Agatha elle-même devait véritablement lutter contre cette tension en pelote qui chargeait sur elle sans ménagement. Son père semblait plus détaché, mais il n'en était pas plus heureux d'être là pour autant. Elle avait aussi réalisé avec une certaine peine que la gentillesse n'était pas contagieuse et qu'il ne lui suffisait pas d'aller vers les autres avec les meilleures intentions pour que la réciprocité opère.

Depuis l'épisode du pendentif de Natalia (elle avait remarqué qu'elle ne le portait pas ce soir), elle n'avait pas eu d'autres intuitions semblables. Prune n'avait pas pu la guider sur cette expérience à laquelle elle-même n'avait jamais été confrontée.

Agatha tournait une nouvelle page de sa jeune vie, mais, pour le moment, elle avait un reportage à construire.

Un peu plus loin, Sarah regardait le tableau vivant de la soirée. Il y avait là sa famille, sa sœur avec Paul et les filles, Didier et Prune, bien sûr, Matthieu, qui avait retardé son départ pour l'Angleterre, où il allait passer quelques jours avec son fils avant son mariage, et surtout ses parents qu'elle n'avait pas vus depuis le Noël précédent. Ils étaient arrivés la veille, rayonnants, plus amoureux que jamais après ce voyage qu'ils s'étaient offert pour célébrer leurs retraites respectives. Ils n'avaient pas eu de répit au milieu de tous les préparatifs, mais ils avaient semblé très heureux de participer à l'organisation.

Elle regrettait que ni Murielle ni Nathalie n'aient pu se déplacer, mais elles avaient promis l'une et l'autre de faire une escale sur le trajet de leurs vacances. Sarah devait pourtant admettre que les liens entre elles s'étaient considérablement relâchés depuis son départ.

Elle se retourna et aperçut madame Lefebvre, des Gîtes du Pays. Elle avait tenu la promesse faite lors de son inspection improvisée et était venue avec ses trois enfants et son mari. Elle était en grande conversation avec des « collègues » de Sarah, qui tenaient eux aussi des chambres d'hôtes, et même un gîte à la ferme pour l'un d'entre eux. Sarah avait arpenté la région au mois de juin, à la rencontre de personnes plus expérimentées en matière d'hôtellerie rurale, et elle avait découvert de belles et fortes personnalités, toutes plus convaincues et passionnées par ce qu'elles faisaient. Les rumeurs —

répandues par Virginie Ficher étaient arrivées jusqu'à eux, mais n'avaient pas trouvé terrain où germer : ils n'y avaient accordé aucune importance.

La campagne de dénigrement dont Sarah avait fait l'objet s'éteignait peu à peu. La pharmacienne était là ce soir, et le maire avait même fait une apparition au début de la soirée. Elle s'en était bien sortie. Sans fuir le problème, elle était allée vers les gens, patiemment. Elle avait demandé un rendez-vous à la mairie pour se présenter, n'avait manqué aucune animation locale et, à l'exception de la boulangère qu'elle avait encore quelques difficultés à côtoyer, elle fréquentait les petits commerces du coin autant que possible.

Les dégâts les plus importants s'étaient malheureusement produits chez Didier et Prune. En deux semaines d'inter-valle, ils avaient reçu la visite impromptue d'un agent de la Direction départementale des services vétérinaires, venu inspecter la salubrité et l'hygiène des cuisines, et une notifi-cation de contrôle URSSAF. Sans être en mesure d'affirmer que ces événements étaient liés au rôle actif qu'ils avaient joué dans la défense de leur amie, Sarah avait trouvé la coïn-cidence pour le moins curieuse.

La cuisine de Didier était irréprochable, et l'inspecteur l'aurait presque félicité au moment de repartir. Le contrôle URSSAF, en revanche, était tombé au plus mal. En pleine saison de mariages, Didier avait dû confier les rênes du labo-ratoire à Ludovic pour se plonger dans les déclarations de charges sociales et les factures des trois dernières années. Peu de personnes travaillaient tout au long de l'année dans les cuisines, mais le couple faisait appel à de nombreux extras pour l'organisation des réceptions, qui constituaient la part la plus importante de leur activité : des commis de cuisine, des pâtissiers, mais aussi des serveurs et des maîtres d'hôtel embauchés pour une soirée… Au final, quelque deux cents fiches de paye par an. Sarah leur avait prêté main-forte. En dehors de quelques pourboires un peu généreux, et d'une ou deux primes non soumises à cotisations, il n'y avait rien de dramatique outre cette incroyable dépense de temps et d'énergie.

Les gens continuaient d'arriver. Sarah n'était pas dupe : la présence de Natalia s'était répandue comme une traînée de poudre sur les ondes de la région, et les invités indécis s'étaient soudainement souvenus de cette soirée. Elle la laissa entourée de ses nombreux admirateurs et se dirigea vers Didier. Il avait été particulièrement généreux avec elle. Si elle avait tenu à faire elle-même le buffet, il lui avait offert la location de l'ensemble de la vaisselle et de la verrerie, et de tout le matériel nécessaire pour faire de cette réception un moment convivial et agréable : tréteaux et planches de buffet, linéaires de nappage blanc, seaux à glace et présentations en tous genres donnaient du relief aux plats qu'elle avait préparés. Elle n'était pas convaincue par la truite géante en plexiglas, mais l'avait laissée là où il l'avait posée, par politesse et par respect. Didier était comme d'habitude plongé en grande conversation avec Matthieu ; elle les laissa débattre et s'approcha de Prune qui faisait la connaissance de Léa. Sarah entendit avec plaisir la complicité qui se tissait entre les deux femmes.

— Vous m'aviez caché que votre sœur avait autant d'humour, Sarah !

— Elle a tout le catalogue des qualités. Il m'arrive de sauter une ou deux pages, vous savez…

Sarah regarda sa sœur et lui fit un clin d'œil. Prune désigna des bras l'assemblée bruyante.

— Regardez comme tout le monde passe un bon moment ! Quand l'hôtesse peut s'arrêter un moment de passer le plateau parmi ses convives en faisant les présentations, c'est signe que la soirée est réussie !

Elle était vraiment ravissante, ce soir. Les yeux de Didier sur sa femme en disaient d'ailleurs long sur l'effet qu'elle lui faisait. Elle avait lâché ses cheveux qu'elle ramenait habituellement en un chignon un peu austère, et ses boucles rousses rehaussaient son regard caramel. Ses formes généreuses étaient mises en valeur par une robe simple et gaie, et son sourire éclatant lui donnait cet air rayonnant qui la définissait si bien.

Sarah jeta un œil sur sa propre tenue. Elle avait bataillé une heure durant contre les élans créatifs de Léa, qui s'était mise dans la peau d'une styliste en la prenant comme modèle dans l'après-midi. Elle avait failli céder au look « rouge passion », mais la réalité l'avait ramenée à un choix moins exubérant. En portant la robe que sa sœur avait choisie, elle aurait été techniquement dans l'impossibilité de s'asseoir et aurait eu les plus grandes peines du monde à respirer après avoir mangé quelque chose. Elle avait finalement opté pour la robe saharienne, plus en accord avec sa personnalité, au grand dam de son coach vestimentaire.

— Super sexy, rien à dire… Je suis impatiente de savoir comment tu t'habilleras dans vingt ans... Tu grilles toutes tes cartouches, là !

— N'exagère pas. Elle est fendue, cette robe. Regarde !

— Ouverte à mi-mollet, je n'appelle pas ça fendue. Et puis ce décolleté ! Franchement ! Autant mettre un col roulé !

— Fait trop chaud.

Pour la calmer, elle avait lâché sur les chaussures, rangé ses ballerines dans le placard et sorti des escarpins ouverts.

Profitant des avantages de sa tenue, elle s'agenouilla sur l'herbe à côté des deux femmes.

Léa, qui était tournée vers l'entrée de la cour, donna un coup de coude à sa sœur :

— Qui est-ce ?

Elle suivit son regard et aperçut Jeff, dans une tenue moins excentrique que l'unique fois où ils s'étaient vus, avec Jules à ses côtés.

Ils s'étaient parlé à plusieurs reprises au téléphone. Même s'il s'en était défendu, elle était persuadée qu'il était pour quelque chose dans la place qui s'était miraculeusement libérée pour Agatha dans le collège où son fils était inscrit. Cet établissement innovant était public, et sa renommée pédagogique dans la région rendait toute nouvelle inscription quasiment impossible. Elle se sentit flattée de sa venue. Leurs échanges étaient certes restés assez superficiels et ils ne se connaissaient pas, mais elle s'était laissé un peu séduire par sa voix grave et rassurante.

— C'est Jeff et Jules.

Elle se leva et alla les accueillir.

— Bonsoir ! Je suis heureuse que vous ayez pu venir...

— Nous n'aurions manqué cela pour rien au monde.

Il se rapprocha d'elle et l'embrassa sur une joue en la tenant par les épaules. Elle se sentit rougir et se pencha vers Jules pour dissimuler son trouble.

— Bonjour, Jules ! Agatha va être ravie de te voir !

Elle les conduisait vers le centre du jardin quand Daniel et Natalia vinrent à leur rencontre. Elle avait presque oublié que la comédienne était la femme de Jeff...

Daniel interrogeait Sarah du regard.

— Tu nous présentes ?

— Voici Jeff, le mari de Natalia, et Jules, leur fils. Agatha va aller dans le même collège que lui à la rentrée ; je t'en ai parlé.

Ils se serrèrent la main.

Natalia prit son fils dans ses bras et étreignit tendrement son mari.

— Finalement, vous avez pu vous libérer ? C'est bien, quelle bonne surprise !

Sarah ne se sentit pas à l'aise entre son mari, avec lequel les relations n'avaient cessé de se détériorer depuis deux mois, et Jeff qui regardait Natalia avec des yeux mêlés de surprise et d'admiration.

Elle se trouva ridicule de s'être imaginé un instant qu'il avait pu venir pour elle. Elle reprit ses esprits, leur sourit et alla retirer les plats vides sur le buffet pour faire place aux desserts.

Les filles de Léa lancèrent la partie dansante de la soirée vers vingt et une heures. Elles respectèrent la consigne et, pour commencer, n'effrayèrent pas les plus de cinquante ans avec les sons de leurs iPod. Personne ne serait accusé de tapage nocturne : le seul voisin à la ronde se trouvait sur la piste et entraînait Prune dans un rock enlevé. La mayonnaise prit vite, et une quinzaine de personnes, toutes générations confondues, se trémoussèrent bientôt sur la pelouse.

Agatha changeait la carte mémoire de l'appareil photo quand Natalia, un peu ébouriffée, se faufila parmi les danseurs pour la rejoindre.

— On ne va pas beaucoup te voir sur les photos… Si tu veux, je te remplace un moment ?

Agatha, agréablement surprise, leva les yeux.

— C'est gentil… Je veux bien, oui. Il y a des photos à faire !

Elle disait cela en désignant du menton ses grands-parents, dont les talents forçaient l'admiration. Un cercle s'était formé autour d'eux.

— Impressionnants…, admit Natalia.

— Ils suivent des cours trois fois par semaine depuis leur retraite : cha-cha-cha, tango, rock, salsa… Ça a dû leur manquer pendant leur voyage ; ils se rattrapent ce soir !

Elle lui tendit l'appareil.

Natalia passa la sangle autour de son cou et prit quelques clichés de la fête, puis elle se tourna et fit plusieurs portraits d'Agatha, qui jouait le jeu et marquait chaque nouvelle pose d'une expression et d'un regard différent… Sans s'arrêter, Natalia s'adressa à elle :

— Tu sais, je ne porte plus ce collier…

— J'ai vu cela. Je me demandais si c'était juste pour ce soir… J'aime bien celui-ci ; il est joli.

— Je change presque tous les jours…

Elle posa l'appareil.

— Pourquoi m'as-tu dit cela, ce jour-là ?

Agatha sembla réfléchir.

— Et vous, pourquoi pensez-vous m'avoir écoutée, ce jour-là ?

— Je ne sais pas… Je ne me rappelle pas exactement…

— Vous ne l'avez plus jamais remis ?

— C'est cela qui est curieux... J'avais oublié que je l'avais enlevé jusqu'à ce que je te revoie aujourd'hui.

Elle l'observait.

— Je vous trouve changée depuis la dernière fois... Ça n'a sans doute rien à voir...

— Cela n'a rien à voir, probablement. Mais moi aussi je me sens différente. Tous mes sens se sont réveillés... Quand même... Qu'est-ce qu'il avait, ce collier, pour que tu me conseilles de l'ôter ?

Sans réfléchir, Agatha lui répondit :

— Il projetait une grande ombre sur vous...

Elle hésita à poursuivre, mais, devant le regard franc et curieux de Natalia, elle termina :

— J'ai senti que cette ombre vous menaçait et que vous brûliez toute votre énergie à vous défendre contre elle, comme si vous en étiez prisonnière.

Comme Natalia ne disait rien, Agatha ajouta, un peu confuse :

— Je sens des choses quelquefois, mais je ne comprends pas toujours ce qu'elles veulent dire. Maman ne sait pas vraiment, vous savez... J'ai peur qu'elle s'inquiète... Et puis, je n'aime pas trop en parler ; cela m'a toujours apporté des histoires. Je préfère garder cela pour moi la plupart du temps. Mais, ce jour-là, avec vous et ce collier, les mots sont sortis tout seuls, presque malgré moi...

Natalia était songeuse.

— Depuis quelques semaines, j'aime moins ma solitude. J'ai envie d'écouter les gens, d'apprendre à connaître des personnes que je côtoie depuis des années...

Agatha semblait vouloir remettre un peu de légèreté dans cette conversation et faire tomber le masque grave de Natalia. Elle la regarda, posa ses mains sur ses épaules, se mit à grimacer en roulant les yeux et, de sa voix la plus rauque, elle lui souffla dans l'oreille :

— Ce collier devait avoirrr des pouvoirrrs maléfiques sur vous. Vous étiez envoûtée, madaaame, et vous voilà revenue à la vie...

Elle accompagna ces mots de gestes grandiloquents et finit par se faire rire toute seule.

— En tout cas, c'est super que vous soyez venue aujourd'hui ! Ça nous a tous fait plaisir, et à maman surtout !

Natalia comprit que la jeune fille voulait changer de sujet, comme si elle regrettait de lui en avoir trop dit. Elle pensa qu'il lui appartiendrait dorénavant de résoudre cette énigme personnelle en puisant dans ses propres ressources. Malgré toute l'étrangeté de la chose, elle était persuadée que ce pendentif était l'une des clés. Elle devrait questionner la mémoire perturbée de sa mère pour remonter ses traces. Elle remarqua qu'Agatha attendait une réponse, ou tout au moins une réaction de sa part, et, avec beaucoup d'autodérision, elle lui raconta la manière avec laquelle elle s'était elle-même invitée à la soirée, au détour de l'une de ses conversations téléphoniques avec Sarah.

Elle la laissa ensuite rejoindre ses cousines qui avaient fort subtilement commencé à glisser quelques titres plus auda-cieux, puis elle passa d'un invité à un autre et s'appliqua consciencieusement à réaliser le portrait de chacun. Elle ne releva pas les regards étonnés des uns et des autres, pris de court devant cette photographe hors du commun.

Loin de cette agitation, Matthieu s'était mis à l'écart sur les marches du gîte. Sa joie de vivre l'abandonnait parfois et le laissait dans un état un peu mélancolique. Ce lieu était particulièrement propice à faire resurgir les souvenirs. Il caressa les marches en pierre, comme pour atteindre le passé. Ces années 1970 et 1971 qui l'avaient tant marqué étaient toujours là et, malgré le temps qui s'était écoulé, sa mémoire de ces quelques mois était incroyablement intacte.

Il sursauta quand il sentit quelque chose lui passer dans le dos.

Toujours ce même petit chat.

Un petit chat un peu maigre, avec une tache blanche entre les yeux. Il avait un peu grandi depuis et il ressemblait maintenant tout à fait à celui que Lise avait soigné et nourri pendant plusieurs semaines.

Agatha, inquiète de le voir s'étouffer avec une broche, l'avait ramené jusque chez lui deux mois plus tôt.

Avec la broche.

La broche de Lise, sur laquelle le petit animal était mystérieusement tombé.

La vie lui jouait de drôles de tours, ces derniers temps. Il se rappela le dessin que cette femme, la fille de Natalia, avait trouvé dans la maisonnette. Il suivait des yeux le chaton qui s'était faufilé dans l'entrebâillement de la porte. Il se leva et se mit en tête de vérifier si rien d'autre n'avait traversé les années derrière ce meuble.

Il n'alluma pas et laissa ses yeux s'habituer à l'obscurité. La pièce avait bien changé : elle lui était à présent presque étrangère et il en fut soulagé. Il regarda la cheminée et constata que la pierre avait été rescellée ; nul ne pourrait plus deviner les secrets qu'elle avait jadis abrités. Il contourna la table et s'approcha de l'armoire. Elle était parfaitement adossée au mur. Il ne voyait pas comment quoi que ce soit ait pu rester coincé dans l'infime interstice qu'il devinait.

Il entendit un bruit et se retourna.

Agatha était sur le seuil de la porte, accroupie avec le chat dans ses bras. Elle leva les yeux vers lui ; il lui rendit son sourire.

— Vous me raconterez votre histoire un jour, Matthieu ?

— Mon histoire ?

— Votre histoire avec cet endroit.

— Un jour, oui, je te promets.

Il s'approcha d'elle et lui lança :

— Mais, en attendant, je vais te montrer ce que c'est de vraiment danser !

La fête s'acheva très tard. Natalia fut la dernière à partir, avec Jeff et Jules.

Sarah resta seule un moment dans le jardin. Elle était fière de sa soirée et se réjouissait des belles journées qui s'annonçaient encore : ses parents et sa sœur allaient rester jusqu'au mardi suivant. Ils avaient tellement de temps à rattraper que quarante-huit heures ne seraient pas de trop. Elle s'était arrangée avec Didier pour ne pas travailler les deux prochaines matinées.

Daniel, quant à lui, repartirait le surlendemain. Il n'avait posé que deux semaines de congé et elles étaient déjà épuisées. Il leur faudrait prendre le temps d'une vraie discussion. Elle sentait la distance qu'il prenait avec elle, mais elle comprenait moins celle qu'il avait eue avec toutes les personnes qui s'étaient trouvées là lors de la soirée. Il avait beaucoup aidé, comme à son habitude, mais n'avait fait aucun effort pour discuter avec les uns et les autres, comme s'il ne se sentait pas concerné. Et puis, elle ne supportait plus cette indifférence polie entre eux deux. Le temps de la franchise était venu et les amènerait peut-être à celui de prendre des décisions.

2

Dimanche 11 juillet 2010 – Paris

Virginie prenait un bain. Elle avait mis son roman dans les mains de Benjamin en début d'après-midi et il n'en détachait plus les yeux. Son avis serait déterminant. Elle avait le plus grand mal à contenir son impatience. Peu importait qu'elle n'en ait pas écrit un seul mot, elle s'était complètement approprié le manuscrit.

Le fait qu'il n'ait pas interrompu sa lecture depuis deux heures était un indice prometteur sur le verdict qu'il lui rendrait. Elle lui avait fait lire ses tentatives précédentes et il lui avait fallu près d'une semaine pour en venir à bout. Il avait pris des gants, mais elle avait été lucide : ce n'était pas bon.

Cela n'avait jamais été bon.

Avant cette fois.

Cette fois, c'était la bonne, se disait-elle. Je n'ai peut-être pas inventé l'histoire, mais j'ai le mérite de l'avoir découverte, d'avoir senti qu'elle en valait le coup. Je serai la prochaine à rejoindre les Gavalda, Pancol et Musso ! À moi les dédicaces, les lettres d'admirateurs et les critiques élogieuses ! Je l'aurai, ma part du gâteau ! Toutes ces années à tartiner les célébrités du pays, à leur cacher les rides et à leur poudrer le nez sur les plateaux de télévision... À mon tour !

Elle s'y voyait déjà.

L'eau refroidissait. Elle sortit du bain, s'enveloppa dans son peignoir, enroula une serviette autour de sa tête et sortit de la pièce.

Benjamin n'était plus là. Il avait laissé les quelque trois cents pages qui reposaient en une pile parfaite sur la table du salon et s'était volatilisé sans un mot.

Avant qu'elle n'ait eu le temps de s'habiller, elle entendit la clé tourner dans la serrure. Il revenait, caché derrière un bouquet de roses démesuré, une bouteille de champagne à la main. Il s'approcha d'elle et lui offrit les fleurs.

— Ma chérie ! C'est magnifique... Je suis si fier... Encore tout ému... C'est tellement riche... Si bien écrit...

— Eh bien !

— Quand tu m'as dit qu'il était question d'amour, pour être tout à fait franc, j'ai été très sceptique. Mais si j'avais pu m'attendre à une chose pareille !...

Elle dégustait ce moment, faisait résonner chaque compliment dans sa tête. Il avait adoré. Il le ferait savoir, elle serait publiée, lue, admirée..., enviée !

— Il y a juste une toute petite chose.

Elle le fusilla du regard.

— Quoi ?

— C'est la fin. C'est une belle fin, mais tellement triste, tragique même, quand on a goûté à la volupté de cette histoire si romantique.

Il s'arrêta net, comme s'il venait de comprendre. Il reprit d'un air entendu :

— Tu penses déjà à une suite, c'est cela ? Bien sûr ! Tu veux tenir tes lecteurs en haleine ! Alors, là ! Chapeau !

Elle le regardait, figée. Il disait vrai. Pour asseoir sa renommée, il fallait penser à une suite. Elle en eut le vertige pendant une seconde et se laissa choir sur le canapé. Benjamin lui servit une coupe et mit les roses dans un vase.

Il lui suffirait de s'inspirer du style. Elle avait de l'imagination ; ce ne serait pas si compliqué, après tout.

— Tu sais à quoi je pense, Virginie ? J'ai envie de faire un film avec ton histoire ! Tu serais d'accord ?

Il ne lui laissa pas le temps de répondre. Il était en effervescence ; il était impossible de savoir si c'était à elle qu'il s'adressait ou s'il se parlait à lui-même.

— Les paysages sont posés, les personnages sont poignants, l'histoire est émouvante...

Il marchait en long et en large, s'asseyait, se levait, il ne tenait pas en place.

— Virginie, tu es merveilleuse. Ces décors, cet art de la description, comment as-tu fait ? C'est le tournage en Normandie qui t'a inspirée ? Je n'en reviens pas que tu aies écrit tout cela en à peine deux mois !

Elle ne prêtait aucune attention à ce qu'il disait. Elle imaginait la suite, les retrouvailles de ces amants improbables quelques semaines plus tard, et puis un peu d'action pour sortir de cette mièvrerie sucrée, des conflits, des tromperies, détruire ce couple qui l'avait narguée de son bonheur dégoulinant, de cette gentillesse écœurante ! Elle les ferait se retrouver pour mieux les arracher l'un à l'autre !

— Virginie ?

— Oui ?

— Je savais qu'il y avait de la tendresse en toi, mais ce roman l'a révélée au grand jour, bien au-delà de tout ce que j'avais pu deviner... Viens là, toi...

Rempli d'amour et d'admiration pour elle, il la serra dans ses bras. Elle ne se contentait pas d'être belle, forte et talentueuse. Elle cachait au fond d'elle-même de véritables trésors de bonté, camouflés sous l'armure de son caractère bien trempé. Qui sait, se disait-il, ce projet de bébé allait peut-être finir par être possible pour eux ! Il s'empêchait d'en parler depuis la scène qui avait failli mettre un terme à leur histoire, mais elle avait changé, mûri. Ce désir d'enfant transpirait dans ce qu'elle avait écrit ; il suffirait maintenant qu'elle en prenne conscience...

Elle se dégagea et, tout en allant finir de s'habiller, l'interrogea sur les démarches qu'elle devait engager pour la suite.

— Je vais appeler Pierre dès demain. Il n'en reviendra pas. Pour le film, tu es d'accord ?

— Pourquoi pas ? Deux projets de suite en Normandie…
Ça ne te gêne pas ?

— Ils n'ont rien à voir l'un avec l'autre ! Seule la région
ne change pas. Et je ne vois pas comment transposer cette
histoire ailleurs ! L'héroïne fait un tel parallèle entre la découverte des paysages et celle de son amour ; ce serait un travail
de titan de reconstituer pareils détails dans un autre décor !

— Mouais.

Elle n'avait pas noté ce parallèle dont il parlait.

Tous deux plongés dans leurs pensées respectives,
ils burent la bouteille de champagne en parlant à peine.
Benjamin n'avait pas encore mis son dernier film en boîte
qu'il se voyait déjà tourner le prochain avec sa femme au
ventre rond à ses côtés, le conseillant et affinant son regard
sur la mise en scène pour respecter au mieux l'esprit de son
chef-d'œuvre. Virginie imaginait, quant à elle, la tête de ses
collègues et le dédain qu'elle pourrait se permettre d'afficher
à l'encontre de pas mal de gens qui l'avaient mal traitée. Sa
mère serait bien incapable de la supplanter, cette fois ; elle
lui passerait sous le nez et éclipserait sa célébrité surfaite et
si peu méritée.

3

Lundi 12 juillet 2010 – clos des Reinettes

À l'ombre du pommier, Agatha buvait les paroles de son grand-père. Il lui faisait le récit de leur tour d'Europe, et elle était envoûtée par son talent de conteur. Chaque pays avait offert son lot de rencontres étonnantes. Elle salivait à la description des plats qu'ils avaient goûtés et pouvait se faire une idée précise des paysages et des villes traversés sans qu'il ait besoin de sortir une seule photo. Émilien ne cachait pas le plaisir qu'il avait à partager avec sa petite-fille les anecdotes du voyage et riait avec elle des mésaventures qui leur étaient arrivées. Noémie était quant à elle en pleine expérience culinaire avec la mère de Sarah. Les traditionnels petits sablés étaient en préparation. Enfarinée des pieds aux cheveux, elle plongeait les doigts dans la pâte sans retenue, profitant du dos tourné de sa grand-mère, occupée à remettre un peu d'ordre dans ce qui s'apparentait à un véritable chantier. Léa était partie à Honfleur avec sa petite famille, et Daniel finissait sa valise. Il descendit avec ses affaires qu'il alla ranger dans la voiture.

Sarah suivait ses mouvements. Elle était installée sur la terrasse avec l'ordinateur portable que sa sœur lui avait offert pour succéder à l'antique PC qui avait définitivement rendu l'âme. Elle répondait aux gens qui avaient réservé pour les prochaines semaines. Le gîte serait bien rempli durant l'été. Il faisait un temps magnifique, et le bouche-à-oreille s'était tranquillement mis à l'œuvre. La porte du coffre venait de claquer, et Daniel revenait vers elle.

— Je vais faire un petit tour à la mer avant de repartir.

Il ne lui proposait même plus de l'accompagner. C'était devenu une habitude pendant les vacances : il partait invariablement se promener seul et revenait une heure et demie plus tard, parfois plus. Elle ferma la messagerie et rabattit l'écran, puis alla mettre l'appareil à l'abri.

Constatant que chacun était bien occupé, elle prit son courage à deux mains et se résolut à le rejoindre sans y avoir été invitée. Depuis deux jours, elle se trouvait une excuse à chaque occasion qui se présentait de se trouver seule avec lui. Il fallait qu'elle arrête de se défiler. Elle prit son temps. Elle le rejoindrait en vélo ; il pouvait bien prendre un peu d'avance. Elle chercha ses lunettes de soleil et son chapeau et mit de la crème. En bonne élève de Léa, elle respectait ses consignes à la lettre pour retenir un peu de la jeunesse de son visage.

— Maman, Noémie, je vais rejoindre Daniel à la plage.

Sa mère acquiesça d'un regard approbateur.

Elle pédala sur près de cinq cents mètres. La valleuse descendait rapidement vers la mer et, au sortir d'un virage, au début d'une longue ligne droite, elle ne le vit toujours pas. Elle ralentit, puis s'arrêta en pensant au retour en pente inverse qui serait beaucoup moins décoiffant. Elle renonça à pédaler et, essoufflée, trempée de sueur, la crème solaire lui coulant dans les yeux, remonta le chemin. Elle était presque revenue au point de départ, à la croisée de la route et du chemin qui conduisait à la maison, quand elle l'aperçut, assis sous un arbre à deux cents mètres d'elle. Elle s'essuya comme elle put, refoulant l'image de l'allure pitoyable qu'elle devait avoir et s'approcha. Il lui fit signe. Elle le vit ranger quelque chose dans sa poche, mais ne put voir de quoi il s'agissait. Elle posa son vélo contre l'arbre et s'assit à côté de lui.

— Je suis descendue presque jusqu'en bas. Tu m'avais dit que tu partais voir la mer…

— Il faisait trop chaud. J'ai eu peur d'attraper un coup de soleil.

— Et tu fais quoi ?

— Rien de spécial. Le vide avant de retrouver le tourbillon parisien... Tu me cherchais pour quoi ?

— Pour parler.

Elle prit sa respiration.

— Je crois qu'il est temps qu'on arrête de faire comme si tout allait bien. Pour nous, et pour les filles aussi.

— Je t'écoute.

— Je vais parler, mais j'aimerais bien t'entendre également. On dirait que tu as perdu la parole, ces derniers temps. Tu restes dans ton coin, tu ne te mêles pas aux conversations...

Il regardait au loin.

— Je suis rancunière, je le sais bien. Je n'ai pas digéré tes mensonges et tes petits secrets sur tes projets professionnels. J'ai été blessée que tu ne m'en parles pas. J'ai eu la désagréable impression d'être exclue de quelque chose qui me concernait, un sujet sur lequel j'avais mon mot à dire... Je reconnais que j'ai peut-être été un peu... excessive, mais aujourd'hui, c'est comme si tout cela avait levé le voile sur un malaise bien plus profond entre nous. Je nous sens étrangers l'un à l'autre... Et puis tu as des comportements qui me poussent à m'interroger...

Il ne réagissait pas.

— Tu ne viens qu'un week-end sur deux, tu n'as pris que deux semaines de congé, et j'ai appris par Léa que tu avais trouvé un autre endroit pour dormir à partir du mois prochain !

Il se décida enfin à la regarder.

— Je t'en ai parlé.

— Oui. Quelques jours après elle. Tu aurais dû me prévenir.

— Un collègue a proposé de m'héberger. Il habite à deux pas de l'hôpital et il a une chambre qui ne lui sert à rien. Et nous nous entendons très bien.

La poche de Daniel se mit à vibrer.

— Tu es parti te promener avec ton téléphone ?

— ...

— Tu ne décroches pas ?

— On discute là, non ?

Le silence s'installa. Sarah se releva tranquillement et lui demanda droit dans les yeux :

— Daniel. Qui vient de t'appeler ?

— Pourquoi cela t'intéresse-t-il ?

Elle commença à s'énerver.

— Cela m'intéresse parce que je suis ta femme, parce que tu pars te promener seul avec ton portable et que tu ne décroches pas quand il sonne, parce que tu ne me regardes plus et, enfin, cela m'intéresse parce que tu vas habiter ailleurs comme si tu voulais être libre de tes mouvements, sans personne autour pour te poser des questions ! Est-ce que ces raisons sont suffisantes à tes yeux ou dois-je poursuivre ?

— Tu crois que j'ai rencontré quelqu'un ?

— Oui.

— Tu es folle.

Il lui parlait doucement. Il se leva et la prit dans ses bras. Il n'en fallait pas beaucoup plus à Sarah pour fondre en larmes. Elle lutta contre cette envie et se dégagea. Il continua :

— Ne fais pas cela. Tu ne m'as jamais fait de scènes de jalousie avant aujourd'hui… Comment peux-tu t'imaginer une chose pareille ? C'est moi ! Ton mari, le père de nos enfants ! Où est passée cette confiance entre nous ?

— Dans ton téléphone. Montre-le-moi.

Il sortit l'appareil de sa poche et le lui tendit. Elle le prit sans quitter Daniel des yeux, guettant ses réactions. Elle détestait ce qu'elle était en train de faire, mais elle ne pouvait pas se résoudre à balayer ses doutes simplement parce qu'il les démentait. Elle regarda l'écran et vit qu'il y avait un message. Elle fit défiler le menu des appels manqués : le nom de Max apparut en tête de liste.

— Max ?

— Mon futur colocataire. Il doit vouloir savoir à quelle heure je rentre. Nous avions prévu de boire un verre ce soir.

Il reprit son portable et le remit dans sa poche. Il n'avait pas l'air fâché. Elle s'excusa.

— Alors, si tu n'as rencontré personne, qu'est-ce qui nous arrive ?

— Beaucoup de choses sont en train de changer. Il faut qu'on s'habitue. Ça va revenir…

Ils rentrèrent ensemble, sans rien se dire de plus. Une demi-heure plus tard Daniel était parti.

Il s'arrêta sur une aire d'autoroute pour faire le plein. Il écouta ses messages et rappela son correspondant.

— Qu'est-ce qui t'a pris de me rappeler tout à l'heure ? J'étais avec ma femme ; elle était à deux doigts de tout découvrir ! Jamais quand je suis en famille !

Il se calma un peu avant de raccrocher et assura qu'il serait arrivé à temps pour prendre l'avion qu'elle leur avait réservé. Ils s'envoleraient pour Rome le soir même et y resteraient trois jours. Il s'en était fallu de peu. Si Sarah avait poussé la curiosité jusqu'à écouter le message, il n'aurait rien pu inventer pour justifier les mots explicites qui s'y trouvaient. Il avait été prudent d'enregistrer Fanny sous un pseudonyme masculin, mais il devrait redoubler de vigilance à l'avenir s'il voulait garder Sarah. Il n'était pas question de choisir ; il les voulait toutes les deux.

Léa et Paul avaient ramené pour le dîner un splendide plateau de fruits de mer. Ils étaient en train de manger quand elle sursauta.

— Mince ! J'ai gardé le double des clés de Daniel avec moi ! J'ai complètement oublié de les lui donner avant de partir ce matin !

Paul la regarda, les yeux écarquillés. Il s'apprêtait à dire quelque chose quand Sarah, la bouche pleine de crabe, répondit tranquillement.

— Ne t'inquiète pas pour lui, il avait rendez-vous avec son collègue, Max. Je pense qu'il pourra le dépanner le temps que vous reveniez de vacances. Vous rentrez quand, au fait ?

Elle ne remarqua pas que son beau-frère était rouge pivoine. Il gardait les yeux sur ses huîtres et n'osait pas la regarder.

4

Matthieu se tenait devant l'immeuble où il avait vu sortir Lise trente ans plus tôt. Il avait attendu deux semaines avant de rappeler la personne à laquelle il avait confié son message. Elle lui avait pratiquement raccroché au nez en lui disant qu'elle ne s'occupait plus de cet artiste et qu'elle ne pouvait rien pour lui. Il avait cherché par tous les moyens à la joindre, contacté d'autres galeries, appelé des revues spécialisées… Elle avait comme disparu. Son impuissance le rendait fou. Il connaissait maintenant la plupart de ses œuvres publiques, et, plus il s'était renseigné, plus sa conviction s'était transformée en certitude. Cette Élisabeth Petit était bel et bien Lise. Il aurait tout donné pour la revoir en rêve, mais même ces apparitions avaient cessé. Il perdait le sommeil, comme s'il avait laissé passer sa vie en oubliant le plus important. Pendant toutes ces années, elle lui avait parlé la nuit, lui racontant ses joies et ses tristesses, lui avouant combien elle regrettait de s'être enfuie ainsi. Elle l'avait presque supplié de la rejoindre. Et il n'avait cru voir que le reflet de son désir le plus fort.

Il attendait depuis une heure que quelqu'un franchisse cette porte. Il n'y avait pas de nom, qu'un interphone. Il était frigorifié, mais il n'osait pas s'éloigner pour se réchauffer dans un café de crainte de manquer l'occasion d'entrer. Celle-ci se produisit enfin. Un couple âgé se présenta devant la porte et s'apprêtait à composer le code. Il les salua, s'excusa de les déranger et leur demanda si madame Petit habitait toujours ici. L'homme et la femme se regardèrent d'un air attristé et lui répondirent, apparemment touchés par la nouvelle qu'ils apportaient :

— Malheureusement, non. La pauvre était bien malade depuis quelque temps. Sa fille est venue un jour pour récupérer quelques affaires et elle nous a appris qu'elle était hospitalisée... Ses jours étaient comptés, nous a-t-elle dit. C'était il y a un mois environ. Nous ne l'avons pas revue depuis.

— Savez-vous à quel endroit elle a été emmenée ?

— À la Pitié-Salpêtrière. Mais, comme nous vous le disions, elle était vraiment très malade. Nous avons voulu aller la voir, mais les visites n'étaient pas autorisées.

Ils connaissaient bien l'artiste et, en voyant l'émotion que ces tristes nouvelles avaient suscitée chez l'homme, ils l'invitèrent à boire quelque chose de chaud chez eux.

Il résista à l'envie de courir à l'hôpital et suivit le couple à l'intérieur de l'immeuble. Ils lui montrèrent la porte de l'appartement d'Élisabeth devant laquelle il s'attarda. Tout en lui servant un café, ils lui racontèrent la gentillesse de cette voisine si agréable, toujours attentive à la santé des uns et des autres. Ils n'étaient dans l'immeuble que depuis quelques années, mais exprimaient une vraie tendresse pour elle.

Il partit à la tombée de la nuit. Il appela l'hôpital pour s'assurer qu'elle s'y trouvait bien et partit en quête d'une chambre à proximité. Il s'y rendit le lendemain, à l'heure des visites qu'on lui avait indiquée. Arrivé à l'étage, il trouva sans mal le numéro de la chambre. Il marchait vers elle comme un jeune amoureux, impatient et anxieux à la fois. Il avait la main sur la poignée de la porte quand une infirmière l'appela.

— Monsieur ? Que faites-vous ?

— Je viens voir madame Petit. C'est bien sa chambre ?

— Les visites sont réservées aux proches. Qui êtes-vous ?

Il la regarda et lui répondit instinctivement.

— Je suis son mari.

Le hasard et la chance lui sourirent. L'infirmière était nouvelle, et elle ne s'étonna donc pas de ne l'avoir jamais vu.

— Pardon. Je ne savais pas. Elle est stable depuis hier.

Nous ne pouvons pas dire si elle sortira de son coma, mais son état ne s'est pas dégradé.

Son cœur se serra, mais il ne montra pas combien cette nouvelle l'avait assommé. Il la reconnut immédiatement. Faisant abstraction des appareils qui encerclaient son lit et des fils auxquels elle était reliée, il s'assit à ses côtés et lui prit délicatement la main. Il resta tout l'après-midi sans s'arrêter de parler un instant. Il lui raconta son tour de France de compagnon, son installation à Saint-Étienne, son fils, mais surtout les rêves qu'il n'avait cessé de faire et le choc qui l'avait frappé en tombant devant l'une de ses peintures quelques semaines plus tôt. Il lui avoua l'attachement ambigu qu'il conservait avec sa maison, ne pouvant ni l'habiter ni s'en séparer ; il lui parla du petit chat avec sa tache blanche entre les yeux, qui avait survécu dans ses rêves. Il pleura pour la première fois depuis de longues années ; il n'en revenait pas d'être là, à ses côtés, et de ne pas pouvoir entendre sa voix. Quand on lui demanda de quitter la chambre, il l'embrassa doucement et tendrement sur le front et lui promit de revenir chaque jour. Un peu après son départ, une jeune femme essoufflée arriva. Elle croisa la même infirmière et s'excusa de son retard auprès d'elle.

— Je comprends. Mais ne soyez pas trop longue, votre père a passé tout l'après-midi avec elle, et, même dans l'état inconscient où elle se trouve, les visites peuvent la fatiguer.

— Mon père, vous dites ?

— Il s'est présenté comme son mari.

— Mon père est mort l'année dernière. Cet homme était un imposteur. Vous a-t-il dit son nom ?

— Je ne le lui ai pas demandé, je suis désolée… Il avait l'air de vraiment bien la connaître !

— Bon. Je réglerai cela plus tard.

Ce qu'elle fit. Elle s'assura que nul inconnu perturbé ne viendrait plus importuner sa mère et demanda à ce qu'on lui attribue une autre chambre et qu'on ne communique cette information à personne d'autre qu'à elle. Elle obtint également qu'on la prévienne si ce type d'incident venait à se reproduire.

5

Mardi 13 juillet 2010

Avant que la plage ne soit accaparée par la foule de l'après-midi, toute la famille était descendue pour pique-niquer en bas des falaises. Léa et Sarah aménageaient l'endroit en dégageant quelques galets, tandis que les quatre cousines bravaient les seize degrés de l'eau en faisant prendre son premier bain de mer de l'année au canot gonflable.

La mère de Sarah, Noëlle, nageait au loin. Habituée à l'eau fraîche de la Manche, elle s'était glissée sans problème dans la mer. Elle disparaissait à intervalles réguliers derrière les quelques vagues, sous l'œil vigilant du grand-père, debout au bord de la rive, qui scrutait ses allers-retours.

En déballant les Tupperware, Léa se moqua de Paul, le félicitant d'avoir enfilé si prestement le costume de l'homme en vacances en s'allongeant avec le journal, tandis que les femmes s'affairaient à tout préparer. Il se défendit mollement, feignant d'être absorbé par les conjectures des journalistes qui évaluaient le moral des joueurs de l'équipe de France de football en Afrique du Sud.

En réalité, il ne lisait pas.

Il pensait au pacte que lui avait fait signer sous la contrainte son beau-frère. Daniel était son ami depuis longtemps, bien avant qu'ils ne rencontrent l'un et l'autre leurs femmes respectives. Vingt ans de complicité qui prenait depuis quelque temps un virage déplaisant. Tant qu'il n'avait pas été obligé

197

de mentir, il avait endossé son rôle de confident sans trop s'en soucier. Mais les choses avaient pris une autre tournure. Léa la première lui en avait fait prendre conscience. Leurs histoires de copains ne regardaient qu'eux, mais n'avaient pas lieu d'interférer dans leurs couples, ni dans le lien très fort qui l'unissait avec sa sœur. C'était après ce dîner avec Fanny Jasmin, mais, à l'époque, Daniel n'avait pas encore franchi la ligne rouge. Paul avait soutenu son projet, mais quand celui-ci s'était assorti d'une histoire qui virait à la relation extraconjugale, il n'avait pas su mettre le holà. Tout cela prenait des proportions dangereuses. Daniel avait déjà déménagé une partie de ses affaires chez elle et comptait bien profiter de la distance avec Sarah pendant les douze prochains mois pour vivre avec elle sans aucun scrupule. La couverture qu'il avait inventée ne tenait pas la route et défiait tout bon sens, mais la naïveté et l'innocence de Sarah lui laisseraient le champ libre. Il avait l'impression d'être l'arbitre d'un match où s'affrontaient deux loyautés devenues incompatibles et il était en proie à une lourde culpabilité.

Quand Daniel lui avait appris qu'il allait couper ses vacances en deux pour prendre du bon temps avec Fanny Jasmin, Paul l'avait envoyé balader. Il ne voulait plus être mêlé à ses histoires et l'avait prié de lui en dire le moins possible à l'avenir.

Ils avaient été en froid pendant une semaine, ce qui avait certainement accéléré la décision du déménagement des affaires de Daniel. Il avait reproché à Paul de se raccrocher à des valeurs d'un autre temps, de se contenter de son train-train quotidien en laissant filer sa jeunesse. Lui-même n'allait pas regarder lui passer sous le nez les plaisirs que la vie lui offrait. Pour la première fois depuis des années, Daniel était parti avant lui du travail ce jour-là, lui faisant entendre qu'il ne lui demandait pas son approbation et n'avait pas besoin de son avis, qu'il était assez grand pour savoir ce qu'il avait à faire sans s'encombrer de sa mauvaise conscience.

Quelques jours après, il s'était excusé, mais la fracture était là.

— Paul ! Oho ! Tu dors ? C'est prêt, Monsieur le Marquis !

Il se leva et alla les rejoindre.

Les enfants étaient affamés. Noémie croquait à pleines dents dans un œuf et, tout en mâchant cette trop grosse bouchée pour elle, s'exclama :

— Ch'est crop bien ! Domâche que papa ne choit pas là !

Agatha lui répondit :

— Tant pis pour lui ! S'il avait voulu être là, il n'avait qu'à rester avec nous !

— Ne dis pas cela, chérie ! Papa est retourné au travail. Ça n'avait pas l'air de le réjouir, tu sais ?

— Tu parles !

Paul ajouta à l'adresse d'Agatha tout en regardant Sarah :

— Il dépanne le service... Il y a beaucoup d'arrêts de travail ce mois-ci et, avec les vacances, nous sommes à court de personnel. Heureusement qu'il y a des gens comme lui, sinon, ce serait dramatique...

Agatha le fusilla du regard. Il baissa la tête.

Elle se leva, abandonna sa pomme sur le sol et marcha vers la plage.

— Mais qu'est-ce qu'elle a depuis hier ?

— Laisse tomber, ça va lui passer.

Les jumelles étaient habituées à son humeur changeante et dédramatisèrent la scène. Sarah hésita à rejoindre sa fille, mais préféra attendre un moment plus propice.

Agatha s'assit au bord de l'eau et se mit à jeter des galets dans la mer pour calmer la rage qu'elle ressentait.

Quel menteur et quel lâche était son père ! Elle avait baissé sa garde le lendemain de la fête et l'avait surpris en proie à une grande impatience, une excitation béate à l'idée de retourner à Paris, bien loin de cette figure déprimée qu'il arborait quand on lui demandait s'il n'était pas trop déçu d'être obligé de devoir déjà repartir.

Laissant de côté ses résolutions et les conseils de Prune, elle s'était concentrée sur ce qu'il éprouvait, avait dressé ses antennes, ouvert les vannes de la perception et elle avait lu en lui comme dans un livre ouvert. Jamais elle n'était allée aussi loin ; elle avait été pratiquement connectée à ses pensées. Elle reviendrait plus tard avec Prune sur cette expérience qui l'avait malgré tout déstabilisée. Pour l'instant, la colère prenait toute la place.

Elle ne savait pas quoi faire.

Elle avait tenté de le démasquer à plusieurs reprises devant tout le monde. Au petit-déjeuner, elle l'avait quasiment supplié de la ramener à Paris, invoquant une soirée à ne pas rater et des amies à voir. Il lui avait dit qu'il serait pratiquement tout le temps à l'hôpital et qu'il n'aimait pas l'idée de la savoir seule chez Léa et Paul toute la journée. La discussion était close. Personne n'avait prêté attention à l'hésitation qu'il avait eue avant de répondre, alors qu'il cherchait une excuse à toute vitesse.

Elle le dirait à sa mère, mais il fallait trouver un moyen plausible de le lui faire savoir sans la mêler au reste. Elle n'était pas prête encore. Il fallait qu'elle le prenne en flagrant délit de mensonge, sur le fait, sans aucune issue pour se défiler. Paul pourrait être un allié dans cette entreprise : il le couvrait, mais, paradoxalement, il ne l'assumait pas du tout. Il semblait vouloir protéger sa mère de la souffrance que la vérité lui causerait et il en rajoutait des caisses pour étouffer la trahison de son idiot de père. Il était prêt à lâcher le morceau, elle le sentait. Ils allaient partir le soir même. Elle pourrait essayer de les retenir quelques jours si elle se débrouillait bien. Pour cela, il fallait qu'elle se contrôle et qu'elle arrête de passer pour l'adolescente hystérique que son comportement évoquait. Elle se leva et alla s'excuser.

Sur le retour, le soleil tapait fort. Paul prit Noémie sur ses épaules et la fit rire en galopant jusqu'à ce qu'il n'en puisse plus. Le reste de la troupe prenait son temps, s'arrêtant à intervalles réguliers pour attendre Sarah et Léa qui marchaient au rythme de leur conversation.

Elles arrivèrent les dernières. Agatha avait posé des bouteilles d'eau fraîche à l'ombre du parasol, et chacun s'installa pour se remettre de l'effort.

— Maman ! Viens !

Noémie accourait vers sa mère.

— Regarde la belle plante qui était là quand on est arrivés !

Elle pointait du doigt un très joli camélia rouge qui était posé sur les marches du gîte.

— C'est peut-être un cadeau de papa !

Sarah se leva et s'approcha du petit arbuste en fleurs. Elle détacha la carte qu'elle lut en revenant vers la table.

Merci pour cette belle soirée.
Le langage des fleurs est vieux jeu de nos jours, mais je le suis moi-même un peu. Le camélia parlera mieux que moi...

Jeff

— C'est papa alors ?

— Eh non. C'est la famille Ficher qui nous remercie pour la soirée de samedi.

Léa la regardait en silence tandis qu'elle se rasseyait. Elle attendit que les enfants s'envolent dans le jardin pour se retrouver en tête-à-tête avec sa sœur. Elle posa son index à la commissure des lèvres.

— Tu as un sourire collé juste là. Fais voir la carte.

Sarah la lui tendit en lui demandant :

— C'est quoi, la signification du camélia ?

Léa avait parcouru le mot et le lui rendit.

— Il a raison, c'est vieux jeu. Bouge pas, je reviens.

En deux clics, elle avait la réponse.

— « Vous êtes belle. »

Elle lui donna un léger coup de pied.

— Arrêête avec cette tête !

— Quoi, ma tête ?

— La tête d'une femme qui vient de recevoir des fleurs d'un homme auquel elle n'est pas insensible !

— N'importe quoi. Ça fait toujours plaisir de recevoir des fleurs, c'est tout.

— Tu vas l'appeler ?

— T'es folle ? Quelle drôle d'idée !

— Je pose la question…

— Nous sommes mariés l'un et l'autre, je te rappelle !

— Toi oui, lui, plus pour très longtemps.

— Ah bon ?

— Natalia me l'a dit. Ils ne sont plus ensemble depuis des années, en fait.

— Ah bon ?

— Ah bon ? Ah bon ? Cela ne change rien, bien sûr ?

— Évidemment. C'est pas la grande époque avec Daniel en ce moment, mais ça va s'arranger. Je ne vais pas me mettre à fricoter avec un inconnu sous prétexte que nous traversons une mauvaise passe.

— Fricoter ? Tu files vraiment un mauvais coton ! Même maman n'a jamais osé parler comme ça !

Agatha les rejoignit.

— Qu'est-ce qui vous fait rire ?

— Ta mère qui cause comme son arrière-arrière-grand-mère.

— Dis, Léa, pourquoi ne resteriez-vous pas un peu plus ? Il y a le feu d'artifice demain. Ça a l'air vraiment sympa.

Léa soupira.

— Je ne rêve que de cela ! Rien qu'à l'idée d'aller m'enterrer dans les montagnes de mes beaux-parents, j'ai le bourdon. Tu attends du monde, Sarah ?

— Une famille arrive demain soir, mais il y a de la place dans la maison pour vous.

Et voilà, deux jours de gagnés ! se dit Agatha quand son oncle accepta d'appeler ses parents.

Noëlle était plus alerte que tout le monde. À peine désaltérée, elle demanda à sa fille où elle rangeait ses outils de jardinage. Il y avait de la taille à faire et il fallait bien trouver une place à ce splendide camélia.

Sarah passa le reste de l'après-midi avec elle. Ses parents avaient différé eux aussi leur départ et repartiraient le lendemain matin, quand la chaleur serait un peu retombée. Sarah observa les gestes précis de sa mère et écouta ses conseils pour donner un peu de volume et de couleur à son jardin sans trop se compliquer la vie. Quelques vivaces ici, nepeta et achillées de part et d'autre de ce rosier... Tu n'oublieras pas de couper les fleurs fanées, une touche de buis ici peut-être, pour les mois d'hiver, et pourquoi pas un peu de lavande par là, et des cheveux d'ange le long du clos, avant le potager ?

— Y a-t-il quelque chose que tu ne sais pas faire, maman ? Noëlle rit.

— Ma fille... Je suis si bien avec vous tous ! Vous m'avez manqué !

— À d'autres, oui !

— J'aurais bien aimé t'aider un peu plus dans ton installation. Avec le travail de Daniel, cela n'a pas dû aller de soi pour toi, mais tu t'es bien débrouillée, comme toujours...

Elles avaient terminé et s'étaient installées sous le pommier. Devenu un véritable arbre à palabres ces derniers jours, il semblait appeler les confidences à lui.

— Merci, maman. Je suis heureuse de vous avoir là, moi aussi. Ce sont des moments rares, vraiment précieux.

— Et Daniel ?

— Quoi, Daniel ?

— J'ai l'impression que ça ne va pas fort...

— Il est très pris... L'idée de vivre séparés l'année prochaine nous perturbe un peu, mais rien de grave...

— Tu ne me le dirais pas, je te connais, ma Sarah. Mais tu as ta sœur. Vous ne changez pas, toutes les deux : des vraies gamines quand vous êtes ensemble !

— Dis donc, tu t'es bien regardée avec papa, toi ? On dirait que vous revenez de voyage de noces !

— C'est exactement cela. Nous avons commencé à vivre ensemble pour la deuxième fois de notre vie, après tout ! C'est différent, tu sais, quand on ne se quitte presque plus de la journée ! Nous avons passé les vingt premières années de notre vie à ne parler que de vous, à nous inquiéter, à consoler vos premiers chagrins d'amour, à vous encourager dans vos études, vous féliciter, à enrager en silence contre les quelques imbéciles qui ont croisé votre chemin et que vous nous rameniez à la maison ! Les vingt suivantes, nous avons réinvesti nos métiers. Chaque soir, Émilien me décrivait les antiquités qu'il restaurait, les meubles qu'on lui demandait de remettre au goût du jour, les fauteuils fatigués qui cachaient de vrais petits trésors sous un mauvais vernis... Et moi, tu penses bien que je ne lui épargnais rien ! Il m'écoutait lui dresser le portrait de toutes ces dames qui venaient se faire mesurer, les tissus invraisemblables qu'elles ramenaient, la patience dont je devais faire preuve pour les convaincre de ne pas choisir le modèle qu'elle avait vu dans un magazine, mais plutôt celui-ci, madame, plus cohérent avec votre silhouette... Nous riions ! Si tu savais, à en avoir mal au ventre parfois ! Et nous voilà maintenant, à nous construire nos conversations des vingt prochaines... Nos voyages, notre histoire, nos projets et, bien sûr, vous tous... Nous nous le disons chaque soir : nous avons une bien belle famille, et c'est ce dont nous sommes le plus fiers, c'est notre plus grand bonheur...

Sarah avait une boule dans la gorge et était incapable de sortir le moindre mot.

— Mais tu sais, Sarah, faire partie du plus grand bonheur de ses parents n'exclut pas de pouvoir leur confier son chagrin ou ses peines. Tu n'as rien à prouver à personne, et surtout pas à nous... Nous t'aimons, nous aimons ta famille, et il en sera toujours ainsi...

Comme elles étaient assises l'une à côté de l'autre, Noëlle mit un bras autour de sa fille. Sarah posa la tête sur son épaule.

— Une dernière chose : ne retiens pas tes larmes ainsi. Plus tu les gardes, plus elles feront mal...

Mais Sarah ne retenait plus rien du tout.

Ses joues étaient trempées.

6

Mercredi 14 juillet 2010

Natalia était dans la cuisine en train de faire un peu d'ordre. Cette résidence médicalisée avait beau faire partie du fleuron du genre dans toute l'Île-de-France, personne ne pourrait contraindre sa mère à se nourrir convenablement. Elle refusait les plateaux-repas et ne descendait plus jamais dans la salle commune. Elle avait choisi cet endroit pour l'indépendance qu'il lui permettrait de conserver et tenait à faire ses courses et ses repas elle-même. Mais la maladie avait gagné du terrain : sa mère ne pouvait plus sortir seule et elle se trouvait privée de cette liberté et de ce plaisir-là. Sa mémoire s'envolait par pans entiers ; depuis deux semaines, Natalia n'était même pas sûre d'être reconnue quand elle arrivait.

Elles n'avaient jamais été très proches, mais Natalia était toujours restée à proximité. Elle venait la voir au moins une fois par semaine.

Depuis quelque temps, elle se sentait mal à l'aise dans cet endroit. Malgré les meubles et les tableaux familiers, la solitude emplissait la pièce, et l'odeur aseptisée des couloirs évoquait de manière trop explicite celle d'un hôpital.

Elle apporta de belles assiettes de salades, garnies de tranches de jambon, de tomates et de fromage de chèvre frais. Elles mangèrent en silence jusqu'au dessert. Elle lui avait apporté des macarons.

Elles en dégustèrent chacune un, puis Natalia se lança. Elle avait tourné la question dans tous les sens ; la meilleure manière de la poser serait la franchise et la simplicité.

— Dis-moi, je me demandais, d'où vient ce collier que j'ai toujours porté ?

Elle l'avait apporté et le tenait dans sa paume.

— C'est notre collier. Il ne faut jamais l'enlever, tu te rappelles ?

— Mais d'où vient-il ? Et pourquoi ne faut-il pas l'enlever ?

— Il nous arriverait malheur. Nous avons promis... Regarde, je le porte bien à l'abri...

Sa mère sortit de sous son chemisier un pendentif en tous points semblable à celui que tenait Natalia. Elle n'y avait jamais prêté attention.

— Je ne comprends pas bien, maman...

— Ne parle pas de maman ! C'est entendu ?

Natalia comprit que la conversation n'irait pas plus loin. L'esprit de sa mère commençait à se déformer.

— C'est entendu. Nous n'en parlerons plus.

Elle fit une ultime tentative.

— Mais ce collier ? Sais-tu d'où il vient ?

— Elle nous l'a donné. Nous ne devons jamais nous en séparer et nous ne serons jamais séparées nous-mêmes.

Natalia n'insista pas. La prochaine fois peut-être. Elle rangea un peu et laissa sa mère se reposer.

Elle était allongée, presque endormie déjà. Quand Natalia l'embrassa, sa mère lui répondit comme dans un rêve :

— À bientôt, ma Delphine, à bientôt...

Ce n'était pas la première fois que ce prénom sortait de sa bouche. Jusqu'à présent, sa mère s'était toujours reprise, comme pour avaler un lapsus. Il faudrait lui poser la question ; cette personne semblait importante.

7

9 janvier 2005 – 13 heures

La nuit qui suivit sa visite à l'hôpital, Matthieu rêva de Lise avec plus de clairvoyance que jamais. Après avoir été privé plusieurs années de ces conversations nocturnes, et conscient désormais de l'étrange fil qui les reliait à la réalité, il se réveilla meurtri des marques douloureuses que lui avaient laissées les mots de Lise dans ce dernier songe.

— Toutes ces années à penser à toi n'auront pas été vaines. Entendre ta voix a apaisé les remords mordants qui me persécutaient depuis cette terrible journée où je t'ai quitté. Si mon corps n'a plus la force de me porter, mon âme au moins sera en paix...

Elle devait reprendre des forces. Leur histoire ne pouvait s'achever sur un lit d'hôpital. Ils avaient leur deuxième chance à portée de main. Il refusait d'entendre, de croire que Lise ait pu s'abandonner à se laisser mourir à l'aube de leurs retrouvailles.

Il regarda les minutes s'égrener jusqu'à l'heure des visites. N'y tenant plus, il arriva une heure avant et monta à l'étage, où il courut jusqu'à la chambre sans prêter attention aux infirmières qui l'appelaient en tentant de le retenir.

Il entra sans frapper et découvrit le spectacle qu'il avait redouté : un lit vide, des draps propres, une chambre débarrassée de toute affaire personnelle, ainsi que des bouquets qui entouraient le lit entre deux machines la veille.

Il resta planté la main sur la poignée de cette porte qu'il n'aurait jamais voulu ouvrir. Les infirmières l'avaient rattrapé et restaient sans un mot derrière lui.

La première s'approcha de lui et lui toucha l'épaule. Il se retourna, le visage défait, baigné de larmes.

— Monsieur...

— Puis-je la voir, madame ?...

— Je suis désolée...

Effondré, il repartit précipitamment sans rien ajouter. Il ne laissa pas le temps aux femmes de lui demander son identité, ni celui de lui expliquer que la patiente avait simplement changé de chambre à la demande de sa fille et qu'il pourrait la voir après s'être présenté à celle-ci. Elles auraient voulu lui dire aussi qu'elle s'était réveillée au petit matin et que depuis une petite heure elle n'était plus intubée.

À quelques mètres de là seulement, dans une chambre voisine, d'autres larmes coulaient. Les larmes de bonheur de la fille de Lise. Elle embrassait les mains de sa mère, lui caressait les cheveux, riait, pleurait...

Lise ne pouvait pas encore parler, mais elle brûlait de lui raconter son incroyable nuit : Gabriel était venu la voir – Gabriel ou Matthieu, peu importait son prénom –, il était venu hier... Il lui avait promis de revenir chaque jour...

8

Jeudi 15 juillet 2010 – Le Tilleul
9 heures

Quand elles arrivèrent, Prune se trouvait dans son jardin, un douillet tapis de verdure entouré d'un muret de briques rouges recouvert de rosiers de toutes variétés. Elle était en train de couper quelques belles tiges quand elle entendit Agatha et Sarah.

— Bonjour, Prune ! Je suis venue vous embrasser avant de retrouver Didier et la petite montagne de travail qui nous attend…

— Comme vous le voyez, je suis déjà en vacances en ce qui me concerne ! Comment vas-tu, Agatha ?

— Bien…

La jeune fille avait insisté pour accompagner sa mère au travail. Elle avait très envie de voir Prune avant qu'elle ne parte en vacances et avait convaincu Sarah de lui passer un coup de fil la veille. Les rideaux de la boutique seraient tirés pour un mois. Le couple s'offrait une longue fermeture annuelle et partait en Grèce la semaine suivante, leur premier voyage depuis dix ans.

Le travail ne manquerait pas à Sarah pour autant : outre le classement administratif de saison, elle aurait la délicate responsabilité de relancer quelques mauvais payeurs, relèverait le courrier et répondrait aux demandes de devis pour la rentrée. Elle enverrait de la documentation de-ci de-là et avait proposé de prospecter quelques lieux de la région pour mieux faire connaître la cuisine et le talent de Didier dans l'organisation de réceptions. Cette matinée serait celle des transmissions. Elle laissa sa fille et entra dans la maison.

Agatha restait plantée au milieu du jardin sans trop savoir par quel bout commencer et si elle devait attendre que Prune ait fini ce qu'elle était en train de faire. Elle avait beaucoup de choses à lui soumettre et essayait d'organiser ses idées.

Elle s'était fâchée avec son oncle la veille : après trois tentatives infructueuses pour joindre son père sur le portable, elle lui avait demandé devant l'assemblée le numéro de téléphone du collègue qui l'hébergeait.

Il avait affirmé ne pas avoir ce numéro sur lui.

Il ne se rappelait pas son nom de famille.

Et son adresse non plus.

Tout le monde avait ri de cette amnésie, la mettant sur le compte du poiré ou sur celui de la sénilité précoce qui le menaçait.

Son père avait envoyé un texto un peu plus tard : il travaillait tard et il rappellerait le lendemain.

Elle s'était arrangée pour se retrouver seule avec Paul et lui avait parlé ouvertement, sans détour.

— Nous sommes deux à savoir que papa n'est ni au travail ni chez cet ami mystérieux dont il a parlé.

Il l'avait dévisagée, apparemment troublé. Il lui avait répondu en baissant la tête.

— Je ne vois pas de quoi tu parles, Agatha.

— Je pense que si, bien au contraire. Ça se voit comme le nez au milieu de la figure ! Papa s'est trouvé une autre femme et tu lui sers de couverture !

Cette fois, il avait relevé la tête et la regardait droit dans les yeux. Il était écarlate.

— Je t'interdis de me parler sur ce ton !

Elle avait essayé de radoucir sa voix, mais la colère montait.

— Je ferais mieux de le dire à maman peut-être ? « Tiens,

au fait, papa s'est trouvé une poule, et tonton est dans le coup » ?

Il secoua la tête et parla le plus calmement qu'il put :

— Tu te fais des idées. Daniel travaille. Point.

— Je sais que ce n'est pas vrai, et je sais que tu le sais aussi. D'ailleurs, tu ne sais pas mentir.

— Cette conversation n'a aucun sens. Cela suffit.

Il était parti en la laissant en plan, encore plus seule.

Prune se retourna et lui fit signe de s'asseoir.

— Allons-y. Je sens qu'il y a comme une urgence, ma grande.

Agatha opina.

— Bien. Je vais nous chercher deux chocolats et je reviens.

Elle réapparut quelques minutes plus tard, s'assit à son tour et fit signe à Agatha qu'elle était prête à l'écouter.

Quand la jeune fille eut fini de parler, Prune ne répondit pas tout de suite. Elle resta silencieuse un bon moment, puis se leva et regagna la maison. Elle en ressortit avec un album photo dans les mains. Elle le posa sur la table et l'ouvrit à la première page en le tournant, de sorte qu'Agatha puisse le regarder.

Elle tourna délicatement les pages, comme si elle touchait un objet précieux. L'album contenait des photos de Didier et Prune plus jeunes, avec un bébé, puis un enfant qui grandissait au fur et à mesure qu'elle avançait. Les dernières photos montraient un jeune homme d'une vingtaine d'années qui tenait par la taille une très jolie jeune femme. Il y avait ensuite de nombreuses pages vides.

Elle le laissa ouvert sur l'une de celles-ci et leva les yeux sur Prune. Elle affichait sa bienveillance habituelle et se décida enfin à parler.

— Tu l'auras compris, il s'agit de notre fils... Il a trente-deux ans maintenant, il vit aux États-Unis... Il fait du théâtre et je crois qu'il a une petite notoriété... Nous ne l'avons pas vu depuis dix ans, et c'est entièrement ma faute.

Elle regarda les pages blanches, les tourna pour revenir sur la dernière photo et poursuivit :

— Tu vois cette jeune fille ? J'ai lu en elle comme tu as lu dans ton père l'autre jour. Je sentais de très désagréables choses en sa présence et je craignais qu'elle ne fasse du mal à notre garçon. Il en était éperdument amoureux... J'ai laissé de côté tous mes principes, j'ai fait voler les barrières de la raison et j'ai fouillé dans ses pensées... Elle n'en avait que faire de notre Nicolas ; elle méprisait même un peu sa gentillesse, elle le trouvait naïf et pas très intelligent... Elle passait le temps avec lui, mais s'échapperait à la première occasion... J'ai voulu le mettre en garde et il ne m'a toujours pas pardonnée d'avoir utilisé ce don sur elle. Nous en parlions très librement, à l'époque ; je ne l'ai jamais caché à Didier et nous n'en avions pas fait mystère à Nicolas. Ils savaient tous les deux que je ne contrôlais pas les sensations qui s'accrochaient à moi et il était entendu que je ne devais en aucun cas leur faire partager ce qu'elles m'apprenaient pour ne pas influencer leurs propres manières d'agir avec les gens. Quelque temps après, ils se sont séparés, mais le mal était fait. Il nous envoie des nouvelles de temps en temps, nous nous parlons au téléphone, mais, ce triste jour, j'ai perdu sa confiance. Ce que j'ai fait était inadmissible ; j'ai bravé tous les interdits... Nous n'avons pas le droit de déranger l'intimité des gens, même quand nous sommes munies des meilleures intentions. Tu ne dois plus jamais renouveler ce type d'intrusion, ma petite Agatha, c'est la règle du jeu. Laissons à chacun le droit de ne pas tout dire, de se dévoiler selon son bon vouloir. Pour le reste, je n'ai pas grand-chose à te dire. N'en veux pas à ton oncle ; il souffre déjà bien assez comme ça. Ce n'est pas à vous deux de révéler à Sarah ce qui se trame. D'ailleurs, elle le sait déjà...

— Comment cela ?

— Elle n'est pas prête à l'entendre, mais elle s'en doute. Elle serait plus curieuse et ferait preuve d'une méfiance plus ouverte si elle voulait être fixée. Elle pense à vous, à sa famille qu'elle veut préserver à tout prix, quitte à s'oublier elle-même. Le temps venu, elle ouvrira les yeux. Ce sont des histoires d'adultes, Agatha. C'est regrettable que tu y sois mêlée ; c'est un poids lourd à porter, j'en suis bien consciente.

— Je ne pourrai plus le voir faire semblant comme ça...

— Rien ne t'oblige à jouer la comédie devant lui, mais tu dois lui laisser la liberté de parler à Sarah de son propre chef. Ce serait catastrophique si elle l'apprenait de la bouche de quelqu'un d'autre.

Agatha était songeuse. Elle triait les informations que venait de lui donner Prune et anticipait les prochaines étapes qu'elle devrait affronter. Parler à son oncle, s'excuser, se préserver de l'histoire de ses parents et les laisser s'en sortir eux-mêmes... Elle allait devoir se consacrer à un projet prenant si elle ne voulait pas se laisser polluer par tout ce qui l'entourait. Elle pensait au fils lointain de Prune et Didier... Elle n'avait pas été surprise d'apprendre son existence et comprenait mieux pourquoi ils n'en parlaient jamais.

Prune estima que la conversation était finie. Elle dirigea son attention vers les différentes variétés de rosiers et se chargea de les lui présenter : la lumière dorée des Golden Shower, les douces Zéphirine Drouhin, sans épines, les Icebergs au parfum enivrant, la déclinaison du rose en deux teintes avec les Ballerinas et la grimpante Gloire de Dijon.

Elles coupèrent une fleur de chaque sorte et composèrent un véritable petit feu d'artifice pour Sarah.

9

Natalia avait pris sa décision. Elle n'avait que trop attendu et le temps pressait. Elle devait partir quelques jours en Italie pour une publicité de parfum dont elle était l'ambassadrice, mais, dès son retour, elle ramènerait sa mère chez elle. Elle lui en avait parlé à plusieurs reprises ces dernières semaines, et, si sa mère n'avait pas réagi avec un enthousiasme démesuré, elle n'avait à aucun moment laissé deviner une quelconque réticence. Natalia prendrait quelqu'un à domicile, si nécessaire, pour les quelques périodes où elle devrait s'absenter pour le travail. Sinon, elle disposait de suffisamment de temps et de liberté pour veiller sur sa mère. Elle voulait se donner les moyens de renouer une relation au quotidien avant qu'il ne soit trop tard.

Elle allait et venait dans la maison, faisait le tour des pièces et imaginait la réorganisation de l'ensemble. Elle devait aménager trois chambres supplémentaires : une pour sa mère, une pour Jules qui pourrait venir passer quelques jours pendant les vacances ou le week-end, et une dernière pour Jeff, s'il voulait l'accompagner et se poser quelques jours à Paris en toute tranquillité. Il avait d'ailleurs accueilli son souhait de voir Jules plus souvent avec un plaisir non feint.

Il y avait beaucoup de choses à faire, du tri, du rangement, le déménagement de sa chambre à l'étage. Elle céderait la pièce du rez-de-chaussée à sa mère pour lui éviter des montées d'escalier quotidiennes.

Devant l'ampleur de la tâche et l'ambition de ses projets, elle réalisa l'isolement dans lequel elle se trouvait et se demanda vers qui elle pourrait se tourner pour demander de l'aide. Elle pourrait bien sûr faire appel à des professionnels, mais cela ne collait pas avec le tableau ; elle voulait que cet endroit devienne un cocon confortable et chaleureux, dans lequel sa famille se sentirait à l'aise et se reconnaîtrait. Lucide, elle savait qu'il ne suffirait pas de mettre derrière elle le handicap relationnel avec lequel elle avait composé toutes ces années pour lever les obstacles qui se dressaient. Sa toute nouvelle facilité à aller vers les gens suscitait de l'incompréhension et de la méfiance ; il ne fallait pas précipiter les choses.

Elle regarda sa montre et vit qu'elle avait encore un peu de temps avant de partir pour l'aéroport. Elle appela Jeff pour lui demander conseil. Il proposa de venir avec Jules dès son retour de voyage et d'appeler au besoin quelques connaissances musclées. En raccrochant, elle souriait. Ils avaient décidé de divorcer quelques jours auparavant, mais ils n'avaient jamais été si proches l'un de l'autre. Une autre relation, basée sur une confiance et un respect réciproques, était en train de se construire entre eux. Elle savait qu'elle pouvait compter sur lui pour l'accompagner dans la véritable révolution qui s'opérait en elle.

10

Matthieu était assis au volant de sa voiture, garée depuis maintenant plus d'une heure à une centaine de mètres du clos des Reinettes. Il se trouvait à peu près à l'endroit de sa prochaine habitation ; les travaux allaient commencer au printemps. Il attendait que les locataires éteignent pour sortir et s'approcher de plus près. Il était venu faire ses adieux à Lise, se recueillir quelques instants auprès des pierres de la maison, à quelques mètres de leur pommier.

L'obscurité se fit enfin dans la longère. Il sortit de la voiture et traversa le verger. Ce terrain lui avait appartenu également ; il serait contraint de faire couper quelques arbres pour faire place aux fondations, mais il en conserverait la plus grande partie. Il avait la clé de la maisonnette dans sa poche, la location ne concernait pas ce bâtiment et il était libre d'y entrer comme bon lui semblait. Il devait malgré tout passer devant l'autre bâtisse et n'avait aucune envie de devoir expliquer la raison de sa présence. Il se fit le plus discret possible.

La porte grinça un peu, mais ne résista pas. La pièce sentait les pommes. Il constata que, malgré sa demande, la maison était utilisée. Elle servait de lieu de stockage pour des cagettes remplies des fruits du verger. Il appellerait l'agence dès le lendemain pour réitérer sa demande. Il ne voulait pas avoir affaire directement aux locataires.

Il se repéra à tâtons, trouva une chaise et s'installa près de l'âtre. S'il n'avait pas craint d'alerter les habitants, il aurait fait un feu de cheminée, mais il avait besoin de solitude et de tranquillité, et il ne courut pas ce risque. Il caressa la pierre, pensa à cet après-midi incroyable qu'il avait passé la veille aux côtés de Lise, à l'absurdité du destin qui les séparait de nouveau, définitivement cette fois, alors qu'une nouvelle vie était sur le point de commencer. Il ferma les yeux, laissa les souvenirs remonter, les éclats de rire, la tendresse et la passion qui les avaient ensorcelés. Ce lien surnaturel qui les avait maintenus ensemble malgré les années et les kilomètres pourrait-il tenir entre la vie et la mort ? Allait-il la revoir dans ses rêves comme un écho aux précédents ? Il repoussait de toutes ses forces le sommeil pour retarder le moment de vérité.

Il se réveilla à l'aube, engourdi par la nuit agitée qu'il venait de traverser, mais gorgé d'optimisme. Il ne pourrait plus la toucher ni l'entendre, mais son visage lui apparaîtrait encore et l'accompagnerait dans son deuil. Elle ne lui avait pas parlé, mais son sourire était si éclatant qu'il sut qu'il surmonterait cette épreuve. Ce n'était sans doute que son souvenir qui surgissait ainsi, les empreintes de sa mémoire qui s'imprimaient dans ses rêves, mais peu lui importait, pourvu qu'elle ne disparaisse pas tout à fait.

Il s'étira, jeta un dernier regard à la pièce et sortit avant que les habitants ne se réveillent.

Dans un an tout au plus, il reprendrait sa place, habiterait le long du chemin, à portée de vue du berceau de leur histoire, et se mettrait en quête de redonner une âme à ces murs en les cédant à de belles personnes.

II

10 janvier 2005 – 7 heures

Dans sa nouvelle chambre d'hôpital, Lise se réveillait elle aussi. Il n'était pas revenu la voir la veille, et pour cause : les infirmières étaient venues lui expliquer ainsi qu'à sa fille ce qui s'était passé. Quelques heures après qu'elle eut à nouveau ouvert les yeux, il s'était trouvé là, tout près, et sur un gigantesque quiproquo avait cru à sa mort. Elles n'avaient pas eu le temps de lui demander son nom, mais il ne pouvait s'agir que de lui. Il fallait vite le retrouver, réparer les dégâts, ne plus perdre une seconde. À défaut de pouvoir parler normalement (quelques jours seraient nécessaires), on l'avait prévenue. Elle couchait sur le papier les mots à l'intention de sa fille. Elle était encore très faible et devait fréquemment s'arrêter. Elle relut ce qu'elle avait déjà écrit.

Ma petite fille, mon soleil,
Je ne tiens plus en place depuis hier. Il me tarde de retrouver ma voix pour te parler et te confier les détails de l'histoire que je porte dans mon cœur depuis trente-cinq ans. Mon silence est en train de causer un immense chagrin à quelqu'un qui m'est très cher. Je m'en remets à toi pour dissoudre un terrible malentendu et me permettre, si tu le veux bien, de rattraper quelques années.

218

En 1969, ton père a eu un très grave accident, comme tu le sais. Philippe est resté dans un coma profond pendant près d'une année et demie. Au bout de quelques mois, j'ai traversé ce que l'on nomme aujourd'hui une dépression, profonde et destructrice. J'avais perdu le goût de la vie, toute force m'abandonnait, je ne pouvais concevoir l'avenir sans ressentir un terrible désespoir. La solitude était mon seul refuge, et, pour en profiter pleinement, je me suis recluse dans la maison que tes grands-parents avaient achetée il y a bien longtemps. Je ne voulais plus croiser personne, affronter les questions que l'on me posait à longueur de journée sur le coma de ton père, l'accident, ou sur mon propre état de santé. Je voulais être seule, absolument seule.

Elle chercha son stylo et poursuivit :

Je me suis laissée apprivoiser par ce petit coin de région, j'ai arpenté la Seine-Maritime du Havre à Rouen, je me suis plongée avec délice et réconfort dans les romans de Flaubert et de Maupassant, j'ai longé la côte d'Albâtre d'Étretat au Tréport, je me suis réconciliée peu à peu avec la vie, j'ai ressorti mes pinceaux et ma boîte à couleurs...
Une rencontre m'a tout à fait réveillée. Un jeune homme, plutôt timide et maladroit, qui s'est intéressé à mon existence sans la brusquer. Il s'est approché à pas de chat. Il s'appelait Matthieu. Matthieu Carpentier. Il habitait au bout du chemin, dans une maison plus petite encore que la mienne. Nous sommes allés l'un vers l'autre avec prudence, impressionnés tous deux par la force des sentiments qui nous submergeaient. J'ai lutté plusieurs mois entre l'élan qui me poussait vers lui et l'attachement fidèle et loyal qui me retenait à Philippe.
La vie a été plus forte. J'ai laissé s'exprimer la voix de mon cœur et j'ai feint d'ignorer la culpabilité qui

sommeillait en moi. Matthieu est devenu Gabriel, mon
ange Gabriel. Je me suis accrochée à ses ailes pour
m'échapper complètement des limbes de noirceur qui
m'avaient enveloppée, et j'ai passé l'année la plus
insouciante, la plus légère de ma vie.
Je l'ai quitté au mois de septembre 1970.
Le 8 septembre 1970.
Lâchement. Incapable d'aller au bout de la phrase qui
sonnerait la fin de notre incroyable aventure, je lui ai
laissé une lettre sibylline et légué mes pensées couchées
dans un carnet. Philippe était miraculeusement revenu
de son coma et je l'ai rejoint une semaine plus tard.
Je n'ai jamais cherché à contacter Gabriel ; j'ai
respecté son silence et nous ai préservés de retrou-
vailles impossibles.

Elle fit une nouvelle pause. Reprit son crayon et le reposa,
indécise face à ce qu'elle s'apprêtait à écrire.

Quelque temps plus tard, j'ai compris que j'étais
enceinte. Tu es arrivée plus tôt que prévu, au mois
de février de l'année suivante. Je n'ai jamais caché
la vérité à Philippe. Il a été un père éperdu d'amour
et d'admiration pour toi et nous n'avons jamais plus
évoqué cette époque.
Sa tolérance et sa bienveillance ont été à la hauteur
de la tendresse qui nous a toujours unis et je n'ai pas
regretté une seconde ma décision.
Et pourtant. Trente-cinq ans ont passé, et le souvenir de
Gabriel ne m'a jamais quittée. Je suis bien consciente
du poids de la vérité que je te dévoile aujourd'hui
et je respecterai ta décision. Sache néanmoins que
Gabriel est l'homme qui est venu me voir dimanche,
il est celui qui m'a ramenée à la vie une seconde fois
et, devant cette chambre vide, il est reparti convaincu
que j'étais morte. Je voudrais lui dire qu'il m'a au
contraire sauvée, que sa voix a atteint mon âme et que

mon souhait le plus fort serait de pouvoir le serrer dans mes bras à nouveau.

Ma petite fille, mon soleil, pardonne-moi ce si long silence, et sois certaine que ces révélations n'enlèvent rien à l'attachement sincère et entier qui m'a liée à Philippe toute notre vie durant.

Tu m'es précieuse au-delà de tout ce que tu peux imaginer. Pour cette raison, plus que pour me délivrer, je me devais de te dire tout cela.

Maman

12

Vendredi 16 juillet 2010
11 heures

Natalia avait rejoint la personne qui l'accompagnait jusqu'à Venise pour le tournage de la publicité. Elles patientaient toutes les deux dans la file d'enregistrement des bagages. La chargée de communication de la marque, qui n'en était pas à son premier voyage avec elle, était médusée devant les transformations de la comédienne. Elle signait des autographes de bon cœur, plaisantait avec les gens qui la reconnaissaient. Elle n'avait pas même pris la peine de porter ses habituelles lunettes noires. Si elle s'attardait ainsi sur chaque sollicitation, elles allaient finir par manquer leur vol.

Natalia venait de saluer un couple quand elle aperçut une figure familière à une vingtaine de mètres. Elle s'excusa auprès de sa compagne de voyage et l'assura qu'elle serait de retour dans une minute.

Elle était à mi-chemin de la distance qui la séparait de Daniel Delerre quand elle se ravisa brusquement. Le mari de Sarah n'était pas seul. Une femme l'accompagnait en lui tenant la main. Natalia tourna les talons, atterrée, et reprit sa place dans la queue sans rien dire.

13

Loin de cette scène, Sarah se débattait avec une sauce béchamel. La famille qui était arrivée l'avant-veille lui donnait du fil à retordre. Parents et enfants profitaient allègrement du confort de la table d'hôte, et tous dévoraient comme des ogres matin et soir. Ce soir, elle faisait des lasagnes, en quantité ! Si toutefois elle parvenait à rectifier la texture de cette fichue sauce qui, après avoir eu l'épaisseur d'une purée, virait maintenant à un liquide qui ne ressemblait à rien.

Ce n'était pas tant la férocité de leurs appétits qui la perturbait que la complexité de la composition des menus : trois enfants, dont un allergique à l'arachide, un autre qui ne buvait que du lait de chèvre au petit-déjeuner, et, pour couronner le tout, une maman végétarienne ! Bonjour le casse-tête ! Il aurait été plus simple de refuser un pareil défi, mais les parents avaient l'air tellement débordés qu'elle avait l'impression de les soulager considérablement en s'occupant au moins du versant culinaire de leurs vacances. Ils étaient par ailleurs charmants. C'était agréable de voir les lieux animés après le départ de sa sœur et de ses parents. Les filles s'étaient mêlées sans aucune appréhension à ces hôtes inconnus, et, passé les premières minutes d'observation réciproque au petit-déjeuner, chacun s'était habitué à cette sympathique proximité.

Elle regarda sa montre. Ils allaient bientôt rentrer et elle n'était pas prête du tout. Elle les ferait patienter avec un grignotage apéritif : tomates du jardin, celles-là mêmes que Léa avait plantées quelques mois plus tôt, juteuses à souhait, du pain grillé à l'ail et quelques tranches de saucisson feraient l'affaire.

Cela lui plaisait d'être si occupée, de ne pas avoir de temps mort. Elle rentrait du travail, déjeunait avec ses filles, rangeait un peu la maison, puis préparait le repas du soir pour la tablée et, si elle était dans les temps, elle allait se baigner avec Agatha et Noémie en fin d'après-midi.

En l'absence de Daniel et du semblant de guerre froide qui s'était joué entre eux ces dernières semaines, sa cadette s'était un peu apaisée et elle commençait à lever le pied sur les caprices et les scènes de colère. Elles avaient eu une grande conversation toutes les deux la veille. Sa fille criait à l'injustice à chaque contrariété et renvoyait au visage de Sarah le vide que lui causait l'absence de son père : « Papa, il me l'aurait donné, ce bonbon ! » « Si papa était là, il serait d'accord pour que j'en regarde encore, des dessins animés. » « Papa, il m'obligerait pas à finir mes haricots ! »

C'était sans fin.

Sarah avait remis les choses à leur place. Papa n'était certes pas là, mais il aurait agi exactement pareil. Il reviendrait dès que possible, les aimait beaucoup, et elles devaient beaucoup lui manquer…

Sur ce dernier point, elle avait dû particulièrement insister ; sa tâche était ardue. Elle manquait d'éléments tangibles pour étayer son argumentaire et construire sa défense…

Elle pestait intérieurement : ce serait plus facile s'il daignait passer un petit coup de fil tous les jours ! Au moins pour ses filles ! Débordé, fatigué, pas une minute à moi, d'accord, mais quelques instants pour dire bonne nuit le soir, c'est quand même pas surhumain comme effort !

— Qu'est-ce qu'on mange, m'man ?

— Agatha, te voilà ! Je croyais que tu avais disparu. Je ne t'ai pas vue de l'après-midi !

— J'étais sur MSN avec Jules. Il me demande si je veux bien aller passer quelques jours à Paris la semaine prochaine avec lui...

Sarah posa la cuillère en bois, versa sa soupe de béchamel sur les plaques de pâtes, recouvrit d'une couche de légumes et monta ainsi les étages jusqu'au bord du plat. Quand elle eut enfourné le tout, elle se retourna.

— Comment ça ?

— Natalia fait des travaux chez elle. Jeff va l'aider à déménager quelques meubles avec des amis. Apparemment, il y a plein de place, et je suis invitée quelques jours pour accompagner Jules... Si tu es d'accord, bien sûr...

— Si ton père et moi sommes d'accord, rectifia Sarah. Je ne sais pas trop, chérie. Je ne les connais pas si bien que cela et ce n'est habituellement pas comme ça que les choses se décident... Et puis, tu ne serais pas mieux ici, à profiter du jardin et de la mer ?

— On habite ici maintenant. J'aurai tout le temps... S'il te plaît ? Pour une fois que je rencontre quelqu'un d'intéressant et de vraiment gentil...

— Ça peut attendre demain, non ?

— Oui...

Elle bougonnait quand même un peu.

— Alors, qu'est-ce qu'on mange ?

— Tu commences à dépasser l'âge où l'on pose ce genre de question, ma fille... Tu pourrais essayer d'autres formules, avec un peu d'imagination... « Je peux t'aider à faire quelque chose, maman ? » ou bien « Et si je mettais la table pendant que tu rates les lasagnes ? »

— T'as raté les lasagnes ? J'y crois pas !

— Moi non plus, mais c'est la dure réalité... Verdict dans une heure.

Sarah se lava les mains et repoussa la mèche qui lui tombait sur les yeux.

— Mais ne change pas de sujet. Je te confirme que tu as mon autorisation pour mettre la table avec ta sœur. Où est-elle, au fait ?

— Elle boude.

— Encore ? Qu'est-ce qui s'est passé ?

— Elle faisait du scrapbooking avec mes BD. Je lui ai confisqué ses ciseaux.

— Bon, j'y vais.

Noémie était pleine de ressources. Sarah se dit qu'elle avait été bien optimiste de croire en un changement spectaculaire et en l'arrivée soudaine de l'âge de raison. Elle était dans la salle de bain, en train de peindre les carreaux blancs avec les vernis à ongles et les rouges à lèvres qu'elle avait trouvés dans les tiroirs.

Comme si elle avait attendu d'être démasquée, elle posa tranquillement ce qu'elle avait dans les mains et la regarda, sans ciller, découvrir cette nouvelle provocation.

— Tu crois que tu as le droit de peindre sur les murs, Noémie ?

La petite fille hocha la tête de gauche à droite sans quitter sa mère des yeux.

— Et de fouiller dans mes affaires sans me le demander ?

— Non.

— Tu aimerais que je prenne tes feutres et que je barbouille les murs de ta chambre ?

— Non.

— Alors, pourquoi fais-tu cela ?

La réponse se fit attendre, mais elle arriva dans une sorte de hoquet, au bord des larmes.

— Je ne sais pas.

— Viens là.

La petite se laissa prendre dans ses bras. Sarah lui glissa doucement à l'oreille :

— Tu vas te laver les mains, reboucher tout cela... Je vais chercher des éponges et tu vas m'aider à tout nettoyer.

Noémie s'agrippait littéralement au creux de sa mère et ne voulait pas la lâcher.

— Demain, je ne travaille pas. Nous ferons de la vraie peinture, sur du papier avec des pinceaux, d'accord ? À condition que cette pièce retrouve son état normal...

Noémie semblait d'accord. Le vernis n'avait pas encore tout à fait séché, et tout partit assez facilement.

Quand tout fut nettoyé, Sarah lui demanda :

— Tu n'as pas oublié de me dire quelque chose, Noémie ?

La petite fille fit un peu durer le suspense, puis finit par lâcher :

— Pardon.

Sarah n'attendait que cela.

— Pardonnée. Allez, viens... Agatha a dû nous couper de belles tranches de saucisson qui n'attendent que d'être croquées.

En regagnant la cuisine, Sarah s'étonna et se félicita du calme dont elle avait fait preuve en découvrant l'art pictural auquel s'était adonnée sa fille avec son vernis Chanel et ses rouges à lèvres Christian Dior, de jolis cadeaux qu'elle n'avait utilisés que dans de rares occasions...

Elle observa Agatha qui œuvrait pour sa cause. À l'attitude irréprochable dont elle s'était drapée, on devinait l'ouverture imminente des négociations sur le voyage à Paris. La table était mise, le plan de travail, nettoyé, et le pain, tranché...

— Tu veux quelque chose à boire, maman ?

— Moi, je veux bien du coca, répondit sa sœur à la place.

Agatha questionna sa mère des yeux et attendit son hochement de tête pour sortir la bouteille du frigo.

— S'il reste un fond de vin blanc au frais, je veux bien un petit verre...

Elles trinquèrent toutes les trois et allèrent s'installer dans le jardin en attendant les invités.

Sarah s'allongea sur le transat. Elle se sentait un peu fatiguée et aurait bien eu besoin de quelques jours pour elle, sans course à faire, ni repas à préparer, juste un ou deux bons livres, ses lunettes et du soleil... Il n'était pas raisonnable de fermer le gîte pendant l'été, mais, si personne ne se manifestait pour la dernière semaine de juillet, elle en serait soulagée. Noëlle et Émilien avaient proposé d'initier leurs petits-enfants au camping, et cela tombait justement pendant ses quelques jours de congé.

Cette fatigue n'avait rien à voir avec celle qu'elle ressentait habituellement avant l'été, après la traversée de plusieurs mois de stress et de tension au bureau et l'enchaînement de semaines au rythme effréné, hachées de week-end toujours très chargés. Elle ne manquait pas de sommeil et se sentait plutôt bien dans son corps et dans sa tête, mais elle avait besoin d'une pause. S'arrêter et prendre le temps de regarder sa nouvelle vie.

Trois mois qu'elle était installée, et elle n'avait quasiment rien vu de la région. La liste était longue des lieux qu'elle voulait découvrir : le musée Malraux du Havre, où Monet, Manet, Pissarro, Renoir, Braque ou Sisley parlaient de la région du siècle dernier avec poésie. Elle voulait s'enfoncer un peu dans les terres, pouvoir s'imprégner du pays et savoir en parler à ses visiteurs, explorer le pays de Bray, les vallées de Béthune, de l'Andelle et de l'Epte, parcourir la côte, humer la descente à Yport, partir à la recherche de la Veule, le plus petit fleuve de France, admirer les cressonnières, passer de « l'autre côté de l'eau », redécouvrir Honfleur, traverser à pied le pont de Normandie, s'offrir le GR 21 jusqu'au Tréport en longeant les falaises, noter les bonnes adresses, les petits restaurants à ne pas manquer... et pourquoi pas profiter d'un prochain voyage à Paris pour faire une halte à Giverny, dans la magie des jardins de Monet reconstruits cinquante ans après sa mort par le célèbre jardinier Gilbert Vahé ? Elle notait sur un carnet les projets qui s'amoncelaient...

Les quelques hôtes qu'elle avait accueillis lui avaient plus appris sur la région que ses livres, et, si les souvenirs de son enfance et de son adolescence étaient marqués de quelques images solidement ancrées, la chapelle nichée dans le plus vieux chêne du monde, à Allouville, par exemple, la plupart se situaient plus au sud, dans le Calvados, à Houlgate, ou chez les jumelles Trouville et Deauville...

Tout s'était bien passé jusqu'à présent, mais d'une manière un peu bousculée. Elle n'avait pas réalisé combien le temps serait compté en ouvrant le gîte si près de la haute saison. C'était peut-être la raison pour laquelle elle ne s'était pas suffisamment attardée sur les difficultés que son couple traversait. Sa tentative du début de la semaine pour démêler la situation et repartir sur de bonnes bases avait été un coup d'épée dans l'eau. Cela n'avait fait qu'entériner l'écartement croissant des chemins qu'étaient en train d'emprunter Daniel et elle...

Elle entendit la famille Huperot qui revenait de sa journée. Loin d'être assommés de fatigue, les trois garçons semblaient plus excités encore qu'au matin. Ils sortaient de la voiture en se chamaillant bruyamment. Le repas va être sportif, se dit-elle...

14

Virginie Ficher avait rendez-vous avec l'ami de son mari, le fameux Pierre, qui l'avait appelée la veille pour la voir en urgence avant le week-end et son départ en vacances. Elle patientait dans le vestibule de son bureau en vérifiant sa nouvelle coupe dans le reflet de la porte vitrée qui lui faisait face. Elle avait encore raccourci ses cheveux roux de quelques centimètres, les avait éclaircis de quelques mèches et était satisfaite du résultat. Elle avait pris soin de se maquiller, ses yeux verts n'en étaient que plus éclatants, rehaussés par cette veste d'une couleur presque similaire. Elle avait posé quelques touches de blush là où il fallait, pour gommer un peu le côté anguleux de son visage, et portait une tenue sobre, mais qu'elle jugeait élégante. Elle se préparait à entendre les remarques du directeur de la maison d'édition avec le plus grand calme.

Elle savait qu'elle devait ce traitement de faveur à l'amitié qui liait Benjamin à cet homme, mais elle ignorait encore la tournure que prendrait l'entretien. Soit il mettrait des gants pour lui signifier poliment un refus, l'encouragerait à poursuivre et la remercierait, soit il était intéressé. Il était fort peu probable qu'il ait lui-même lu le manuscrit, mais il avait dû faire en sorte qu'il soit parcouru en priorité malgré les kilos de propositions qui parvenaient chaque jour aux éditions du

Mimosa. Elle serait vite fixée. La porte s'ouvrit et elle le vit serrer la main à une femme qui passa devant elle sans même la regarder. Pierre vint à elle, sourire aux lèvres, et la fit entrer dans son bureau où il l'installa dans un fauteuil confortable, près d'une table basse où étaient posées les feuilles qu'elle avait tapées des semaines durant. Elle attendit qu'il commence.

— Je pensais rendre un service à Benjamin, mais c'est moi qui vais avoir une dette envers lui, il me semble.

Elle le regarda en levant les sourcils.

— Quatre personnes ont lu votre roman, et elles m'ont toutes convaincu de jeter un œil dessus.

Il marqua une pause, se servit un verre, en proposa un à Virginie qui accepta.

— J'ai beaucoup aimé. C'est très bon. Cela ne correspond pas tout à fait à la ligne éditoriale que nous suivons habituellement, mais, si vous nous le confiez, nous le prenons... Vous l'avez soumis à d'autres maisons ?

— Non. Je l'ai terminé il y a deux semaines. Je viens d'achever quelques corrections et je pensais attendre un peu, le temps de laisser reposer l'histoire avant de relire l'ensemble, mais Benjamin m'a incitée à vous le soumettre sans tarder.

— Il a bien fait. Si nous nous mettons d'accord, il pourra sortir pour la rentrée de janvier 2011. Nous n'avons pas de temps à perdre, mais il apportera une touche de douceur et de poésie à nos nouvelles parutions. On ne peut jamais tout à fait parier sur l'accueil de la critique, ni sur celui des lecteurs, mais cela peut faire un petit succès, croyez-en mon expérience.

— Je ne m'attendais pas à cela, mentit-elle.

— Vous avez une très belle plume. Vous n'auriez pas dû la garder pour vous si longtemps.

Quand elle sortit dans la rue, un air conquérant se lisait sur son visage. Elle passa devant une boutique et s'acheta une folie de sac à main pour fêter l'événement.

15

11 janvier 2005 – Saint-Étienne

Arrivé chez lui, Matthieu régla un certain nombre de choses. La boulangerie pouvait tourner sans lui désormais. Il s'entretiendrait avec son employé qui travaillait admirablement bien et en qui il avait toute confiance. Il lui demanderait de confirmer son souhait de reprendre la boutique et, si tel était le cas, il leur faciliterait à tous deux les choses en lui cédant le fonds et les murs. Il était encore un peu jeune, mais il avait le talent et l'énergie nécessaires. Pour l'argent, il lui laisserait un peu de temps.

Il téléphona ensuite à l'agence qui louait le clos des Reinettes, demanda à ce que la maison soit officiellement et rapidement mise en vente, rappela fermement la clause qui concernait les locataires actuels, qui ne devaient pas utiliser le bâtiment annexe, et pria son interlocuteur de trouver le moyen de décliner toute offre qui pourrait émaner de ces personnes.

Puis il appela son fils, qui était sur le point de s'installer en Angleterre, rassembla quelques affaires, se rendit dans une agence de voyages et partit quasiment sur-le-champ.

16

14 janvier 2005

La fille de Lise avait attendu trois jours pour partir à la recherche de Matthieu Carpentier.

Trois jours pour digérer les révélations que sa mère lui avait faites.

Trois jours pour laisser passer la tempête, l'incompréhension d'avoir été tenue à distance de sa propre histoire, mise à l'écart de ce secret de famille.

Trois jours pour se faire à l'idée d'avoir pour père biologique un inconnu qui avait fait tourner la tête et chavirer le cœur de sa mère alors que son père, le seul qui serait jamais pour elle, avait été entre la vie et la mort.

Trois jours pour être capable d'écouter Lise, qui recouvrait peu à peu la voix, lui raconter l'histoire plus en détail, l'apaiser et la consoler.

Il y avait des dizaines de Matthieu Carpentier en Normandie, mais aucun aux alentours immédiats de l'endroit que lui avait cité sa mère. Elle chercha à Saint-Étienne également. L'homme avait raconté y avoir séjourné de longues années, et elle crut enfin mettre la main sur lui en tombant sur une boulangerie qui portait son nom, mais l'homme venait de partir sans laisser d'adresse et n'avait pas de téléphone portable.

Elle se résolut à se rendre en Normandie, sur les traces du passé.

Elle arriva sur place et reconnut facilement la maison que Lise lui avait si justement dessinée, mais le nom sur la boîte aux lettres ne lui disait rien. Elle frappa malgré tout à la porte et se fit envoyer promener quand elle révéla le nom de l'homme qu'elle recherchait.

— On ne veut plus entendre parler de lui. Il vend la maison, mais nous ne sommes pas assez bien pour monsieur ! Renseignez-vous auprès de l'agence. Le numéro est sur la barrière !

Ce qu'elle fit.

Sans obtenir plus de succès.

Elle laissa son numéro de téléphone à l'homme qui décrocha et lui communiqua l'objet de son appel.

— Vous lui direz que c'est au sujet de Lise, Lise Petit. De la part de sa fille, Julie. Vous lui transmettrez le message quand il prendra contact avec vous, vous n'oublierez pas ?

— Vous pouvez compter sur moi.

Comptez sur moi pour ne rien en faire, oui ! Je viens de me faire passer le savon de ma vie à cause d'une vieille maison délabrée pour une histoire de pommes, je ne vais pas en plus lui servir de secrétaire.

Il roula en boule la feuille sur laquelle il avait griffonné et la jeta aussitôt à la corbeille.

17

Mardi 20 juillet 2010 – 10 heures

Natalia, songeuse, regardait par le hublot de l'appareil. Les quelques jours de travail ne s'étaient pas passés comme prévu, et elle s'interrogeait sur le brusque changement qui s'était opéré. Ils avaient fini par tourner les scènes, mais jamais elle n'avait dû fournir de tels efforts pour répondre aux attentes d'un metteur en scène. Son jeu sonnait faux, et pourtant les consignes et la commande n'étaient pas particulièrement complexes. Le scénario posait une femme seule, au visage triste, qui marchait le long de la Tamise. Elle traversait ensuite une foule anonyme et regagnait une chambre d'hôtel luxueuse. Son regard s'illuminait en apercevant l'homme qui l'attendait sur le perron du balcon.

Ses automatismes s'étaient envolés. Pour jouer la femme triste, elle avait dû puiser dans ses propres souvenirs et essayer de reproduire les émotions qu'elle était censée éprouver. Impossible de retrouver les mécanismes habituels. Ce mimétisme évident qu'elle maîtrisait avec une facilité déconcertante avait tout bonnement disparu.

Elle voyait bien que cela ne convenait pas.

— Plus naturelle, Natalia. Le trait moins fort, si vous pouvez. Relâchez les épaules, ne forcez pas le sourcil ainsi…

Elle avait eu l'impression d'être un pantin détraqué qui n'obéissait plus aux mains du marionnettiste. Pourtant, elle comprenait ce qu'on attendait d'elle, elle le visualisait même, mais n'arrivait pas à l'exprimer, le traduire dans ses postures ou ses expressions. Elle avait été pendant ce tournage une comédienne débutante, à laquelle on avait donné ses premiers cours… L'embarras avait été général, et l'incompréhension s'était lue sur tous les visages. Ils étaient restés un jour supplémentaire, mais rien ne pouvait garantir que le travail des brillants et talentueux professionnels recrutés pour l'occasion pourrait transformer sa piètre performance en quelque chose de satisfaisant… Elle sentait au fond d'elle-même qu'une page était en train de se tourner. Depuis que ses sens s'étaient éveillés, que ses perceptions s'étaient affûtées et que son regard sur les autres s'était ouvert, elle devait donner beaucoup plus que par le passé, interpréter les émotions et non plus plaquer sur son visage les expressions adéquates. C'était plus sincère intérieurement, mais très maladroit vu de l'extérieur.

Curieusement, elle ne s'en alarmait pas. C'était certes un peu ennuyeux, mais elle allait pouvoir se pencher sur ses véritables aspirations, trouver un autre sens à sa vie en s'investissant dans d'autres projets. Pourquoi ne pas passer derrière la caméra ? Elle avait une vision très claire du résultat attendu et des idées pour l'obtenir. Son accompagnatrice était bien silencieuse. Elle devait être gênée, très certainement, mais trop polie pour lui faire part de sa déception. Elle se tourna vers elle et, d'une voix presque chuchotée, lui glissa à l'oreille :

— Je suis désolée, vous savez. Ne vous sentez pas obligée de quoi que ce soit envers moi. Cela fait dix ans que vous m'honorez en me laissant représenter votre marque, et je comprendrais si vous vouliez changer… même avant la fin du contrat. Ma prestation du week-end ne mérite pas même d'être rémunérée ; alors, je respecterai votre décision sans discuter.

La femme la regarda. Elle avait une expression à la fois triste et grave.

— Nous n'en sommes pas là, Natalia. Nous verrons. Ce n'était peut-être qu'un mauvais moment…

— Je ne crois pas. Je n'ai jamais eu de « mauvais moment », comme vous dites, depuis toutes ces années… Nous verrons, vous avez raison, mais je ne pourrai pas revivre des journées pareilles de sitôt. Trop embarrassant…

18

Mardi 20 juillet 2010 – 15 heures

Sarah avait laissé trois messages à Daniel depuis deux jours et n'avait pas de nouvelles. Passé l'impatience et l'agacement, l'inquiétude la gagnait, à présent. Elle était devant l'écran et s'apprêtait à envoyer le mail qu'elle avait relu deux fois quand le téléphone sonna.

— Bonjour, Sarah, c'est Jeff !

— …

— Le père de Jules…

— Oui, pardon, je vous avais reconnu. Bonjour !

— Avez-vous eu mon message ?

Oui, pensait-elle, j'ai bien eu votre message. J'attends que mon mari se souvienne de mon existence et de ses responsabilités parentales avant de vous répondre ! J'ai très envie de faire plaisir à Agatha, mais j'ai peur de la laisser partir. Je n'ai pas envie que ma fille de douze ans traîne dans les rues de Paris pendant que vous bougerez des meubles et je me demande bien comment je vais faire avec Noémie quand j'irai travailler le matin. Je suis coincée. Je n'ai jamais, jamais pris de décision au sujet des filles sans demander l'avis de Daniel… Je suis perdue ! Je ne vous ai pas appelé parce que je ne sais pas décider sans lui !

— Oui, excusez-moi, j'ai tardé à vous répondre…

— Nous partons dans une heure. Si c'est d'accord, je passe prendre Agatha ? Ne vous inquiétez pas : je ne les lâcherai pas d'une semelle, je garderai toujours un œil sur eux… Et ce n'est que pour trois jours… Nous vous appellerons chaque soir !

— Vous êtes très convaincant.

— C'est vous qui voyez, mais je crois que cela leur ferait vraiment plaisir.

— C'est d'accord.

Les mots étaient sortis tout seuls.

— Parfait, à tout à l'heure alors.

— Oui. Je vais préparer quelques affaires.

Et voilà, se dit-elle. Trente secondes à peine pour laisser ma fille entre les mains d'un quasi-inconnu… Elle regrettait déjà sa décision et s'apprêtait à rappeler quand elle s'aperçut qu'Agatha était restée tout ce temps dans l'entrebâillement de la porte. Elle s'approcha de sa mère, l'embrassa et repartit en courant vers sa chambre.

— Merci, maman, je vais finir ma valise !

Jeff et son fils arrivèrent un peu plus tard. Peu encline à la coquetterie (Léa lui rappelait assez souvent que passé trente-cinq ans le naturel avait parfois besoin d'un petit coup de pouce), Sarah s'était surprise à se recoiffer et à se mettre un peu de couleur sur les joues avant de les accueillir. Elle s'apprêtait à enfiler une robe quand elle se ravisa. Qu'est-ce qui lui prenait ? Cet homme lui avait envoyé un camélia avec un compliment, et alors ? Était-ce une raison pour s'empresser de la sorte ? Elle était flattée, voilà tout. Un homme séduisant avait posé ses yeux sur elle, mais ce n'était pas une raison pour se laisser aller à de semblables minauderies… Elle reposa sa robe sur le cintre et sourit en secouant la tête. Elle était la première à clamer haut et fort que la vie de couple était un chemin semé d'embûches dont il fallait régulièrement entretenir les plates-bandes, qu'il ne fallait surtout pas baisser les bras au moindre obstacle, et elle avait été tout près de s'abandonner à une rêverie de débutante en mettant Daniel sur le côté au lieu de prendre les choses à bras-le-corps et de s'atteler à l'amélioration de la situation avec lui.

Ils ne restèrent pas longtemps. Ils avaient déjà pris un peu de retard et ne voulaient pas arriver trop tard. Elle glissa quand même, de manière un peu gauche, un remerciement tardif pour l'arbuste qui avait été livré la semaine précédente.

— Il est magnifique. Nous l'avons planté là-bas, vous voyez ?... Je suis désolée de ne pas vous avoir appelé plus tôt pour vous remercier. J'ai été un peu... débordée..., un peu gênée aussi pour tout vous dire...

— Je ne voulais pas vous mettre mal à l'aise.

Il jeta un œil sur les enfants, qui étaient suffisamment loin pour ne pas écouter leur conversation.

— Je vous trouve ravissante, drôle, et j'aime vous voir..., mais je n'attends rien en retour, n'ayez crainte. M'autorisez-vous malgré tout à vous dire que j'aime être en votre compagnie ?

— J'aimerais mieux que vous gardiez cela pour vous. Je suis très attachée à la tranquillité de ma vie de famille... et à la réciprocité de la confiance dans mon couple... J'ai l'impression de trahir un peu mon mari quand je vous laisse dire ce genre de chose...

— Je comprends et je respecte cela... Vous avez beaucoup de chance. Je suis même un peu envieux de votre sérénité !

Il n'y a vraiment pas de quoi, si vous saviez ! se disait Sarah. Il était temps que cette conversation prenne fin avant qu'elle ne commence à lui livrer des confidences qui ne le regardaient en rien.

— Vous auriez pu tout aussi bien laisser Jules chez nous pendant que vous allez à Paris. Cette idée m'est venue un peu tard, mais cela aurait peut-être été plus simple ?

— J'y avais pensé, mais Natalia a vraiment très envie de voir son fils. Elle n'a jamais autant exprimé ce désir. Ce changement me réjouit au plus haut point. Et je ne suis pas le seul...

Il montrait Jules de la tête.

— Mais cela n'exclut pas d'organiser autre chose plus tard ?

— Entendu... Bon, je ne vais pas vous retarder...

— Nous y allons. Je vous appelle quand nous sommes arrivés.

Quand ils furent partis, elle regagna le bureau, reprit le mail qu'elle avait laissé en suspens, corrigea le début et l'envoya.

Daniel,
Je viens à l'instant d'autoriser Agatha à passer quelques jours chez Natalia avec Jules et son père. Elle part tout à l'heure et reviendra samedi. J'emmènerai Noémie au bureau si nécessaire le matin, mais je travaille beaucoup à domicile pendant la fermeture et je devrai m'en sortir. Si tu as un moment pour voir ta fille, tu pourras joindre Jeff au numéro que je t'indique ci-dessous.
Les filles ne comprennent pas ton silence. Je ne sais plus quoi inventer et je suis moi-même un peu inquiète de ne pas avoir de nouvelles. Si tu as des problèmes, fais-le-moi savoir.
Viens-tu le week-end prochain ? Tu n'en as pas reparlé la dernière fois. Mes amies de Paris, Murielle et Nathalie, font un saut. Je ne sais pas si tu t'en souviens... Tiens-moi au courant.
Les filles vont bien.
Donne des nouvelles.

Sarah

Il ne se séparait jamais de son portable et elle savait qu'il consultait ses messages et ses mails régulièrement. Elle avait de bonnes raisons de s'inquiéter.

19

Daniel allait bien. Très bien même. Si ce n'était cette mauvaise conscience qui le piquait un peu à chaque signal de son portable l'informant d'un nouveau message de Sarah.

Il avait fait preuve de constance les premiers jours, puis avait retardé une première fois l'appel quotidien au lendemain, et il avait fait ainsi les jours suivants. Plus le temps passait, plus cela devenait difficile. Il se savait lâche, mais il préférait ce sentiment inconfortable à l'épreuve du mensonge. Ne fais rien aujourd'hui que tu pourrais faire plus tard devenait sa devise. Il consultait malgré tout ses messages pour s'assurer que rien de grave ne s'était produit, mais se demandait quelle serait sa réaction s'il en était autrement.

Il était libre de ses mouvements, sans obligation quotidienne, se sentait léger. Il lui semblait se retrouver après avoir enfoui ses envies et ses désirs les plus profonds des années durant. Il manquait peut-être un peu d'espace. Vivre avec Fanny était certes agréable et terriblement excitant, mais, s'il avait pu disposer de son propre appartement et la retrouver quand bon lui semblait, le tableau aurait été parfait.

Il avait pris le large lors du voyage à Rome, avait senti la terre ferme s'éloigner de jour en jour. L'amarre qui le fixait à sa famille était remontée, et il n'avait rien fait pour ralentir ce mouvement. Ce phénomène s'était déroulé sur quelques jours.

À la Piazza Navona, il s'était détourné de sa vie rythmée, organisée, bordée.

Il avait cessé de penser à Sarah dans le quartier du Trastevere.

En se promenant via dei Fori Imperiali, il avait commencé à imaginer une autre vie.

Au musée Maxxi, fraîchement inauguré, il avait pu satisfaire son goût pour l'art contemporain, s'adonner à une errance personnelle et faire le vide complet.

Moins sensible aux bâtiments historiques, il avait néanmoins fini par accepter de se laisser guider par Fanny dans la chapelle Sixtine et à la basilique Saint-Pierre. L'immensité des lieux lui avait ouvert de nouveaux horizons. Il pourrait bel et bien changer de cap ; rien n'était écrit, sa route n'était pas tracée et il avait le pouvoir de décider le chemin qu'il voulait désormais emprunter...

De retour à Paris, il savourait l'étendue des possibilités qui s'offraient à lui. Ce soir, ils allaient à un concert. Elle allait bientôt rentrer. Elle avait été contrainte de faire une entorse à ses congés pour une réunion importante à l'hôpital et il avait apprécié cette journée de solitude. Il lui avait acheté un petit cadeau, une petite montre discrète en argent. Il ne regardait pas trop à la dépense et devrait surveiller ses finances d'un peu plus près un de ces jours. Il finit de se changer et alla se servir un verre. Au même moment, la clé tourna dans la serrure.

— Hello !

— Hello ! Bonne journée ?

Fanny était de ces femmes qui se refont une beauté à longueur de journée. Cela continuait de l'étonner avec ravissement. Quel que soit le moment, elle était toujours impeccablement coiffée et maquillée. Ce soir encore, après une journée de travail et un trajet en métro dans la chaleur étouffante d'un mois de juillet à Paris, elle était parfaite.

— Assommante, chargée, un peu tendue aussi... Les

budgets, les congés formation de la rentrée, tu sais ce que c'est !

— Pas de problème pour la mienne, j'espère ? miaula-t-il en la serrant dans ses bras.

Elle lui murmura dans l'oreille :

— Ça, ça dépend de toi, tu le sais bien...

— Je n'aime pas trop quand tu plaisantes à ce sujet, beauté...

— Je te rassure, mon amour... L'autorisation d'absence est bel et bien signée, et le financement est acquis en ce qui te concerne... tant que tu me combles comme tu le fais depuis un mois...

— Je ne comprends pas très bien...

Il se dégagea, mal à l'aise.

— Une petite assurance pour m'éviter de croire que tu te sers de moi pour parvenir à tes fins... Rien de méchant !

— Fanny, nous nous étions mis d'accord pour ne pas mêler notre petite aventure aux histoires de l'hôpital, il me semble.

— Chéri... Ce n'est pas une petite aventure, tu le sais bien ! Et puis, c'est trop tard, tout le monde est au courant au travail !

— Comment ça ?

— C'est un secret de polichinelle, voyons !

Elle se servit un verre et l'embrassa dans le cou, puis sortit, drapée d'un air dégagé.

— Tiens, au fait, ta femme a appelé aujourd'hui !

— Quoi ?

— Apparemment, elle cherchait à te joindre. Elle a appelé à l'hôpital !

Elle revint dans la pièce en riant.

— Le plus drôle, c'est que c'est moi qui ai décroché, justement aujourd'hui, et cet appel en particulier. N'est-ce pas incroyable, le hasard ?

Daniel était blême ; il n'osait rien dire, suspendu qu'il était à ses lèvres. Elle feignit d'ignorer son supplice et s'absenta de nouveau. Il la suivit. Elle sirotait son verre sur le balcon et s'allumait une cigarette.

— J'ai dit que tu n'étais pas là.

Il écarquilla les yeux.

— Je n'allais pas mentir devant trois personnes, elles n'auraient pas compris. J'ai précisé que tu étais en congé jusqu'à la fin de la semaine.

— Je ne te crois pas. Tu n'as pas fait cela.

— Écoute, je trouve que tu prends un peu ton temps pour clarifier les choses avec elle. Je te donne une occasion de le faire. Prends-le comme un coup de pouce ! Je n'ai pas poussé l'honnêteté jusqu'à lui parler de moi. Je te laisse ce soin-là !

— Mais je n'ai jamais eu l'intention de clarifier quoi que ce soit ! Les choses sont déjà très claires, d'ailleurs ! Enfin, qu'est-ce qui t'a pris ? On se voit depuis trois semaines ! Tu n'as pas le droit de te mêler de ma vie de cette façon !

Elle se leva, imperméable à sa réaction.

— Ne t'emporte pas, mon amour… Demain, tu me remercieras. Je vais me changer, sinon nous serons en retard…

Il resta immobile sur le balcon, tendu, paralysé par ce qu'elle venait de lui dire. Elle venait de mettre sa vie entre ses mains ; elle l'avait acculé dos au mur en quelques mots… En dix secondes, son regard sur la situation avait fait volte-face. Il voyait maintenant tout ce qu'il était si près de perdre… Comment pourrait-il justifier ses deux semaines de congé auprès de Sarah ? Admettre qu'il était en vacances sans elle ni les filles revenait à reconnaître les dizaines de mensonges qu'il avait dû inventer et à pratiquement révéler sa petite escapade. La dernière phrase de Fanny lui avait fait l'effet d'une douche froide et l'avait soudainement rendu très lucide. Alors qu'il était si près de perdre la confiance de sa famille, il prit conscience qu'il n'avait jamais jusqu'à présent envisagé de vivre sans elle. Cette petite scène lui avait révélé ce qu'il n'avait pas soupçonné abriter en lui : il n'avait jamais imaginé vieillir loin de Sarah ; il voulait voir les enfants grandir à ses côtés, continuer de se nicher dans le nid douillet de son couple et la chaleur de son foyer... Il fallait trouver une solution pour se sortir de là. S'il ne pouvait concilier les deux, il lui faudrait mettre un terme à sa liaison avec Fanny.

Mais il ne serait peut-être pas contraint d'arriver à cette extrémité...

Dans l'immédiat, il devait appeler Sarah. Sans attendre. Ne surtout pas laisser son imagination fomenter quelque scénario s'approchant de près ou de loin de la réalité. Il pourrait encore s'en sortir à moindre coût, dire qu'il avait eu besoin de prendre du recul, creuser le sillon du bouleversement dans lequel ce déménagement l'avait plongé... Il pourrait partir dans l'instant, arriver par surprise un bouquet de roses dans une main et la montre qu'il destinait à Fanny dans l'autre. Il retournerait habiter chez Paul. Il n'avait pas encore déménagé toutes ses affaires ici. Il serait clair avec Fanny. C'était une femme intelligente, elle serait contrariée, mais ils pourraient continuer de se voir en limitant le risque d'être découverts. Il fallait simplement préserver les apparences, ne pas foncer tête baissée comme il l'avait fait ces derniers temps.

Elle réapparut dans une petite robe rouge, courte et très ajustée. Elle s'approcha de lui tout en détachant ses cheveux. Elle était parfumée discrètement... Cette femme lui faisait vraiment tourner la tête...

— Fanny ?

— Hum...

— Je dois appeler ma femme.

Elle se coulait contre lui.

— Pour lui dire quoi ?

— Je ne sais pas encore...

Elle fit un pas en arrière et se mit à rire en le regardant.

— Tu m'as crue !

— Comment ça ?

— Quand je t'ai dit que j'avais eu ta femme au téléphone !

— Tu ne lui as pas parlé ?

— Eh bien, non !

— Je ne comprends rien.

— Petite plaisanterie du soir pour voir ta réaction !

— Très convaincante.

— Je sais !

— Fanny, il va falloir qu'on parle.

— Parler de quoi ? On n'est pas bien, là, tous les deux, à profiter de Paris pendant l'été, à boire un verre sur la terrasse avant le concert ?

— Je te parle d'après.

— Après… Tu vas me laisser dormir quelques heures de plus que la nuit dernière, j'espère ?....

— Je ne plaisante pas. Il faut que je sois plus prudent à l'avenir. Sarah aurait très bien pu appeler cet après-midi.

— Arrête de parler d'elle tout le temps ! Elle t'a eu pendant plus de quinze ans à elle toute seule ! Et, apparemment, tu as eu ton compte ; alors, laisse-la tranquille dans sa campagne et embrasse-moi !

Il resta de marbre.

— Je ne vais pas la quitter.

— Ça suffit, maintenant. On y va.

— Je vais y aller ce week-end.

— C'est notre dernier week-end de vacances. Tu ne peux pas faire ça, nous avions prévu plein de choses !

— Nous en aurons beaucoup d'autres… Je fais le mort depuis trois jours. Il faut que j'y aille.

Elle ignora sa phrase.

— Je suis prête, je t'attends.

Il n'écouta rien du concert. Il passa la soirée à échafauder le scénario le plus plausible qu'il allait devoir ficeler d'ici à la fin de la semaine pour aménager ses deux nouvelles vies ; il devait ménager l'impatience et la fougue de Fanny et éteindre, chez Sarah, toute inquiétude avant qu'elle ne s'embrase. Le soir même, il lui enverrait un mail sans la prévenir qu'il viendrait samedi. Le plus dur serait de négocier son retour chez Paul et sa belle-sœur. Ils poseraient des questions, son ami ne manquerait pas l'occasion de lui refaire la morale, et Fanny allait piquer une crise. La poursuite de leur aventure était au prix de quelques concessions, elle serait obligée de l'admettre.

Il le lui dirait plus tard.

Son ambivalence de ces derniers jours le mettait mal à l'aise. Elle était insaisissable, changeant de registre d'une seconde à une autre. Il devrait être sur ses gardes à l'avenir ; il devinait qu'elle pouvait être dangereuse pour parvenir à ses fins.

Il passa les deux heures du concert à écrire mentalement le mail qu'il enverrait à Sarah le soir même.

Sarah, mon amour,
Je suis impardonnable de t'avoir causé de l'inquiétude.
Je traverse un grand moment de remise en question et je ressens le besoin de m'isoler. Au milieu de ce brouillard et de cette perturbation, je me raccroche à toi, aux filles, à la famille que nous formons et dont je suis très fier. Je sais à quel point tu me connais. Je ne doute pas que tu respecteras mon silence et ce besoin de solitude. J'ignore d'où vient ce mal-être. Je m'efforce de le surmonter du mieux que je le peux.
Dis aux filles que je les aime.
J'essaierai d'appeler Agatha, mais je ne suis pas sûr de trouver le temps et l'énergie d'aller à sa rencontre en ce moment.
Encore une fois, pardonne-moi.
Je t'aime.

Daniel

20

Natalia ressentait une toute nouvelle excitation liée à l'impatience de réunir des êtres chers. Elle jeta un coup d'œil sur le siège passager et vit que sa mère s'était endormie. Elle la ramenait pour une première nuit chez elle ; elle voulait entendre ses préférences sur l'aménagement de son nouveau foyer, les couleurs de ses murs, le mobilier adéquat... Elles dresseraient ensemble l'inventaire des commodités indispensables pour assurer son confort et la mettre à l'aise.

Sa mère semblait soulagée de quitter la maison de retraite. Elle n'avait pas réussi à établir de véritable lien au fil des trois années passées là-bas. Cet après-midi avait été de ceux où elles avaient pu converser de manière suivie et cohérente. Ce que Natalia avait entendu l'avait rendue heureuse. Sa mère craignait d'envahir son espace, de l'empêcher de vivre sa vie librement. Natalia l'avait rassurée à ce sujet et lui avait garanti leurs indépendances respectives à l'intérieur de la maison. Elle n'avait pas attendu de réaction enthousiaste, mais l'absence totale de remarque (et surtout ce petit sourire en coin qu'elle avait aperçu à plusieurs reprises) lui confirmait que cette proposition réjouissait sa mère. Ce n'était pas dans sa nature de s'abandonner à quelque épanchement que ce soit, mais, si elle avait eu des objections, elle se serait empressée de les faire connaître.

Elles prendraient le temps. Natalia avait prévenu la directrice de la maison de retraite, mais la décision ne prendrait définitivement effet que dans quelques semaines. D'ici là, elle organiserait des séjours de plus en plus longs, jusqu'à la fin de l'été où elles habiteraient cette fois complètement ensemble.

Elle avait également trouvé une aide à domicile qui pourrait se rendre disponible quelques jours de temps à autre si, pour une raison ou une autre, elle était amenée à s'absenter sans pouvoir emmener sa mère. Elle était lucide : la maladie était là, les pertes de mémoire, impressionnantes, et elle devrait se rendre entièrement disponible pour veiller sur elle. Elle allait mettre de côté sa vie professionnelle quelque temps. Au vu de sa récente expérience, elle serait de toute façon dans l'incapacité d'accepter aucun rôle pour les temps à venir.

Ce soir, Jeff et Jules seraient là. Ils étaient sur la route avec Agatha et elle était ravie d'avoir la jeune fille pour invitée. Dommage que Sarah n'ait pas pu venir, se dit-elle.

Elle se gara et réveilla doucement sa mère. Alors qu'elle déchargeait ses quelques affaires, elle entendit un bruit de pas et releva la tête pour voir arriver Jules, suivi de près par Agatha. Elle posa le sac qu'elle tenait et tendit les bras.

— Maman !

— Jules ! Comme je suis contente de vous voir ! Bonjour, Agatha. Je suis très heureuse que tu te sois jointe à l'expédition ! Nous allons passer quelques jours formidables, j'en suis certaine !

Elle attendit que Jeff parvienne jusqu'à eux pour les mettre en garde.

— Mamie vient juste de se réveiller... Elle est un peu désorientée. Ne t'inquiète pas, Jules, si elle ne te reconnaît pas tout de suite. Cela arrive parfois, entendu ?

La mère de Natalia, Eugénie, ne bougeait pas de son siège. Elle lançait des regards apeurés à travers la vitre et se cramponnait à son sac. Natalia s'approcha de son côté de la voiture et ouvrit précautionneusement la portière.

— Maman, nous sommes arrivées à la maison. Jules est là, avec Jeff. Tu te souviens d'eux ?

Eugénie restait immobile, fronçant les sourcils à l'adresse de sa fille.

— Où m'avez-vous emmenée ?

— Je te l'ai dit tout à l'heure : c'est ici que j'habite. Nous allons passer une petite soirée en famille et préparer la maison pour que tu puisses venir habiter avec moi... Allez, viens.

La vieille dame se laissa faire et sortit du véhicule. Ses yeux balayaient la rue et les têtes inconnues qui l'entouraient, sans se fixer sur aucune d'entre elles. Quand ils se posèrent sur Agatha, son regard s'illumina subitement. Elle se dirigea d'un pas décidé vers elle, arborant un grand et franc sourire.

Agatha se retint de partir en courant se cacher derrière les jupes de Natalia. Elle se laissa docilement prendre par l'étreinte de la vieille dame sans rien dire. Jeff l'avait prévenue de l'instabilité de la grand-mère qui rentrait de plus en plus fréquemment dans les zones perturbées de la maladie d'Alzheimer.

— Que je suis heureuse de te voir, ma Delphine ! Comme tu es bien habillée ! Et tes cheveux ! Comme ils sont longs maintenant !

Elle ne desserrait pas les bras et appuyait sa tête contre le cœur d'Agatha, laquelle regardait par-dessus son épaule en appelant discrètement à la rescousse.

— Maman, ce n'est pas Delphine. C'est Agatha, une amie de Jules... Je crois que tu la serres un peu fort. Tu ne veux pas te relever un instant ?

Obéissante, Eugénie relâcha la jeune fille sans pour autant détacher son regard. Elle était comme fascinée par Agatha.

Natalia prit la main de la jeune fille et s'excusa.

— Je suis désolée, je ne l'ai jamais vue dans un pareil état. Le voyage a dû la perturber plus que ce que je m'imaginais. Se réveiller dans un quartier inconnu doit également la désta- biliser. Je ne connais personne qui s'appelle Delphine dans son entourage, mais ce prénom revient souvent lorsqu'elle s'échappe de la sorte. Tu n'as pas eu peur ?

— J'ai été surprise, mais ses intentions étaient bonnes. Je ne me suis pas sentie menacée. Elle avait l'air tellement heureuse...

Le début de soirée se déroula sans autre incident de ce genre. Ils dînèrent sur la terrasse, profitant de la lumière de fin de journée qui avait chauffé les dalles claires tout l'après-midi.

La grand-mère semblait avoir retrouvé son calme. Elle échangeait quelques mots avec Jeff qu'elle semblait reconnaître. En tout cas, elle l'avait parfaitement identifié comme étant le père de Jules. Elle passa le repas à envoyer des signes de connivence, clins d'œil et sourire en coin à Agatha qui ne s'en formalisa pas. Ce manège perturbait plus Natalia, qui s'inquiétait de la tournure que prenaient les choses.

Peu avant le coucher, Eugénie appela Agatha discrètement et lui demanda de la rejoindre dans la pièce où elle dormait. Elle se retourna et, ne voyant personne derrière elle à qui elle pourrait demander un avis sur cette curieuse invitation, elle décida de la suivre.

Elle était assise sur son lit, son sac à main posé sur les genoux. Eugénie lui fit signe de s'asseoir à côté d'elle et, quand Agatha fut installée, ouvrit doucement son sac comme s'il recelait un trésor.

— Je les garde toujours sur moi, tu sais. Tu veux les voir ?

Impressionnée par la solennité qui se dégageait de sa voix, Agatha ne dit mot.

Eugénie posa sur ses jambes menues une épaisse enveloppe et l'invita à l'ouvrir. Sans réfléchir, elle fit ce qui lui était demandé. L'enveloppe était jaunie par le temps et semblait avoir été manipulée de nombreuses fois. Elle enfermait une dizaine de photos, tantôt en couleurs, tantôt en noir et blanc. Elle les parcourut assez rapidement, ne sachant quelle réaction adopter, et s'arrêta brusquement à l'avant-dernière. Deux jeunes femmes se tenaient debout l'une à côté de l'autre et lui ressemblaient étrangement : longue chevelure

brune ondulée, yeux noirs et perçants, silhouette longiligne…
C'était presque son portrait. Elles étaient habillées de manière
identique et il était difficile de les distinguer. Elle approcha
l'image de ses yeux pour vérifier l'intuition qu'elle avait,
puis elle se tourna vers Eugénie.

— Vous portez le même collier que sur cette photo. C'est
vous, n'est-ce pas ?

— C'est nous, oui, nous avions quinze ans. Et regarde la
dernière, comme nous étions belles à dix-huit ans...

Les deux mêmes personnes, arborant toujours ce pendentif, semblable en tous points à celui que Natalia portait lors
de leur première rencontre. Les expressions avaient changé ;
elles étaient plus sombres et ne souriaient pas. Le contraste
était saisissant. Mais, le plus étonnant, c'est qu'au milieu de
ces toutes jeunes femmes reposait un berceau où dormait un
nouveau-né.

Elle scruta longuement cette dernière photo. Eugénie
s'était murée dans le silence. Agatha remit l'ensemble dans
l'enveloppe et sentit qu'il restait quelque chose à l'intérieur.
Elle sortit les feuilles de papier qui étaient dans le même état
que l'enveloppe les abritant et les ouvrit délicatement. Il y
avait là un acte de naissance, un acte de décès, un certificat d'adoption et une lettre manuscrite. Tous ces documents
étaient datés de la même année : 1960.

L'enfant né et adopté cette année-là était Natalia. Sa mère,
décédée un mois après sa naissance, s'appelait Delphine, et
Eugénie, sa sœur, avait signé le certificat d'adoption.

Ses mains tremblaient. Comme pour oublier ce qu'elle
venait de lire, elle remit l'ensemble dans l'enveloppe.
Dans sa précipitation, elle manqua de la déchirer et dut s'y
reprendre à plusieurs reprises. Elle ne jeta pas même un œil
sur la lettre qu'elle avait aperçue, ne voulant pas s'introduire
plus avant dans l'intimité de ce secret qu'elle regrettait déjà
d'avoir découvert.

Elle reposa l'enveloppe, beaucoup plus lourde depuis
qu'elle avait pris connaissance de son contenu. Elle voulait
éviter d'être plus longtemps en contact avec elle. Elle regarda

la vieille femme, dont les pensées semblaient très lointaines. Elle paraissait ne plus avoir conscience de sa présence. Agatha lui caressa la joue, lui souhaita une bonne nuit et murmura comme pour elle-même. Il faudrait en parler à Natalia…

Elle retrouva le reste de la famille dans le salon et ne s'éternisa pas. Elle aviserait après la nuit de ce qu'elle ferait des révélations du soir.

Jeff lui proposa d'appeler sa mère, mais elle déclina, invoquant une profonde fatigue, et elle le chargea de lui dire qu'elle allait bien et qu'elle l'appellerait le lendemain.

Il prit son téléphone pour respecter la promesse qu'il avait faite dans l'après-midi à Sarah, parla une minute avec elle, lui raconta le voyage et lui transmit le message d'Agatha. Quand il raccrocha, il nota le visage sombre de Natalia.

— Il y a un problème avec Sarah ? s'enquit-il.

— Avec Sarah, non, aucun. J'aurais beaucoup aimé qu'elle soit là avec nous ce soir…

Elle le regarda en souriant.

— Et toi aussi… Je me trompe ?

Il ne démentit pas, haussa simplement un peu les épaules.

— Je ne sais pas quoi faire. Ce ne sont pas mes affaires, je le sais bien, mais j'ai croisé son mari, Daniel, à l'aéroport en partant à Rome, vendredi…

Jeff la regardait sans rien dire, attendant qu'elle poursuive.

— Il était accompagné, et la manière qu'il avait de tenir cette femme par la main ne laissait aucun doute sur la nature de leur relation, crois-moi...

— Tu vas le dire à Sarah ?

— Je ne sais pas… J'en ai très envie, mais rien ne m'y autorise. Elle est peut-être au courant, d'ailleurs…

— Ça m'étonnerait beaucoup : elle semble vouer un véritable sacerdoce à son mariage…

Natalia retrouva enfin son sourire.

— Tu n'es pas objectif. Je ne peux pas en discuter avec toi !

— Tu as l'œil sur tout depuis quelque temps !

Il changea de ton et ajouta ensuite, plus sérieusement :

— Tu vas t'en sortir avec ta mère ? Son état a l'air de s'être considérablement dégradé depuis la dernière fois…

Elle attendit quelques instants avant de répondre.

— Ça va être compliqué, mais beaucoup moins que de la savoir seule dans cette maison, sans personne à qui parler, emprisonnée dans une chambre depuis qu'elle n'est plus autorisée à sortir seule… Je préfère me faire aider par quelqu'un à domicile de temps en temps plutôt que d'aller la voir deux fois par semaine…

— C'est très généreux de ta part.

— Je ne crois pas. J'ai surtout été très égoïste tout ce temps… Peu de gens peuvent se permettre d'accompagner leurs parents quand la maladie s'en mêle… Je suis privilégiée : j'ai du temps et de l'argent. Je sais bien que je ne pourrai jamais rattraper le retard accumulé pendant des années, mais je veux qu'elle sente qu'elle peut compter sur moi.

Elle but une gorgée de tisane et continua :

— Elle a été très perturbée aujourd'hui. Demain, elle sera en meilleure forme… Je vais essayer de parler un peu avec elle, seule à seule… Son attitude avec Agatha m'a beaucoup troublée, et puis cette Delphine qui revient sans cesse… Elle conserve des choses qu'elle n'a jamais voulu me confier, et pourtant je sens que cela pourrait la libérer…

Il y eut un silence qui s'éternisa, puis finalement Jeff se leva et l'embrassa sur le front.

— Préserve-toi quand même... Bonne nuit.

Elle resta seule quelques minutes encore, puis alla se coucher à son tour.

21

Mars 2005

Q uand elle fut remise, Lise demanda à sa fille de la
conduire au Tilleul. Elle ne comprenait pas le silence
de Matthieu depuis les messages qu'elles avaient tour à tour
laissés à l'agent immobilier. Lors du dernier appel, il leur avait
appris qu'il avait été dessaisi de la vente du clos des Reinettes
et qu'il ignorait qui en avait désormais la charge. Devant
son obstination et le peu de bonne foi dont il semblait faire
preuve, elle voulait se rendre sur place et essayer d'éclaircir
ce mystère par elle-même.

Elle eut quelque peine à reconnaître les lieux en arrivant.
Des maisons avaient été construites de part et d'autre de la
rue d'Antifer, avant le chemin inaccessible aux voitures qui
descendait sur la valleuse. En tournant à gauche, sur l'allée
qui menait à son ancienne maison, elle constata que l'endroit avait été préservé. Seule une partie du verger avait été
rasée, et une construction était en train de prendre forme à cet
emplacement. Elle demanda à Julie de continuer un peu sur la
petite route pour revoir la maison où Matthieu avait habité à
l'époque. Un champ avait remplacé sa petite masure ; il n'y
avait plus trace du passé à cet endroit.

Julie fit demi-tour et alla se garer à l'entrée du clos.
Lise s'émerveilla des transformations dont avait bénéficié
son ancienne grange ; c'était désormais une magnifique
longère aux poutres apparentes. La charpente initiale avait

été conservée, et une maison avait été construite tout autour. Son ancienne demeure semblait avoir été épargnée par le temps également, mais pour l'atteindre il fallait écarter les hautes herbes qui avaient envahi le jardin tout entier. L'entrée était solidement cadenassée, les volets étaient fermés, et elles ne purent pas même jeter un œil à l'intérieur. Au milieu des broussailles, le pommier de sa jeunesse trônait. Il avait pris un peu de hauteur et d'épaisseur, et il illuminait le clos de sa floraison printanière. Elles firent le tour des bâtiments sans savoir ce qu'elles cherchaient exactement. Il n'y avait nulle trace d'un récent passage, et aucun panneau n'indiquait que l'endroit fût à vendre. L'après-midi fila à l'ombre des vieilles pierres. Lise décrivit à sa fille les émotions que l'endroit réveillait en elle, elle lui parla des excursions qui lui avaient permis de découvrir avec ravissement la région à l'époque, puis elle se tut, attristée de voir que la recherche de Matthieu s'achevait dans une voie sans issue.

En remontant vers la ville, elles frappèrent à quelques portes pour ne rien laisser au hasard, mais personne n'avait entendu parler d'un Matthieu Carpentier.

Le destin s'acharnait à leur jouer de mauvais tours.

Matthieu avait retardé d'un jour son départ de l'Angleterre et s'apprêtait à gagner la Normandie. Il avait rendez-vous avec le maître d'œuvre de sa nouvelle maison le lendemain du jour où Lise et sa fille étaient passées. Il avait suspendu la vente du clos des Reinettes ; il habiterait la longère le temps des travaux. S'il n'avait pas été retardé par une fièvre passagère, il serait arrivé à temps pour les croiser.

22

Jeudi 21 juillet 2010

Sarah dansait en pyjama au son de la radio. Elle posa sa tasse de café pour être libre de ses mouvements... Au détour d'une contorsion presque acrobatique, elle passa devant le miroir du salon ; ses cheveux étaient ébouriffés, sa petite mèche se dressait en épi comme chaque matin et lui donnait l'air d'une chouette huppée. Son pyjama était bien trop grand et son regard n'était pas encore tout à fait alerte, mais sa bonne humeur était inattaquable... Elle fit un clin d'œil à son reflet et se déhancha de plus belle. Rien ne pourrait ternir cette belle journée ; elle avait reçu un message de Daniel la veille au soir... Elle s'était monté la tête pour rien depuis quelques jours et elle avait presque réussi à se convaincre qu'il avait rencontré quelqu'un ! Sa légèreté n'était peut-être pas très charitable, car il avait l'air de traverser une très mauvaise passe, mais, au moins, elle ne se sentait plus mise au rebut. Elle conservait toute sa place à ses côtés et il n'avait pas l'intention de la quitter. Elle leva la jambe un peu trop haut et fit voler son chausson gauche. Elle déchaussa le deuxième et continua pieds nus.

Elle tourna sur elle-même. Murielle et Natalie arrivaient samedi et elle s'en réjouissait...

Elle sauta pieds joints. Elle avait reçu une carte londonienne de Matthieu et une longue lettre de Prune qui lui décrivait en détail ses vacances avec Didier...

Elle se plaisait ici. Ses nouveaux amis étaient d'une gentillesse presque surnaturelle et, pour couronner le tout, les Anglais qui habitaient le gîte depuis quelques jours ne tarissaient pas d'éloges sur les lieux. Tout était *marvellous*, *delicious*, *gorgeous*, *cosy and sweet* !

Elle mit plusieurs secondes à s'apercevoir de la présence de Noémie. Nounours dans les bras, sa fille la regardait, un peu abasourdie, se déchaîner en pyjama au beau milieu de la cuisine.

En se sentant observée de la sorte, elle se demanda si d'autres mères partageaient parfois cette sensation d'être incomprises à ce point par leurs enfants...

— Tu m'as réveillée, maman !

— Bonjour, ma puce, moi aussi je suis contente de te voir, et j'ai très bien dormi, je te remercie !

Noémie s'avança et, toujours un peu groggy, se laissa serrer dans les bras de Sarah.

— Tu transpires, maman, dis donc !

Sarah l'embrassa et partit à la recherche de ses chaussons.

— C'est un plaisir, mademoiselle... Bon, je te laisse émerger tranquillement. Je vais prendre une douche. Tu n'as pas oublié que je t'emmène au travail ce matin ?

— Je ne peux pas rester avec les Anglais ? Ils sont trop drôles !

— Pour l'instant, ils dorment, chérie. Et puis, il aurait fallu qu'on en parle hier... Nous n'en aurons pas pour longtemps, je te promets.

Elle montait l'escalier quand elle entendit sa fille la rappeler.

— Oui, ma puce ?

— Maman, tu danses trop bien...

— Tu sais que je t'aime, toi ?

23

À Paris, c'était l'heure du petit-déjeuner également. Natalia proposait aux enfants les sorties des deux prochains jours : cinéma en plein air au parc de la Villette et jeux nautiques sur le canal de l'Ourcq à l'occasion de Paris Plage.

Jeff les accompagnerait dans le quartier dans la matinée pour quelques achats. Ils avaient envie de se lancer dans un projet de bande dessinée. Jules se mettrait au dessin, et Agatha écrirait l'histoire. Ils avaient besoin d'un peu de matériel.

Natalia avait sorti des montagnes de catalogues qu'elle éplucherait avec sa mère. Eugénie s'était réveillée de bonne heure et semblait avoir recouvré ses esprits. Elle n'observait plus Agatha avec ce regard oblique un peu mystérieux, et l'actrice en était soulagée... Ce serait une bonne journée.

La table du déjeuner était somptueuse. Jeff avait dévalisé la boulangerie de la place Édith-Piaf, le lait au chocolat fumait dans un très beau pot en porcelaine, les confitures côtoyaient un jus d'orange fraîchement pressé, et l'odeur du café s'était répandue dans toute la maison.

Natalia avait pris plaisir à sortir une jolie nappe et avait cueilli quelques branches de lilas qui fleurissaient la table. Les mines émerveillées de Jules et Agatha quand ils avaient découvert cette table royale lui avaient procuré une véritable joie.

Agatha mangeait son pain au chocolat avec une lenteur extrême. Elle faisait durer le petit-déjeuner tout en réfléchissant

259

à ce qu'elle devait faire. Elle avait encore en mémoire la mise en garde de Prune sur le respect de la vie des autres, et, même si elle n'avait pas appris le secret de la famille de Natalia en utilisant ses facultés particulières, elle savait qu'elle en était dépositaire par accident, et cela la mettait dans une situation inconfortable.

Le plus simple aurait été de demander à Eugénie de révéler le contenu de son sac à main à Natalia, mais, pour des raisons qui lui échappaient, elle savait qu'elle n'en ferait rien. La grand-mère avait apparemment oublié la soirée de la veille ; elle semblait la découvrir pour la première fois, et cette petite joie dansante qui l'habitait quand elle posait ses yeux sur elle avait disparu.

Agatha se dit qu'elle pourrait jouer la carte de l'intuition et guider Natalia sur la piste de son histoire. La question était de savoir si l'idée était pertinente. C'était une chose de comprendre d'où venait le poids du pendentif qu'elle avait toujours porté et une autre d'apprendre le drame que sa famille avait traversé. Comment Natalia réagirait-elle en découvrant qu'elle avait été adoptée presque à la naissance par sa tante qui l'avait élevée et éduquée ? De quoi sa mère était-elle morte ? Et pourquoi cette histoire était-elle un secret ? Sa toute nouvelle légèreté et le goût qu'elle avait désormais pour les choses de la vie ne s'envoleraient-ils pas instantanément ?

Malgré tout, Agatha ne pouvait s'empêcher de penser que rien de tout cela ne s'était produit par hasard. L'accumulation des circonstances imprévues qui l'avaient amenée aux côtés d'Eugénie, à accueillir ses confidences, la convainquait qu'elle ne pouvait rester inerte. Si seulement Prune était là, elle saurait quoi faire…

24

Vendredi 22 juillet 2010 – clos des Reinettes

Sarah et Noémie venaient de passer deux journées absolument parfaites. Ce tête-à-tête était le premier qui leur ait été véritablement accordé, et les moments qu'elles avaient partagés regorgeaient de complicité et de tendresse. Sarah se rendait compte qu'elle n'avait peut-être pas été suffisamment attentive à sa fille qui avait beaucoup grandi. Noémie n'était plus un bébé ; elle était désormais une enfant posant mille questions, curieuse, et avide de réponses réalistes et cohérentes. Sarah prit conscience qu'elle avait, ces derniers mois, passé son temps à interdire, sermonner, mettre en garde sa fille. « Dépêche-toi, ne touche pas à cela, et tes dents, toujours pas lavées ? » « Non, pas cette robe, il fait trop froid, change de pantalon, il fait trop chaud, plus tard la promenade, ou demain, je n'ai pas le temps de faire un gâteau, une histoire, d'accord, mais courte alors… » Aveuglée par ses urgences et ses préoccupations personnelles, elle était devenue sourde aux sollicitations et aux envies de sa fille, avait oublié de l'écouter. Elle ne se rappelait plus la dernière fois où elles avaient ri de la sorte ensemble et autant discuté.

Elle se fit battre à plates coutures au jeu de dames, découvrit que Noémie maîtrisait désormais l'art de casser les œufs en séparant les blancs des jaunes avec une dextérité qui surpassait la sienne, et elle la rassura sur une toute nouvelle frayeur qu'elle lui avait cachée jusqu'alors, celle de perdre ses premières dents et de sentir une souris se faufiler jusque dans son lit...

Elle réalisa également que ce déménagement et cette nouvelle vie suscitaient chez sa fille des questions et des inquiétudes qu'elle n'avait pas soupçonnées et que Daniel et elle auraient été avisés de parler davantage avec elle au lieu de considérer, à tort, que son jeune âge la rendait forcément insouciante.

Elles inaugurèrent un cahier et décidèrent d'y noter les choses importantes. Noémie dicta ce qui comptait pour elle et lui faisait plaisir : s'endormir avec Albert, son doudou, mettre des robes, voir ses copines Nawel et Lilas, jouer aux dames (et gagner), regarder des dessins animés (sans sorcière), manger du chocolat et des pâtes, faire la folle avec Agatha, écouter des histoires, lécher les restes de la pâte à gâteau...

Elle égaya ensuite ces premières pages de dessins hauts en couleur, des châteaux forts, des princesses aux bijoux étincelants, posées dans un décor parsemé de cœurs, roses bien évidemment...

Le deuxième soir, les questions sur son père s'étaient invitées.

— Papa et toi, vous n'êtes plus amoureux ?

Sarah avala sa tomate-cerise de travers.

— Pourquoi dis-tu cela, ma chérie ?

— Vous ne vous faites plus de bisous ou des câlins comme avant...

— C'est parce que nous avons été très fatigués, tous les deux, et très occupés... Regarde les bonnes journées que nous avons passées, toutes les deux. Cela faisait longtemps. Eh bien, papa et moi, c'est un peu la même chose : nous avons un peu oublié que le plus important c'était d'être ensemble et de prendre du temps. Maintenant que nous le savons, cela va aller mieux.

Noémie était pensive.

— Papa, il va revenir habiter avec nous après ?

— Bien sûr, ma puce ! Tu as bien compris que c'était pour

le travail qu'il ne pouvait pas être là tout le temps ? Ça n'a rien à voir avec nous !

— Pourquoi il ne rentre pas tous les week-ends, alors ? Si nous lui manquons, il devrait être pressé de nous revoir...

Je partage tout à fait ton point de vue, pensa Sarah qui allait, une fois de plus, être à court d'arguments.

— Il est très, très fatigué, et la route est un peu longue... Mais tu te rappelles quand je t'ai dit qu'il nous avait envoyé un message l'autre jour ? Il pense beaucoup à nous et il t'aime très fort, tu sais ?

— J'aimerais bien qu'il vienne, alors. Pour être sûre.

— On va l'appeler, si tu veux.

À sa surprise, il décrocha à la première sonnerie. Il avait l'air sincèrement heureux qu'elles appellent et leur annonça qu'il les rejoindrait pour le week-end. Cette nouvelle excita encore plus la bonne humeur qui s'était glissée entre elles, et elles passèrent leur dernière soirée toutes les deux à confectionner le dessert préféré de Daniel : une brioche aux fruits confits et à la praline.

25

Jeff ramena Agatha de Paris un peu avant l'heure du déjeuner et accepta l'invitation de Sarah à boire un verre avant de rentrer chez lui avec son fils.

Tout en servant les boissons, elle se disait qu'il était curieusement taciturne et silencieux. Elle revint avec le sourire aux lèvres sur la terrasse ensoleillée.

— Vous n'avez pas l'air dans votre assiette, Jeff. Le séjour s'est bien déroulé ?

Il releva la tête, comme s'il s'extirpait de ses pensées.

— Oui, très bien. Tout s'est très bien passé.

Il n'en dit pas plus. Elle avait l'air reposé et très gai. Il dut se rendre compte de sa rudesse et, ne voulant pas être incorrect, ajouta de l'air le plus jovial qu'il put :

— Vous, en revanche, vous êtes radieuse.

Elle s'assit à ses côtés et, comme une confidence, lui fit part de la joie que lui avait procurée la venue-surprise de Daniel. Il n'allait pas tarder, et cette visite lui faisait beaucoup plus de bien qu'elle ne l'aurait imaginé. Elle en rajoutait un peu, comme pour enfouir bien profondément la coquetterie qu'elle avait ressentie quelques jours plus tôt en la présence de Jeff. Elle avait décidé de recommencer du bon pied avec son homme et c'était une manière de s'en convaincre comme une autre. Il est le seul, l'unique, et votre regard ne m'émeut pas le moins du monde, vos larges épaules n'ont pas l'air si rassurantes que cela, et, de toute façon, je n'ai besoin de personne pour me sentir jeune et séduisante... La nouvelle de l'arrivée de Daniel accentua encore sa mine sombre.

— Jeff, allons ! Ne faites pas cette tête ! Qu'est-ce qui ne va pas ?

— Il ne mérite vraiment pas toute cette attention, si vous voulez savoir le fond de ma pensée !

Tout à sa légèreté, elle ne prit pas garde immédiatement à ce qu'il venait de dire.

— Je ne sais trop si je veux connaître le fond de votre pensée !

Puis elle posa son verre et lui demanda :

— Pourquoi dites-vous cela ?

Il se leva, regrettant son impulsivité et les mots qu'il avait prononcés sans réfléchir.

— Pour rien. Nous allons y aller. Je vais chercher Jules.

Elle se leva et le rattrapa par le bras.

— Jeff ?

Il la regarda droit dans les yeux.

— Ce ne sont pas mes affaires. Je n'aurais pas dû. Je vous prie de m'excuser.

— Je ne vous excuse rien du tout, à moins que vous ne me répondiez maintenant. Pourquoi avez-vous dit qu'il ne méritait pas cette attention ? Vous l'avez à peine croisé !

Alors, il lâcha, comme pour se libérer lui-même :

— Vous lui demanderez ce qu'il faisait à l'aéroport, l'autre jour, en charmante compagnie.

— Vous vous trompez, ce n'est pas...

— Vous le lui demanderez.

Puis il lui tourna le dos, alla chercher son fils, fit rapidement ses au revoir aux filles et repartit. Sarah resta plantée sur la pelouse, les bras ballants. Elle savait qu'il se trompait, mais avait néanmoins été touchée par la colère qui transpirait dans sa voix, une colère sincère et contenue. Elle n'eut pas le temps de réfléchir davantage : Daniel arrivait à grand renfort de klaxon. Elle était comme enveloppée d'une douce brume euphorisante. À force de se dire que tout allait repartir comme au premier jour, à lire et relire ce mail honnête qui lui clamait le besoin qu'il avait d'être à ses côtés et l'importance qu'elle revêtait à ses yeux, elle nageait au milieu d'une version candide et édulcorée de son couple. Elle le regarda avec ravissement descendre de la voiture, sourit tendrement quand il accueillit la course de Noémie dans ses bras. Ils faisaient une belle famille, et rien ne comptait plus que cela, ces petits moments ensemble, ce bonheur de se revoir après avoir été séparés. Malgré la houle qui avait agité leur couple, ils surmonteraient la distance qui les éloignerait quelques mois, elle les rendrait peut-être même encore plus forts et plus unis. Elle était tout simplement heureuse ; elle voulait que cela dure.

Elle s'avança vers lui et l'embrassa fougueusement avant de se lover dans ses bras en respirant son odeur...

— Tu te parfumes, toi, maintenant ?

— Ça te plaît ?

— Pas mal, oui...

Il jeta un œil derrière elle.

— Agatha n'est pas revenue ?

— Si. Elle a dû aller dans sa chambre ; elle était là à l'instant.

Il partit à sa recherche. Elle ne daigna pas se lever de son bureau quand il entra. Elle fit à peine le geste de relever un de ses écouteurs en lançant un « Salut » sans même se tourner vers lui.

— Où est passée ma fille si affectueuse ?

Il fit le tour de la chambre à la recherche d'une personne imaginaire.

— C'est bon, je n'ai plus quatre ans...

L'agressivité du ton stoppa net son petit jeu et son entrain.

— Il y a un problème, Agatha ?

— À toi de le dire.

— Quoi donc ?

— Rien, laisse tomber.

— Je t'ai acheté des bouquins.

— Hum...

— Tu ne veux pas savoir lesquels ?

— Laisse-moi deviner.

Elle se retourna et posa froidement ses yeux sur lui.

— *Les liaisons dangereuses* ? *Les exploits d'un vieux don Juan* ?

Elle réussit à le mettre mal à l'aise. Contente de son effet, elle poursuivit :

— *Le démon de midi* ? *La double vie de monsieur Delerre* ?

Là, il s'énerva ouvertement.

— Qu'est-ce qui te prend ? Tu deviens folle ou quoi ?

— Je ne crois pas, non.

Ils s'observèrent en silence plusieurs secondes. Le regard d'Agatha était franchement hostile ; dans celui de son père transparaissait un mélange de colère et d'inquiétude. La voix de Sarah qui les appelait mit fin à ce bras de fer, et ils allèrent déjeuner. Daniel farfouilla dans sa poche, sortit son portable et l'éteignit. Comme prévu, Fanny lui avait fait une scène avant son départ et il voulait à tout prix éviter les complications supplémentaires qu'un coup de fil de sa part impliquerait. Il était encore étourdi par les uppercuts que sa fille venait de lui asséner en pleine figure. Ses allusions ne laissaient aucun doute planer : elle savait, mais comment était-ce possible ? Il était d'autant plus sonné que Sarah semblait plus contente que jamais de le voir. Se pouvait-il qu'elle sache, elle aussi, et qu'elle lui en tienne si peu rigueur ? *Wait and see*, se dit-il. Je suis là, maintenant, je ne peux plus reculer.

Il attendit, mais, à part le repli hostile d'Agatha, le repas se passa plutôt bien. Quand les filles furent sorties de table et qu'il se retrouva seul avec Sarah, il en vint à se dire que sa culpabilité avait dû lui faire interpréter à outrance les propos de sa fille. Elle était peut-être tout simplement rancunière qu'il n'ait pas cherché à la voir lors de son séjour à Paris. Dans cet état d'esprit, il ne vit pas le coup venir.

Sarah lui apportait un café et, tout en remplissant sa tasse, lui dit en riant :

— Alors, comme ça, tu prends l'avion avec ta maîtresse pendant que je trime toute seule ?

Il cessa de respirer, la regarda, abasourdi de la décontraction avec laquelle elle avait sorti cela.

— Ne me regarde pas comme ça ! C'est Jeff qui m'a dit que tu avais été vu en charmante compagnie… Oui, c'est exactement cette expression qu'il a utilisée : « en charmante compagnie. » Dans je ne sais quel aéroport parisien !

Et, d'un seul coup, tout s'assombrit, l'atmosphère devint lourde, la lumière fut triste, l'air, froid…

Aucun étonnement dans les yeux de son mari.

Pas un soupçon d'incompréhension sur ce visage.

De la honte, de la culpabilité, un gamin pris la main dans le sac.

Elle réussit à finir la phrase qu'elle avait en tête, mais elle prit un tout autre sens. Ce n'était plus une plaisanterie, c'était une véritable question.

— Vous partiez où ?

Sa réponse la gifla.

— À Rome.

À Rome.

Ville du seul pays qu'ils aient jamais visité ensemble.

Elle sentit le vide vertigineux qui prenait possession d'elle. Elle s'obligea à ne rien penser, ne rien imaginer, ne rien projeter. Il fallait juste partir très vite et très loin de cet étranger.

— Je te laisse l'après-midi avec les filles. Je rentrerai vers huit heures. Je veux que tu sois parti.

— Sarah ! Attends ! Qu'est-ce que je vais leur dire ?

Elle attrapa les clés de sa voiture et ne répondit pas.

Elle était installée au volant, la clé sur le contact, prête à démarrer, quand Agatha accourut.

— Tiens, maman : ton sac et ton portable.

— Merci, chérie.

— Je veux venir avec toi.

Sarah prit sur elle et ne flancha pas. Elle avait besoin de se retrouver pour reprendre ses esprits.

— Je reviens pour le dîner. Nous discuterons ce soir, si

tu veux bien… Fais en sorte que Noémie ne s'inquiète pas, s'il te plaît.

— Maman ! Je ne veux pas rester avec lui, j'ai tout entendu…

Sarah la regarda, désemparée, ne sachant quoi répondre à ce regard suppliant.

— J'ai vraiment besoin d'un petit moment seule, ma puce… Et je compte aussi un peu sur toi. J'ai demandé à ton père de partir avant que je sois revenue et tu devras veiller sur ta sœur dans cet intervalle… Penche-toi que je t'embrasse, ma grande fille…

Elle démarra et lui promit de ne pas revenir trop tard. Elle leur ramènerait une petite surprise si elle trouvait quelque chose de joli.

Elle roula sans réfléchir en direction du Havre. Arrivée aux portes de la ville, elle poursuivit vers le pont de Normandie et arriva une demi-heure plus tard à Honfleur. Elle trouva miraculeusement une place sur le parking bondé et alla se noyer dans la foule dense qui flânait autour du vieux bassin.

Alors seulement, elle consentit à écouter ce qui hurlait en elle. Le sentiment dominant était la colère, une colère dirigée contre elle avant tout, pour s'être voilé la face de la sorte, pour avoir détourné les yeux de l'évidence, pour avoir emmené Noémie de l'autre côté du miroir en la berçant de ses illusions grossières. Comment allait-elle pouvoir revenir sur toutes les belles promesses qu'elle lui avait faites la veille ?

Son mépris pour Daniel surpassait la rancune et les brûlures de la trahison. Elle ne voulait pas penser à lui ; elle le mit au placard et décida de garder la porte fermée. Elle irait regarder plus tard.

Ses envolées lyriques des derniers jours étaient encore très présentes. Elle se sentait profondément ridicule, humiliée. Elle monta la rue de l'Homme-de-Bois, bifurqua à droite vers la maison Satie et redescendit vers le centre par la rue Haute. Arrivée à la Lieutenance, elle traversa le bassin, poursuivit sur le quai de la Quarantaine et arriva bientôt près des anciens greniers à sel. Elle avait marché près de deux heures sans poser ses yeux nulle part, s'était laissé engloutir dans l'anonymat compact des touristes, s'abandonnant à une déambulation sans but. Elle s'arrêta sur une terrasse à proximité de l'hôtel de ville, commanda un coca, puis consulta son portable.

Daniel avait laissé trois messages.

Elle ne les écouta pas.

Il y avait aussi un texto de Murielle qui confirmait son heure d'arrivée le lendemain... Sarah avait complètement oublié... Préparer les chambres, faire les courses... Tout lui était sorti de la tête... Comme elle sentait que cela pourrait contribuer à évacuer les charges qui l'oppressaient, elle s'octroya une promenade autour des galeries environnantes avant de repartir. Elle avait encore deux bonnes heures devant elle.

Rue des Petites-Boucheries, elle entra dans une galerie dont la vitrine lui plaisait. À l'intérieur, elle tomba sur une toile qui la remua et l'émut... De taille relativement modeste, elle représentait une plage presque déserte, vraisemblablement de la région au vu des falaises qui bordaient l'extrémité du tableau. La mer était agitée, le ciel, bleu, la lumière, apaisante... Une femme marchait de dos et agitait les bras à l'intention de deux jeunes enfants radieux. Pas d'homme en vue, sourit-elle.

Le contraste entre les vagues nerveuses et la sérénité du temps, entre l'attitude lasse de la femme et l'entrain des enfants, était accentué par un coup de pinceau tantôt vif, tantôt souple et lisse. Elle eut l'impression de voir sur cette peinture l'illustration la plus fidèle de ses propres contradictions du moment, fatigue et énergie, tempête et sérénité... Les émotions se chevauchaient les unes les autres sans se fixer... Elle s'approcha plus près et chercha le nom de l'artiste et le prix de l'œuvre.

— Vous connaissez ?

Tout à sa contemplation, elle n'avait pas vu l'homme venir.

— Pardon ?

— Belle toile, n'est-ce pas ?

— Oui.

— Élisabeth Petit. Parisienne, mais grande adepte des falaises de craie.

— J'aime beaucoup... Combien coûte-t-il ?

— Quatre cents.

— Ah.

— Je peux vous faire des facilités de paiement, si vous le souhaitez.

— Je vous remercie. C'est beaucoup trop cher pour moi. Je n'étais pas entrée pour acheter, mais j'ai été fascinée par cette huile.

Elle avait du mal à s'en détacher.

— Je peux peut-être faire un petit effort...

Et c'est ainsi qu'elle repartit d'Honfleur avec sa toile posée sur le siège passager, délicatement enveloppée.

Lucide, elle savait qu'elle ne pourrait continuer à panser ses plaies de la sorte, mais elle relativisa la dépense. Depuis quatre mois, elle ne s'était rien offert, n'était pas allée au cinéma ou au restaurant. Ce baume coûtait cher, mais elle ne regrettait pas son impulsion. Il la rassurait, la consolait, l'encourageait à redresser la tête et les épaules. Il lui rappellerait ce jour où elle avait résisté à la tentation de s'abandonner à un chagrin inutile pour mettre son énergie au service des belles choses à venir : ses filles l'attendaient à la maison, ses amies arrivaient le lendemain.

Pendant ce temps, Daniel prenait la route, lui aussi. Plus tôt que prévu. Il n'avait plus supporté l'attitude insolente d'Agatha et avait préféré quitter les lieux de bonne heure. Sarah n'avait pas décroché lors de ses nombreux appels. Il était perplexe quant à la tournure que leur discussion avait prise ; la légèreté avait tourné à la froideur sans qu'il comprenne... Ou alors... Quel imbécile il avait été !... Elle n'avait pas cru ce que ce Jeff lui avait dit, ce qu'il avait pensé avoir vu... Il aurait pu simplement nier et ils auraient ri ensemble de ce sosie inconnu... C'était la seule explication...

Il s'était senti piteux quand Sarah l'avait laissé en plan, n'avait pas pu réagir ni se défendre. Une journée absurde, se dit-il. Pris sur le vif, sans réflexe, penaud... Il s'était laissé enfermer dans le piège qu'il avait lui-même construit. Il avait deux cents kilomètres pour réfléchir à l'attitude la plus appropriée, se faire oublier en douceur pour mieux se faire pardonner et susciter le manque avec le temps, ou au contraire rester bien présent, envoyer des mots et des fleurs régulièrement... Il fallait aussi qu'il appelle Paul. Son beau-frère devait être rentré de vacances. S'il voulait être crédible dans sa rémission, obtenir un jour l'absolution, il ne pouvait absolument pas passer une nuit de plus chez Fanny.

Elle lui avait laissé quatre messages depuis le matin, il avait été inspiré de couper son portable. Il les écouta et s'exaspéra de l'hystérie croissante s'insinuant dans sa voix au fil des minutes qui défilaient : cris, larmes, supplications, menaces, tout y passait. Il n'eut pas le courage de la rappeler. Il aviserait quand il arriverait à Paris. Pour l'heure, son souhait le plus cher était de clore cette aventure trop excentrique pour lui. Fanny lui apparaissait soudain comme fade et sans relief, quelconque... Il s'était laissé séduire par une femme arriviste, superficielle et un peu folle. Il s'était jeté dans ses bras enduits de crème à cent euros, ses longues jambes lui avaient tourné la tête, mais il était désormais sans pitié à son égard et se sentit ridicule d'avoir ainsi succombé à ses charmes. Il avait pris du bon temps, mais cela ne valait pas le prix qu'il lui en coûtait. Rien n'aurait pu être pire que cette journée.

Sarah était au supermarché. Pressée de retrouver les filles, elle para au plus urgent. Dix-huit heures trente. Daniel ne tarderait pas à partir. Elle fit les courses les plus anarchiques qui soient. Sans menu en tête pour le week-end, elle remplit le chariot au gré de ses envies, comptant sur l'inspiration que tout cela lui insufflerait une fois dans le frigo. Elle n'oublia pas l'essentiel : du chocolat, des glaces et acheta deux jolis carnets pour ses filles en guise de surprise. Elle passa plus de temps dans la file d'attente des caisses que dans les rayons, et profita de ce moment pour appeler à la maison et prévenir de son arrivée imminente.

Personne ne répondit.

Elle réessaya.

À nouveau, le répondeur.

Résignée, elle tenta le portable de Daniel et obtint sa messagerie.

Si son caddie n'avait pas déjà été déversé sur le tapis roulant, elle serait partie en courant. Elle se retint de presser la caissière, régla précipitamment et fonça vers la voiture tout en continuant d'appeler sans succès.

La voiture de Daniel n'était plus là. La maison était fermée. La panique s'empara d'elle. Il n'aurait pas fait cela, pas emmené les filles ?...

Elle réalisa qu'elle n'avait pas pris connaissance de ses messages et se força à écouter sa voix sur le répondeur de son portable.

Premier message : des supplications.

Second message : des larmes.

Troisième message : des promesses.

Quatrième message : de la résignation.

Cinquième message : Agatha ! « Maman, papa est parti, et Matthieu est rentré d'Angleterre avec des cadeaux. On va prendre le goûter chez lui. Je t'ai laissé les clefs sous le paillasson. Tu les avais oubliées sur la table. À tout à l'heure. »

Elle lâcha tout.

Les remparts s'effondrèrent, les digues cédèrent, libérant un flot de larmes. Elle pleura sur son mari infidèle, sur sa frayeur de n'avoir pas su où se trouvaient ses filles pendant de trop longues minutes, sur son rêve de famille unie et solidaire, sur sa crainte du manque d'argent et son angoisse à l'idée de ne pouvoir nourrir l'avenir d'Agatha et de Noémie, et à nouveau retour sur Daniel, cette nouvelle vie qui commençait pour lui, sans elle... Sa belle confiance toute neuve s'effrita, les doutes rongèrent son optimisme, la peur de l'avenir recroquevilla son courage.

Daniel était arrivé à Paris. Il appela Paul de sa voiture, garée le long de l'avenue Simon-Bolivar.

— Salut, Paulo ! Ça va ? Vous êtes rentrés de vacances ?

Sa jovialité sonnait faux, il s'en rendait compte. Leurs derniers échanges s'étaient soldés par un froid désagréable, et il n'était pas facile de renouer le dialogue.

— Oui. Hier. Nous pique-niquons aux Buttes-Chaumont.

— Ah ! Bien.

Il se lança :

— En fait, je suis en bas de chez vous et je me demandais si vous pouviez à nouveau m'offrir l'hospitalité ?

— Attends une minute.

Les voix qu'il entendait en bruit de fond s'éloignèrent un peu et, au bout de quelques secondes, il entendit à nouveau son beau-frère.

— Alors, c'est fini avec elle ?

— Pas tout à fait, mais c'est imminent. En tout cas, je préfère m'éloigner le plus rapidement possible… J'ai fait n'importe quoi… Je m'en rends compte et je me sens ridicule…

— Content de te l'entendre dire… Écoute, il n'y a aucun problème. Tu veux nous retrouver au parc ?

— Je vais vous laisser finir votre repas tranquillement en famille. Je reste dans le coin. Tu n'auras qu'à m'appeler quand vous serez rentrés.

— Ça marche. Heureux de te retrouver, Daniel.

— Moi aussi. Merci.

Il attendit que la communication soit coupée, puis appela Fanny.

Au ton de sa voix, il devina qu'elle était très remontée.

— Tu n'as pas eu mes messages ?

— Je les ai écoutés.

— Tu es où ? Quand reviens-tu ?

— Pas tout de suite. Il faut que je réfléchisse un peu.

— À quoi, bon sang ?

— À nous, à moi, à ma famille…, à ma femme.

— Qu'est-ce qu'elle a, ta femme ?

— Elle est au courant pour nous deux. Elle est anéantie.

— Il est hors de question que tu me fasses ce coup-là !

— Quel coup ?

— Je ne peux pas quitter ma femme, sinon elle va faire une bêtise ! Elle est trop fragile ! Le discours traditionnel de l'homme qui ne sait pas se décider, quoi !

— Je pensais que tu serais plutôt contente que je le lui aie dit !

— C'est toi qui le lui as dit ?

— Qui d'autre veux-tu que ce soit ? Bien sûr. Écoute, pour l'instant, je vais trouver une autre solution pour dormir à Paris. On se voit lundi ?

— On se voit lundi, oui, c'est ça ! Tu as intérêt à bien réfléchir à ce que tu vas faire, autant que tu sois prévenu ! Si tu crois que je vais te laisser me balader de la sorte, tu te fourvoies !

— On en reparle plus tard. Pour l'instant, je suis épuisé.

Elle raccrocha brutalement.

Ce coup de fil l'enfonça définitivement. Ce samedi était sans aucun doute la pire journée qu'il ait jamais vécue. Il préféra ne pas se remémorer les événements qui s'étaient succédé depuis le moment où il était arrivé en Normandie en fin de matinée et essaya de chasser la très grande lassitude qui l'assommait. Il sortit et alla boire une bière en terrasse en attendant le coup de fil de Paul.

En Normandie, Sarah se remettait. Elle souleva le paillasson pour récupérer les clés, rentra les courses au frais, et, avant de retrouver les filles chez Matthieu, profita du répit qui lui était offert pour téléphoner à Léa. Elle appela au moment même où Daniel s'entretenait avec Paul.

— Comment vas-tu, ma Sarah ?

— J'avais très envie d'entendre ta voix... Tu es occupée ou nous pouvons parler un petit moment ?

— Nous sommes en plein pique-nique pentu aux Buttes-Chaumont ! J'ai de la mayonnaise qui coule sur ma jupe, et la bouteille d'eau s'est renversée trois fois depuis tout à l'heure ! Tu sais ce que c'est !

Sarah sourit au souvenir de ces repas acrobatiques qu'elles avaient coutume de faire avec leurs enfants aux beaux jours.

— Je peux t'appeler ce soir ?

— Vers neuf heures, si cela te va ? Je serai tranquille. Mais ça va, toi, tu es sûre ?

— Oui, oui. Je te raconterai.

— OK, je t'embrasse, à tout à l'heure.

Sarah reposa son portable, but un grand verre d'eau et ressortit de la maison. Elle prit au passage le tableau qu'elle avait laissé sur le toit de la voiture et jeta un coup d'œil dans le rétroviseur. Ses yeux étaient rouges et un peu gonflés, mais rien de catastrophique. La toile sous le bras et les carnets fleuris pour ses filles dans l'autre main, elle traversa le chemin.

Elle les trouva assis à table. Matthieu eut l'air sincèrement heureux de la voir.

— Chère Sarah !

Il l'étreignit avec une énergie chaleureuse, puis, sans la lâcher, écarta un peu les bras pour mieux la regarder et lui demanda en souriant :

— Vous ne m'en voulez pas, j'espère ? Agatha et Noémie avaient faim et je leur ai proposé le couvert.

— Merci, Matthieu.

Les larmes n'étaient pas loin, mais elles étaient d'une tout autre nature que celles qui avaient coulé plus tôt. Elles répondaient à la reconnaissance qu'elle éprouvait à l'égard de cet homme qu'elle connaissait encore assez mal, mais dont la bonté et la gentillesse la réconfortaient avec une grande simplicité. Elle chassa l'émotion qui montait, refusant de se laisser aller à nouveau. Il nota l'imperceptible effort qu'elle faisait, lui tapa doucement l'épaule comme pour l'encourager et fit diversion.

— Asseyez-vous. Je sors votre assiette du four. En réalité, je me suis fait plaisir à cuisiner ! Deux semaines à me faire nourrir, les bras et les mains me démangeaient !

— Et que nous avez-vous préparé de bon ?

— Gaspacho à la menthe pour commencer, Saint-Jacques « juste caramélisées » avec une fondue de poireaux, et, pour finir, les traditionnels bourdelots normands !

— Bourdelots ?

— Une sorte de chausson aux pommes, mais la pomme est cuite entière, entourée d'une fine pâte brisée. Je voulais faire une teurgoule, mais il faudra revenir demain : elle cuit encore.

— J'ai goûté cela, un jour. C'est une merveille. C'est cette bonne odeur de cannelle qui embaume la pièce, n'est-ce pas ?

— Riz au lait à la cannelle, effectivement. Mais le plus intéressant réside dans la peau de lait qui se forme à la surface. Quand la préparation est cuite, il faut la soulever délicatement et, si tout est bien réussi, un petit trésor d'onctuosité se trouve en dessous, juste au-dessus du riz au lait. Vous m'en direz des nouvelles !

Sarah s'installa. En traversant le chemin quelques instants plus tôt, elle s'était imaginée passer la soirée chez elle, assise sur le fauteuil de son salon, découragée à l'idée de tout ce qu'elle devrait faire sans être en mesure de pouvoir bouger le petit doigt. Matthieu lui épargnait tout cela et lui offrait le véritable moment de relâchement que son corps et sa tête réclamaient.

Agatha regardait sa mère. Elle était lessivée, elle avait pleuré et cela se voyait un peu, mais elle n'était pas en colère. Elle semblait vouloir disperser la détresse qui tournait autour d'elle et évacuer les sensations pesantes. Agatha en fut soulagée. Noémie n'avait posé aucune question. Sa petite sœur n'avait pas besoin qu'on lui dise ce qui se passait. Agatha ignorait la source du conflit et elle s'était bien gardée de lui en souffler mot, mais elle avait parfaitement senti le courant d'air glacial qui avait traversé la maison après le déjeuner. Elle n'avait pas été dupe quand leur père avait prétexté un problème au travail, mais elle n'avait pas non plus insisté en demandant des détails comme elle avait l'habitude de le faire. L'attention d'Agatha fut ensuite attirée par le petit chat qui avait élu domicile chez Matthieu au début de l'été. Depuis que Sarah était rentrée avec son drôle de paquet sous le bras, il ne tenait plus en place. Elle craignait qu'il ne déchire avec ses griffes le fin papier protégeant le tableau et qu'il n'abîme la toile.

— Maman, tu devrais mettre ça ailleurs : le chat s'apprête à faire des dégâts, on dirait...

Matthieu sortait les bourdelots du four et s'adressa à Sarah de dos.

— Vous ne voulez pas nous le montrer ?

— Bien sûr ! Avec plaisir !

Joignant le geste à la parole, elle entreprit de le décacheter. Elle le tint devant elle à bout de bras un instant, savourant la peinture avant de la partager avec l'assemblée impatiente. Puis, elle le dévoila de manière un peu théâtrale, fière de son acquisition. Noémie réagit immédiatement.

— Waouh, maman ! On dirait nous sur la plage !

— C'est très joli, renchérit Agatha.

— Incroyable, murmura Matthieu.

Il avait dit cela avec un tremblement involontaire dans la voix.

— Il est beau, n'est-ce pas ?

Sarah était ravie de l'effet que la peinture avait produit.

— Il est magnifique, en effet.

Matthieu s'approcha du tableau, effleura le cadre et ajouta, blême :

— Mais, ce qui est incroyable, c'est que vous l'ayez choisi parmi toutes les toiles que vous avez dû voir.

Elles le regardaient toutes les trois, intriguées par le mystère qui enveloppait sa voix.

— Je crois que le moment est venu de vous raconter une histoire, mesdemoiselles et madame... Nous allons manger ces pommes tant qu'elles sont tièdes et nous nous installerons confortablement ensuite.

Le dessert fut dégusté dans un grand silence. Il y avait quelque chose de mystique dans l'annonce que Matthieu leur avait faite après avoir vu le tableau, et personne n'osa perturber cette ambiance particulière.

26

Virginie Ficher écoutait le troisième message de sa mère. Natalia avait eu l'excentrique idée de ramener sa mère chez elle et lui proposait de venir dîner.

Ça ne m'étonne pas, tiens ! pensa-t-elle, cynique. Depuis que le bruit court qu'elle a perdu tous ses moyens et qu'elle a offert une lamentable prestation lors de ce tournage, elle ne sait plus vers qui se tourner ! Elle va venir ramper vers moi, c'est couru d'avance ! Elle croit sans doute que je vais la prendre en pitié et la consoler. Quel culot ! C'est pitoyable...

Elle avait le carnet rose dans les mains. Quand elle apprendra que mon roman va être publié, elle en sera malade de jalousie ! Eh oui, la roue tourne !

Depuis plusieurs jours, elle cherchait l'endroit idéal pour cacher le carnet qu'elle avait trouvé dans le gîte du clos des Reinettes. Elle avait un temps songé à le faire disparaître, le brûler ou le passer à la broyeuse, mais elle ne pouvait pas s'y résigner. Elle avait eu beau recopier chaque mot avec précision, une espèce de superstition lui dictait de ne pas s'en séparer. Après tout, elle pourrait peut-être encore en faire quelque chose. Les croquis et les dessins qui parsemaient les pages pourraient être rassemblés dans un recueil pour appuyer la promotion lors de la sortie du livre !

Elle décida de répondre à sa mère. Elle allait lui annoncer sa gloire imminente et se délecterait de voir son visage se décomposer d'envie.

— C'est moi.

— Virginie ! Comment vas-tu ?

— Bien. Je peux venir ce soir, si tu veux.

— Ah... C'est dommage, je viens de ramener ta grand-mère dans sa résidence. Elle ne vient à la maison que quelques jours pour le moment, le temps qu'elle s'habitue. Je rentre à l'instant. Tu peux venir quand même, cela dit.

— OK. Dans une heure, ça te va ?

— C'est très bien. Tu viens avec Benjamin ?

— Non. À tout à l'heure.

Qu'est-ce qu'elle croit ? Comme elle n'a plus sa cour, elle se rabat sur ce qui reste ? Pas question de la laisser jouer son numéro de star déchue devant Benjamin. Star déchue, se répéta-t-elle. Cette idée lui faisait du bien.

Matthieu achevait son récit. Il était très ému, mais pas autant que Sarah ou Agatha. Noémie n'avait pas dit un mot non plus.

— Et voilà toute l'histoire. Ma Lise est morte depuis plus de cinq ans, maintenant, mais, depuis que vous habitez la maison, elle n'a jamais été si présente. La broche que je lui avais offerte a réapparu, cette drôle de femme que vous n'aimez pas, la fille de Natalia, a trouvé ce dessin dans ce qui est désormais votre gîte, le chat qu'elle a soigné des mois durant s'est pour ainsi dire réincarné dans celui-ci qui se blottit sur mes jambes chaque soir, et vous ramenez une de ses toiles d'une galerie d'Honfleur...

Sarah était envoûtée par le conte de Matthieu.

— Je n'avais jamais réalisé que vous portiez le même nom que le propriétaire qui nous a vendu la maison...

— C'est un nom très répandu dans la région. C'était un peu ridicule, toutes ces cachotteries avec la maison, mais je voulais m'assurer qu'elle serait reprise par des gens qui en prendraient soin, que les rires résonneraient dans le jardin comme pour prolonger le bonheur que j'ai eu la chance de connaître il y a si longtemps. Et puis, comme tous les subter-fuges, il est difficile de se démasquer sans heurter les gens par la suite.

— Ne vous en faites pas... Votre histoire est belle, Matthieu. J'aurais tellement aimé que vous puissiez retrouver Lise un jour.

— La vie est ainsi faite. Je n'ai vécu avec Lise que quelques mois, mais elle m'a accompagné toute ma vie durant. Je ressens aujourd'hui encore les volutes de plaisir d'avoir été amoureux à ce point. J'ai eu beaucoup de chance. Votre arrivée a ravivé ce bonheur. Son souvenir me revient plus vif que ces dernières années, et vous faites de moi un homme plus heureux encore.

Il marqua un silence et regarda Agatha.

— Je ne sais pas pourquoi, mais j'ai cru à plusieurs reprises que tu m'avais percé à jour, chère Agatha. Tu avais deviné que je portais un secret en moi, n'est-ce pas ?

Elle regarda sa mère et acquiesça de la tête.

— Moi aussi, j'aimerais vous parler de quelque chose.

Encouragée par les confidences qui venaient d'être échangées, elle leur confia le dilemme auquel la confession involontaire de la mère de Natalia l'avait confrontée.

Elle parla longtemps, choisissant ses mots avec soin, prenant garde de ne pas mentionner l'histoire du pendentif pour ne pas emmêler le fil de l'histoire.

Sarah et Matthieu avaient écouté attentivement. Noémie, quant à elle, était sur le point de s'endormir sur la chaise longue, le chat s'était roulé en boule sur son ventre et la berçait de ses ronronnements. Comme personne ne disait rien, Agatha les interrogea :

— Alors, qu'en pensez-vous ?

— Pour que je comprenne bien, ma chérie, la maman de Natalia est morte alors qu'elle n'était qu'un bébé, et sa sœur, Eugénie, l'a adoptée sans qu'elle n'en sache jamais rien ?

— Je pense qu'elle n'est pas au courant puisque le prénom de Delphine ne lui évoque rien.

— Et elles étaient jumelles, tu crois ?

— Elle disait : « Là, nous avions quinze ans, et là, dix-huit. » Elles semblaient toujours avoir le même âge en même temps et elles se ressemblaient tellement... C'est ce qui a poussé Eugénie à me parler. Sur l'une des photos, on dirait presque moi…

— Je te rassure, ma puce : je n'ai aucun doute et rien à te cacher sur tes origines !

— Je sais, maman… Mais pensez-vous que j'aurais dû en parler à Natalia ? Je me pose cette question depuis ce soir-là…

Ce fut Matthieu qui prit la parole. Il n'avait pas quitté Agatha des yeux pendant qu'elle parlait. Il était impressionné par le calme et la sérénité qui se dégageaient de cette frêle jeune fille en racontant l'expérience complexe à laquelle elle avait été confrontée.

— Natalia a grandi avec une maman marquée par la mort de l'être le plus cher qui puisse exister... Même si elle n'en a jamais parlé, elle doit être profondément habitée par ce drame… Il est impossible que Natalia ne soit pas touchée par cette tragédie… Elle a dû sentir cette blessure sans savoir à quoi elle se rattachait… C'est une histoire très triste...

Sarah poursuivit :

— Au début, lorsque nous ne nous connaissions pas encore, elle avouait ouvertement ses difficultés à nouer des relations. Elle disait qu'elle n'était attachée à personne en particulier, pas même à ses propres enfants… Et puis elle a changé… d'une façon incroyable… En quelques semaines, elle s'est ouverte, elle a fait tomber le barrage entre elle et les autres… Nous sommes presque des amies, à présent…

En disant cela, Sarah réalisait combien elle appréciait les coups de fil réguliers qu'elles s'échangeaient toutes les deux depuis quelque temps. Elle avait été tenue au courant de son projet d'accueillir sa mère chez elle, et elles en avaient beaucoup discuté. Natalia avait aussi partagé son trouble suite à son aventure de Rome, quand elle n'avait pas été capable de jouer la comédie. Natalia avait toujours un petit mot attentif pour Noémie et Agatha, et Sarah appréciait cette sollicitude naturelle.

— C'est cela qui est étrange, dit Matthieu. Il a dû se passer quelque chose…

Agatha garda le silence. Elle ne voulait pas parler du collier ; elle-même avait du mal à croire en l'influence néfaste que ce bijou semblait avoir eue sur Natalia.

— Je crois que tu as bien agi en ne disant rien. Si Eugénie t'a ouvert la porte qui donnait sur son secret, c'est que le temps est peut-être venu pour elle de s'en libérer. Si elles passent un peu plus de temps ensemble, toutes les deux, comme cela semble devoir être le cas, elle parlera à Natalia et elle sera beaucoup plus réceptive à ses paroles qu'à celles de n'importe qui d'autre...

— Et ce sera à son tour d'expliquer à ses enfants..., de raconter, de résoudre l'énigme de leur ascendance pour qu'ils puissent eux aussi en être délivrés.

— Tu crois que c'est pour ça que sa fille, Virginie, est tellement... Je ne trouve pas d'autre mot que « méchante »...

— En partie, peut-être. Pas uniquement. Si Natalia s'est sentie exclue, ou peut-être même abandonnée, cela n'a pas manqué d'avoir des conséquences sur sa propre manière de s'occuper de ses enfants. Virginie s'est défendue à sa manière... Tu sais, Agatha, je pense que tu as fait beaucoup de bien à cette femme. Quoi qu'il advienne, tu l'as écoutée parler sans l'interrompre. Matthieu a raison : grâce à toi, elle va peut-être réussir à en parler à Natalia... Comment te sens-tu après tout cela ? Cela n'a pas dû être facile ?

— Ça va. Il y avait beaucoup de tristesse, mais aussi beaucoup d'amour dans sa voix et dans ses yeux. J'ai été mal à l'aise quand elle m'a confondue avec sa sœur le premier soir, mais, le lendemain, c'était terminé. Je n'ai pas eu peur ; j'étais plutôt inquiète pour Natalia... Je me demande comment elle réagira si elle découvre la vérité, et qui sera autour d'elle pour lui tenir l'épaule... On pourra les inviter, toutes les deux ?

— Pourquoi pas ? Oui... C'est une bonne idée... Mais, en attendant, nous allons dormir, chère enfant !

Sarah se leva, s'étira et ne parvint pas à retenir un long bâillement. Cette journée avait été longue et pleine de contrastes...

— Matthieu, merci du fond du cœur pour cette délicieuse soirée. Vous traversez le chemin quand vous voulez !

Elle hésita, puis ajouta :

— Voulez-vous que je vous laisse le tableau de Lise ? Répondez-moi franchement.

— Je vous remercie, mais je prendrai plaisir à le regarder chez vous. Le passé est suffisamment présent dans ma vie comme ça !

Il l'aida à sortir Noémie de la chaise longue et la posa dans les bras de Sarah.

— Ouf ! Dix-huit kilos ! Heureusement que nous n'avons que trente mètres à parcourir ! Bonne nuit, Matthieu !

— Bonne nuit. Et merci d'être restées si tard malgré la fatigue…

Cette nuit-là, pour la première fois de sa vie, Sarah partagea son lit avec ses deux filles. Elles restèrent blotties contre elle jusqu'au petit matin, et toutes trois dormirent d'un profond sommeil.

27

Natalia débarrassait la table. Virginie était arrivée tard et repartie tôt…

Elle n'avait pas voulu entendre ce qu'elle avait essayé de lui dire. Ses mots avaient sans doute été maladroits, et cette première tentative de réconciliation arrivait certainement peut-être un peu trop vite. Elle-même ne s'expliquait pas cet irrépressible besoin de renouer avec ses proches. Elle connaissait sa fille, mais ne s'était pas attendue à une réaction pareille. Elle avait refusé de l'écouter, était restée imperméable à ses regrets et à son désir de se rapprocher d'elle. Elle était même allée jusqu'à l'accuser d'être une manipulatrice sans scrupules et avait réussi à la blesser. Elle n'en avait rien laissé paraître au prix de pénibles efforts, mais, pour la toute première fois, ses mots l'avaient touchée. Elle avait senti son cœur se serrer et la peine l'étreindre. Les seuls moments où le visage de Virginie s'était animé étaient ceux où elle lui avait dit, sans une once de compassion, être au courant de ses mésaventures italiennes et qu'elle avait évoqué sans détour son passage à vide lors du tournage. Elle avait également laissé quelques sourires s'échapper quand elle lui avait parlé de son roman à paraître. Faute de parvenir à se faire comprendre, ou même à se faire entendre, Natalia l'avait questionnée sur ce dernier sujet. Elle l'avait félicitée d'être allée au bout de son projet et lui avait dit sa joie que son livre soit publié. Elle était sincère, mais sa fille refusait de la croire, là encore.

— Ne joue pas la comédie avec moi ! Je sais que tu n'en penses pas un mot. Tu es jalouse ou bien tu t'en fiches, mais, le rôle de la mère qui se découvre à cinquante ans passés, tu repasseras, pas à moi !

Malgré tout, Natalia ne lui en voulait pas. Elle avait encaissé les remarques acerbes et tranchantes sans réagir. Virginie avait de bonnes raisons de se comporter ainsi. On ne gommait pas l'absence et l'indifférence d'une mère de toute une vie en le décrétant subitement. Elle ne se découragerait pas. Elle parviendrait à percer la forteresse que sa fille avait bâtie autour d'elle. Il lui faudrait du temps et elle lui en donnerait.

Une fois la cuisine rangée, elle alla dans la chambre qu'avait occupée Eugénie. Elle pensait réchauffer un peu son humeur affectée par la soirée en s'attardant dans la pièce où elles avaient discuté de choses anodines la veille au soir. Elles n'avaient pas partagé de tels moments depuis longtemps… Mais elles en auraient de nombreux autres très vite.

Elle ouvrit la porte et resta quelques instants au seuil de la chambre.

Sur le lit étaient disposées, les unes à côté des autres, des petites photos. Il y avait aussi une grande enveloppe avec son nom dessus.

Elle s'approcha, s'assit sur le bord du lit et se pencha vers les clichés. Cette mise en scène avait quelque chose d'étrange, mais sa mère ne l'était-elle pas un peu elle-même ?

28

Dimanche 24 juillet 2010

Une chaude journée s'annonçait. Le ciel était complète-ment dégagé, et aucune brise n'effleurait les peupliers du clos. Sarah et ses filles faisaient durer le petit-déjeuner sur la terrasse. Elles se prélassaient au soleil, savourant la douceur du matin avant de retrousser leurs manches. Elles avaient du pain sur la planche : il fallait préparer l'arrivée de Murielle et Nathalie, les amies parisiennes. Le gîte devait être aéré, aspiré, briqué. Les Anglais étaient partis la veille, et des touristes belges arrivaient dans l'après-midi.

— On ne part pas en vacances, mais les vacances vien-nent chez nous ! s'était exclamée Noémie. Elle était ravie de rencontrer des voyageurs parcourant l'Europe et les ques-tionnait avidement sur leurs régions dès qu'une occasion se présentait.

La sonnerie du téléphone perturba ce moment de farniente.

— Bouge pas, maman, j'y vais, se proposa Agatha.

Sarah l'entendit rire et la vit revenir avec le combiné qu'elle recouvrait de sa main.

— C'est Léa. Elle a voulu se faire passer pour une touriste allemande, mais je l'ai reconnue tout de suite !

Elle lui donna le téléphone.

— *Guten Tag Fraulein, wie konnte ich Ihnen helfen*[1] ?

---

1. Bonjour, mademoiselle, en quoi puis-je vous aider ?

— *Ich würde gern Ihre Ferienhaus vermieten, und ich möchte überhaupt Ihre Tomaten kosten ! Ihr Ruf hat den Rhein überschritt*[1].

— *Ganz normal ! Die berühmte Botaniker Léa Delerre hat sie gepflanzt ! Sie sind wunderbar*[2] !

— Ah !

— Démasquée par Agatha en deux secondes ! Il va falloir travailler ton accent, on dirait !

— Je vais persévérer. J'essaierai l'espagnol la prochaine fois !

— Tu m'en verras bien *ebrésouillie*[3]. Je n'y veille goutte en espagnol !

— …

— Respire ! J'ai fait exprès. Pour une fois ! Agatha s'est mis en tête d'apprendre le patois et elle nous fait profiter de ses nouvelles lumières.

— C'est sûr que c'est une langue d'avenir ! C'est super qu'elle prenne de l'avance pour ses futures études ! Bon. Qu'est-ce qui s'est passé ? Tu me donnes un rendez-vous téléphonique et tu me poses un lapin dans la foulée ? Tu files un mauvais coton, toi !

— Pardon, c'est vrai. Nous avons passé la soirée à discuter chez Matthieu et nous sommes rentrées tard.

— Daniel a dormi à la maison. Apparemment, il préfère notre hospitalité à celle de son collègue Max. Il a décidé de ne plus déménager ses affaires, finalement.

— Ah.

— Tu n'étais pas au courant ?

— Non.

— Pas de problème avec ça ?

— Je ne crois pas, non, mais tu m'as l'air d'être moins au courant que moi. Pour une fois.

— À quel sujet ?

---

1. J'aimerais bien louer une chambre et j'aimerais par-dessus tout goûter vos tomates. Leur réputation a traversé les rives du Rhin.

2. Bien normal ! La célèbre botaniste Léa les a plantées ! Elles sont délicieuses !

3. « Interloquée » en patois normand.

— Eh bien, il se trouve que son collègue est en réalité une femme et qu'elle ne lui a pas offert que l'hospitalité...

— Quoi ?

— Tu as bien compris.

— ...

— Il est là ?

— Il est parti courir avec Paul... Je n'en reviens pas !

— Moi, j'en reviens doucement. Je n'ai appris cela qu'hier. Il devait passer le week-end avec nous, mais je lui ai demandé de partir... Je ne pensais pas qu'il se présenterait chez toi.

— Je comprends mieux pourquoi il était si bizarre avec moi. Je m'imaginais qu'il était gêné de revenir après nous avoir annoncé son départ le mois dernier, mais ce n'était pas uniquement cela. Il devait se demander si j'étais au courant... Tu sais quoi ? Heureusement que je ne l'apprends que ce matin. Je te l'aurais renvoyé dormir dans sa voiture, sinon. Ça n'aurait pas fait un pli !

— Je suis la reine des pommes de n'avoir rien vu.

— La reine des reinettes, tu veux dire ! Et moi, donc ! Paul était forcément au courant et il s'est bien gardé de m'en parler !

Sarah ne disait plus rien.

— Comment tu te sens ?

— Étrangement bien ce matin. Je n'arrivais pas à comprendre les nœuds qui s'étaient formés entre nous. Au moins, maintenant, je suis fixée. Mais, bon, je fais ma maline, mais si tu m'avais vue hier... C'était autre chose... J'ai failli hurler après une caissière qui ne scannait pas assez vite, j'ai acheté un tableau à deux cent cinquante euros à Honfleur, j'ai lessivé la terrasse de mes larmes pendant une bonne demi-heure sans arriver à me calmer... Une catastrophe... Pour l'instant, aujourd'hui, ça va.

— Il n'est que neuf heures, mais c'est déjà ça. Si tu veux, je fais l'aller-retour ?

— C'est gentil, mais nous attendons Murielle et Nathalie.

Si j'ai besoin de gémir et de me plaindre, j'aurai des oreilles attentives, ne t'inquiète pas.

— Et je fais quoi avec Daniel ?

— Comme tu veux…

— Il est quand même gonflé de pointer son nez chez moi après ce qu'il t'a fait !

— Je trouve. Mais, au moins, il n'est plus chez l'autre.

— Je vais aller courir, moi aussi, sinon je vais lui rentrer dedans !

— Je suis en vacances dans une semaine. Pour quelques jours, et, comme les filles feront leur baptême de camping avec les parents, je me disais qu'on pourrait peut-être se voir. Je pourrais venir à Paris ?

— Et dormir sous le même toit que ton mari volage ?

— Zut, c'est vrai… Je pourrais appeler Natalia. Elle me l'a proposé plusieurs fois… J'ai trois jours sans réservation. Rien ne m'oblige à broyer du noir toute seule…

— C'est une très bonne idée.

— On se rappelle vite ?

— Compte sur moi. Tiens le coup, ma sœur chérie… Au fait… La reine des pommes, tu sais quoi ?

— Quoi ?

— La pomme, c'est le fruit sacré de la déesse de l'amour.

— La mythologie, quelle escroquerie !

Natalia n'avait pas dormi de la nuit. Elle s'était couchée vers minuit après avoir pris connaissance des photos et de la lettre que sa mère lui avait laissées. À quatre heures du matin, lasse de se retourner sans arrêt sans parvenir à trouver le sommeil, elle s'était résignée à se lever. Elle sentait à présent la fatigue s'emparer d'elle et prendre le pas sur les mots qui résonnaient dans sa tête, en boucle.

Natalia,
Si je ne te parle pas maintenant, je ne le ferai plus jamais. Bientôt, il sera trop tard. La mort ne m'effraie pas plus aujourd'hui que par le passé. J'ai traversé ma

vie en compagnie de fantômes et j'ai lutté plus que tu ne peux l'imaginer pour ne pas les rejoindre. J'ai résisté pour toi, pour ne pas te laisser définitivement seule, même si je n'ai pas été à la hauteur des promesses que je m'étais faites. Je n'ai pas peur de mourir, mais je suis terrorisée à l'idée de perdre la tête. C'est pourtant ce qui va arriver, inéluctablement.

Il semble que la vie a décidé de s'amuser un peu avec moi puisque depuis quelques jours je suis pleinement consciente. Je le prends comme un signe ; elle me donne l'occasion et les moyens de m'adresser à toi, de te parler comme jamais je n'ai eu le courage de le faire. Une dernière chance, en quelque sorte.

Mercredi soir, j'ai cru revoir ma Delphine. Il est incroyable que je me souvienne de cette scène puisque c'est tout l'art de la maladie de percer des trous dans ma mémoire encombrée. Pourtant, il s'est passé quelque chose de décisif. Je discutais avec la jeune fille que tu avais invitée chez toi, elle m'écoutait parler plutôt, nous étions assises sur le lit et cela a duré un petit moment. Lorsqu'elle m'a quittée, elle a posé sa petite main sur ma joue en me souhaitant bonne nuit et a prononcé ces mots : « Il faudra le dire à Natalia. »

Je suis aux portes de la sénilité, mais je suis certaine d'avoir déjà vécu un pareil moment. C'était il y a cinquante ans, avec ma Delphine, la jumelle de mon cœur, l'or de ma jeunesse... Elle avait eu exactement les mêmes mots, accompagnés d'un geste identique. Et c'était la veille de sa mort.

Agatha et Delphine se sont superposées, leurs voix, leurs douceurs, la tristesse dans leurs yeux... Depuis ce moment, je vis la trêve incroyable dont je te parlais. Je me rends compte que je me suis même souvenue du prénom de cette jeune fille : Agatha...

Le collier que tu portes, que tu portais, car cela aussi je l'ai remarqué, était celui de Delphine. Nos parents nous avaient offert les mêmes quand nous étions de toutes jeunes enfants. Tu trouveras la lettre qu'elle m'a laissée dans la grande enveloppe.

Si Dieu le veut, nous pourrons parler, toi et moi, dérouler le ruban de notre histoire familiale. Je te laisserai me poser toutes les questions que tu souhaiteras et j'y répondrai sans détour.

En attendant, je te laisse regarder ce que j'ai déposé sur le lit.

Je t'embrasse, ma Natalia. Crois en mon regret de ne pas t'avoir aimée de la meilleure manière qui soit. J'ai fait du mieux que j'ai pu, combattant sans cesse contre moi, luttant pour que tu sois armée, prête à affronter ta propre existence sans te léguer tous mes fardeaux.

Avec toute mon affection,

Eugénie

— Natalia s'allongea, en proie à un violent étourdissement. La lettre d'Eugénie n'avait été que l'amorce d'autres révélations. L'enveloppe renfermait également la lettre d'adieux de Delphine à sa sœur. Delphine, qui l'avait portée dans son ventre pendant neuf mois et qui s'était donné la mort quelques semaines après avoir accouché. Delphine, qui l'avait confiée à Eugénie, par désespoir, dans l'incapacité de pouvoir continuer à vivre, à se lever chaque nuit et chaque matin pour s'occuper de ce bébé. Une mère accablée par une responsabilité démesurée, trop lourde, angoissante, elle qui survivait déjà à peine.

La lettre de Delphine évoquait également un tout autre traumatisme familial, celui de ses parents, disparus, enlevés, kidnappés avec plus de dix mille autres juifs le 17 juillet 1942. Les sœurs avaient grandi avec cette béance en elles, arrachées à l'âge de cinq ans à leur père et leur mère. Cachées, déguisées, rebaptisées, elles avaient traversé l'enfance amputées de leurs parents.

Eugénie avait combattu et lutté, Delphine s'était noyée. Delphine sa mère.

Natalia sombra dans le sommeil, lâcha prise, arrêta de penser. Elle devait dormir ; elle irait voir Eugénie dans l'après-midi.

Murielle et Nathalie arrivèrent au clos des Reinettes dans un état de surexcitation avancé. Sarah mit un certain temps à s'adapter au rythme des conversations qu'elles semblaient ne pas avoir interrompues en sortant de la voiture. Elles répondirent à peine aux filles venues les saluer et continuèrent à s'exclamer sur l'actualité sociale et politique pendant que Sarah mettait la table. Elle leur servit un verre de cidre et s'assit à leurs côtés en essayant de rattraper les wagons. Au bout de vingt minutes, Murielle demanda où était le reste de la famille. Elle lui répondit qu'Agatha et Noémie étaient venues leur dire bonjour un peu plus tôt et s'étonna qu'elle ne s'en souvienne pas. Elle profita d'avoir la parole pour leur proposer une visite des lieux, mais elles déclinèrent, préférant faire le tour après le repas.

— Et Daniel, il n'est pas là ?

— Non.

— Ah ! Bon, alors, tu as suivi un peu la mise à mort de la retraite à soixante ans ?

— De loin, oui. Je vous avoue que j'ai été vraiment débordée sur tous les fronts. J'ai passé beaucoup de temps dans les travaux, les...

— Je trouve cela écœurant, la coupa Nathalie. Ça, plus le débat d'orientation budgétaire qui va tailler dans le vif des dépenses sociales l'année prochaine. Vous allez voir, ça ne va pas faire un pli !

Sarah les observa se renvoyer la balle encore quelques minutes, puis alla chercher ses filles pour les inviter à rejoindre la table du déjeuner.

— Je leur avais fait des dessins, mais j'ai plus envie de les leur donner ! lui annonça Noémie.

— Eh bien, ne les donne pas, ma puce. Allez, viens.

Il y avait quelque chose d'extrêmement déconcertant dans l'attitude des deux femmes. Elles s'étaient installées comme sur une terrasse de restaurant et semblaient ne pas se rendre compte de leur comportement si peu aimable. Elles se calmèrent un peu pendant le repas, mais ne montrèrent aucun intérêt pour la nouvelle vie de leur amie.

Sarah prit beaucoup sur elle.

Elle se retint de leur signaler qu'elles ne s'étaient pas vues depuis trois mois et qu'elles auraient peut-être pu interrompre ce dialogue auquel personne ne pouvait participer.

Elle ravala sa déception face à l'indifférence qu'elles affichaient vis-à-vis du gîte et de tous les événements qu'elle avait traversés ces derniers mois.

Elle serra les poings quand elles ignorèrent la bonne volonté d'Agatha à lancer un sujet de conversation accessible à toutes et qu'elles se contentèrent de lui renvoyer un sourire poli.

Elle essaya de se calmer, tandis qu'elle préparait le café, mais finit par exploser quand elle revint avec les tasses fumantes et entendit Murielle la piquer au plus mauvais endroit qui soit :

— Et toi, Sarah ! Résignée à dépendre de ton petit mari pour le restant de tes jours ? Tu as mis au placard ton féminisme et ton besoin de liberté pour ce trou perdu !

Et Nathalie de renchérir, en riant à gorge déployée :

— C'est vrai, ça ! Un boulot à mi-temps à ton âge, ça veut dire une demi-retraite dans vingt ans ! Le troc des tableaux de bord et des responsabilités contre les fourneaux et la brouette, ça te plaît ?

Ce fut très progressif.

Elle s'assit calmement.

Elle les regarda pour s'assurer qu'il s'agissait bien de véritables questions et qu'elles la laisseraient répondre, cette fois, puis elle commença le déballage d'une voix posée.

— Pour la dépendance au puissant mari, je suis désolée de vous décevoir, mais ce n'est pas à l'ordre du jour. Nous allons nous séparer, Daniel et moi.

Elle se leva et poursuivit d'un air plus affirmé, sans pour autant hausser le ton.

— Je ne pense pas à ce que je serai dans vingt ans, mais ma retraite sera suffisante grâce à cette magnifique longère et ce ravissant petit gîte que vous n'avez pas même regardés, mais que mes longues années de femme stressée derrière des tableaux de bord ont permis d'acheter avec un complément de crédit très raisonnable.

Elle marqua une pause et conclut :

— J'adore cuisiner, depuis toujours, le jardinage m'apaise et, c'est une découverte, j'ai rencontré plus de personnes fascinantes en quelques mois que ces dernières années. Je me suis fait des amis sincères, nous nous préoccupons les uns des autres, et mon trou perdu m'apprend à savourer des joies simples et quotidiennes que je ne soupçonnais pas.

Elles la regardaient d'un air curieux, les yeux ronds, sourcils levés. Elles ne disaient rien et ne bougeaient pas.

— Je ne vous oblige pas à rester. À moins que vous ne tombiez le masque et redeveniez les amies que j'ai connues, je ne vois pas l'intérêt de continuer. Cela vous arrive de manquer de tact au point d'être désagréables, mais vous n'étiez jamais allées aussi loin ! Est-ce que vous vous en rendez seulement compte ?

Nathalie hochait la tête d'un air désapprobateur, Murielle semblait hésiter à prendre la parole. Elle cherchait l'approbation de sa voisine, qui ne la regardait pas.

— Je ne comprends pas ce qui te prend, Sarah... Je pense qu'il y a un gros malentendu. On plaisantait, c'est tout... N'est-ce pas, Nathalie ?

— Apparemment, l'air de la campagne lui a fait perdre le sens de l'humour !

Sarah consentit à entrer dans le jeu de la réconciliation.

— Peut-être un peu, mais c'est un humour bien curieux. J'étais tellement heureuse de vous faire partager tout cela. On dirait que vous vous en fichez complètement. Vous ignorez mes filles, vous ne parlez que de sujets que vous seules maîtrisez... Je suis contrariée, en effet.

Murielle semblait écouter, tandis que Nathalie gardait le visage fermé et les bras croisés. Elle se leva.

— Personnellement, je crois que je vais partir. Je ne suis pas venue jusqu'ici pour me faire agresser par ta toute nouvelle susceptibilité.

— Nathalie… C'est bon, on y est allées fort, admets-le ?

— Et depuis quand c'est une raison pour prendre la mouche ? Elle est belle, l'amitié, tiens. Reste si tu veux, moi, je m'en vais. Tu prendras le train.

Murielle regarda Sarah.

— Je suis désolée…

— Tu n'as qu'à rester après tout, c'est vrai.

— Tu ne veux pas essayer de la raisonner ? Rattrape-la avant qu'il ne soit trop tard !

— Non, Murielle, je n'ai pas envie, je suis désolée. Elle m'a blessée et je n'ai plus envie de faire la sourde oreille quand les mots me font mal. Tu as reconnu que vous étiez allées un peu loin, il me suffit qu'elle en fasse autant pour la retenir.

— Elle ne le fera pas, tu le sais bien.

— Tant pis.

Nathalie démarra la voiture. Elle baissa la vitre et regarda ce que faisait Murielle.

— J'y vais, Sarah. Je t'appelle, d'accord ?

— D'accord. Bonnes vacances, alors.

Et ce fut tout.

Sarah s'avança vers le portail, doutant pendant quelques minutes de la réalité de ce départ. La voiture ne fit pas demi-tour. C'était donc aussi simple que cela, de gâcher une complicité de plusieurs années… Elle regagna la maison, prit son portable et s'apprêtait à les rappeler quand les mots blessants de l'une et de l'autre lui revinrent en mémoire. Combien de fois par le passé avait-elle accusé le coup de cette ironie douteuse ? Avait-elle jamais passé un moment en leur compagnie ces dernières années sans faux-semblant ni carapace ? S'était-elle jamais autorisée à annuler un rendez-vous avec elles, comme elles en avaient pris l'habitude, pour un prétexte ou un autre ? Et combien de fois avait-elle été appelée au dernier moment, pour une place de théâtre qui se libérait ou un invité qui se désistait au dîner du samedi soir ? Et elle s'était trouvée à sa place, juste un peu en dessous du cercle des intimes, un peu moins cultivée, un peu moins drôle et plus réservée. Elle n'avait pas eu l'impression d'en souffrir et s'était sentie comme honorée de faire partie de la petite bande. Mais, alors qu'aujourd'hui elle s'était réjouie de leur montrer ce qu'elle avait réussi à faire, elles l'avaient privée du plaisir de partager les objets de sa fierté, sa nouvelle maison, cet aménagement qui lui plaisait entre une réelle implication professionnelle dans l'entreprise familiale de Didier et Prune, et le temps qu'elle pouvait consacrer à développer sa propre activité et à faire de son gîte un lieu d'accueil chaleureux et agréable.

Leur désintérêt pour Agatha et Noémie la touchait également. Leurs propres enfants étaient désormais des adultes, et elles semblaient avoir oublié ces soirées où déjà, à l'époque, elles concouraient au récit le plus épique quand elles décrivaient le folklore de la chasse aux poux ou les délices de la varicelle. Elles régalaient l'assemblée de chaque mot sorti de la bouche de leur progéniture et détaillaient avec drôlerie les aléas de leurs vies de jeunes mères.

Elle ne leur avait pas laissé l'opportunité ni le temps de réagir à l'annonce de sa séparation, mais pouvait imaginer ce qu'aurait été leur réaction. Émancipées de mariages qui les avaient étouffées, elles étaient devenues de farouches combattantes féministes, en croisade contre le machisme de tous les jours, de talentueuses oratrices, totalement fatalistes. Les hommes et les femmes n'étaient pas faits pour vivre ensemble. Point.

Elle reposa son portable. Toute cette scène l'avait vaccinée contre la fascination qu'avaient toujours exercée sur elle les deux femmes. Elle admirait leur aisance relationnelle, leur capacité à animer n'importe quel dîner, celle à se mettre efficacement en valeur sans jamais douter d'elles-mêmes, mais elle les regardait désormais avec un œil neuf. Cette assurance était au prix d'une attention aux autres sélective, qui les privait de bien des choses. Elles observaient le monde de leurs points de vue, sans oser faire un pas de côté, et Sarah n'enviait pas le moins du monde cette sorte d'enfermement.

Elle laisserait faire le temps ; avec les jours sa suscepti-bilité et sa rancune s'allégeraient peut-être, et elle n'excluait pas de faire le premier pas pour recoller les morceaux, mais, pour l'instant, il n'était pas question de céder à la culpabilité.

Agatha apparut et lui prit la main.

— Elles sont parties ?

— Oui. Je n'y suis pas allée de main morte, je crois…

— Bah, elles ne devaient pas avoir tellement envie de rester.

— C'est ce que je me dis aussi.

Sarah se retourna vers sa fille.

— Et si on en profitait pour visiter ce fameux clos Lupin dont tu me parles depuis plusieurs semaines ?

L'idée enchanta Agatha. Vingt minutes plus tard, elles étaient toutes les trois en route.

Natalia fut tirée de son sommeil par le bruit du téléphone. Elle arriva trop tard, mais la sonnerie retentit à nouveau quelques secondes plus tard.

— Oui ?

— Madame Ficher ?

— C'est moi.

— Je suis madame Ganeau, la directrice de la résidence des Jacinthes.

— Il est arrivé quelque chose à ma mère ?

— Je suis désolée, madame. Elle ne s'est pas réveillée ce matin. Il semble qu'elle ait eu un arrêt cardiaque dans la nuit. Elle n'a pas utilisé l'alarme d'urgence, et nous nous en sommes aperçus en début d'après-midi. Nous avons tardé un peu, mais, comme elle ne fréquente pas régulièrement la salle à manger, nous n'étions pas plus inquiets que cela… Madame ?

— Oui… Je suis là.

— Toutes mes condoléances.

— Merci… Je serai là dans deux heures…

Natalia, sonnée par cette nouvelle abrupte et terriblement injuste, resta immobile avec le téléphone dans la main pendant plusieurs minutes. Elle appela Virginie qui ne décrocha pas, lui laissa un message, puis composa le numéro de Jeff.

Il fut sincèrement attristé par la mort d'Eugénie et sembla accuser le coup de cet événement très inattendu. Il venait de la quitter en bonne santé et posa plusieurs questions à Natalia. Non, elle ne lui connaissait pas de problèmes cardiaques ; oui, elle avait l'air en forme quand elle l'avait déposée la veille ; non, elle ne comprenait pas ce qui avait bien pu se passer... Elle balaya ensuite mentalement les personnes qu'elle pourrait prévenir, mais n'en trouva aucune. Sa mère n'avait personne. Les seules relations qui lui restaient étaient les résidents du foyer logement où elle avait habité, et ils devaient naturellement tous être déjà avertis. Elle écouta son envie et appela la seule femme à qui elle voulait parler en cet instant.

— Bonjour, Sarah, c'est Natalia.

— Natalia ! J'allais vous appeler ce soir, c'est amusant ! Comment allez-vous ?

— Je ne sais pas... Pas très bien, je crois... Ma mère est décédée cette nuit.

— Oh ! Natalia, je suis désolée...

— Vous allez me trouver pathétique : vous êtes la seule amie à qui je peux annoncer ce triste événement...

— Je ne vous trouve pas pathétique du tout. Je suis honorée et, s'il y a quoi que ce soit que je puisse faire pour vous aider ou vous soutenir, vous pouvez compter sur moi.

— Je vais partir à la maison de retraite... Je n'étais absolument pas préparée à cela, et nous n'en avions jamais parlé entre nous... Je ne sais pas quoi faire...

— Appelez-moi quand vous serez là-bas. Je m'arrangerai pour venir dès demain.

— Je vous remercie.

— Bon courage, à tout à l'heure.

Natalia s'habilla rapidement et partit immédiatement.

29

S arah était dans le jardin à la française du clos Lupin quand Natalia avait appelé. Elle laissa ses filles entrer dans l'ermitage à colombages de l'illustre écrivain et passa quelques coups de fil pour organiser son absence du lendemain.

Elle prévint Prune et Didier, pour la forme. Elle travaillait de chez elle pendant la fermeture de la boutique, mais voulait les informer qu'elle laisserait la ligne de téléphone transférée chez elle sur répondeur. Elle appela ensuite Léa, puis ses parents. Elle emmènerait les filles et les déposerait chez eux quelques jours plus tôt que prévu. Elles pourraient ainsi voir leur père, si elles le souhaitaient, avant de partir faire du camping. Quant à ses hôtes belges, ils ne s'apercevraient peut-être même pas de son absence. Elle partirait après le petit-déjeuner et serait vraisemblablement de retour pour le dîner. De toute façon, ils ne partageaient sa table que le matin.

Agatha fut profondément affectée par la mort d'Eugénie. Elle pleura quand sa mère le lui annonça, et la supplia de bien vouloir l'emmener pour la voir une dernière fois.

— Je ne sais pas du tout comment va se passer la journée de demain, ma puce. Je poserai la question à Natalia ce soir, entendu ?

30

Natalia venait d'arriver sur place. Quand elle entra dans la chambre, elle eut la surprise de voir au chevet de sa mère une inconnue murmurant des phrases incompréhensibles. La directrice de la résidence qui lui emboîtait le pas la renseigna :

— C'est une dame du Consistoire de Paris.

— Le Consistoire de Paris ?

— L'union de la communauté juive. Votre mère avait tout prévu, dès son arrivée chez nous… Pour le jour de son décès, ses volontés étaient très claires.

— Mais ma mère n'est pas…

Elle n'acheva pas sa phrase. Bien sûr que sa mère était juive. Elle n'avait pas été pratiquante, mais elle tenait cet héritage de sa mère. Elle-même devait donc l'être un peu également…

— Vous disiez, madame ?

— Rien… Je peux entrer ?

— Bien sûr.

La femme assise au chevet d'Eugénie interrompit un bref instant le récital des psaumes et fit un signe de tête à Natalia.

Le visage de sa mère était caché, son corps était entièrement recouvert d'un drap blanc, et ses bras étaient ramenés bien droit le long de son corps. Une bougie se consumait sur la commode, et l'unique miroir de la pièce était recouvert d'un tissu.

Elle resta un long moment auprès d'elle, écoutant sans comprendre la litanie de la femme.

La directrice avait dit vrai : Eugénie avait tout prévu ; Natalia n'aurait à s'occuper de rien. L'inhumation aurait lieu dès le lendemain, le plus rapidement possible après le décès conformément au rite judaïque. Natalia demanda s'il serait possible que sa mère passe sa dernière nuit chez elle, et non pas dans cet appartement qui n'était pas vraiment le sien, et dans lequel elle avait toujours habité seule. Cette faveur lui fut accordée, et la dépouille d'Eugénie fut conduite à son domicile, où sa fille veilla sur elle toute la nuit.

31

Lundi 25 juillet 2010

Le trajet en voiture sembla durer une éternité à Sarah. Les filles dormaient toutes les deux sur la banquette arrière. Elles avaient bouclé les valises en prévision de leur séjour avec les grands-parents dans la nuit et s'étaient couchées très tard. Pour la première fois depuis deux jours, Sarah se retrouvait seule avec ses pensées, et le nœud qui sommeillait en elle se réveillait. Les larmes de l'avant-veille n'avaient rien soulagé ; la trahison de Daniel exerçait une véritable torture sur elle… Elle s'empêchait d'appuyer trop fort sur l'accélérateur, refoulant son envie d'avaler le plus vite possible les kilomètres de l'autoroute A13 qui n'en finissait plus.

Elle avait besoin de se retrouver vite en compagnie d'autres personnes, penser et parler d'autre chose, évacuer ce sentiment d'abandon qui la serrait et l'angoissait, chasser les visions que son imagination projetait, des images douloureuses et inutiles. Elle se dit qu'elle aurait préféré ne pas savoir. Tout aurait été plus simple si elle était restée blottie dans le cocon protecteur de l'ignorance, aveuglée par la poudre grossière des excuses de Daniel. Qu'allait-il se passer, désormais ? S'il voulait revenir, serait-elle prête à le recevoir, à effacer les marques de ce coup bas ? La blessure parviendrait-elle jamais à cicatriser. Dans combien de temps ? Séparation… Elle avait été bien prétentieuse de s'être crue à l'abri de ce terrible mot et de son cortège de conséquences.

BP NORD FLUIDE.

Elle s'engouffra dans le tunnel et émergea porte Maillot. Les filles dormaient toujours. Il était prévu qu'elle dépose Noémie chez ses parents ; Agatha resterait avec elle, et elle la ramènerait le soir avant de repartir en Normandie.

Porte de Clichy, premier ralentissement, à quelques kilomètres de l'arrivée. Ce voyage s'éternisait... Elle avait préféré déposer sa fille chez ses grands-parents plutôt que de la laisser chez Léa et Paul avec ses grandes cousines. Daniel devait normalement travailler, mais il n'était pas question qu'elle coure le moindre risque de le croiser.

Enfin, elle arriva. Elle se gara comme elle put boulevard des Batignolles et appela son père pour qu'il vienne l'aider à décharger la voiture. Elle embrassa Noémie, encore tout engourdie de sommeil, serra son père dans ses bras et repartit avec Agatha sans même s'arrêter boire un café.

Elle devait retrouver Natalia à quatorze heures chez elle. Encore un tiers du périphérique à parcourir... Elle était dans les temps, mais sentait la tension de la circulation aléatoire parisienne faire son œuvre.

De retour à l'hôpital, Daniel vit que le moment qu'il redoutait était venu. Fanny marchait droit sur lui de l'autre bout du couloir ; il ne pourrait pas se défiler, cette fois.

— Bonjour.

— Bonjour, Fanny, tu as déjeuné ?

— Pas encore.

— On va manger un morceau dehors ?

— Soit.

Il feignit d'ignorer le silence pesant qu'elle laissait s'installer, tandis qu'ils sortaient de l'hôpital, et tenta de garder un air naturel quand il brisa la glace.

— Tu as fait quelque chose de particulier ce week-end ?

Elle s'arrêta et le regarda froidement. Toute la colère retenue dans sa voix transpirait sur son visage.

— Arrête ça. Ne me fais pas la conversation. J'ai deux questions à te poser et c'est tout ce qui m'intéresse.

— Je t'écoute.

— Quand reviens-tu à la maison et quand vas-tu quitter ta femme ?

Il lui répondit calmement, exprimant le fruit de ses réflexions des deux derniers jours :

— Je ne vais pas revenir chez toi. Ce n'est pas ma maison, comme tu dis. À vrai dire, je n'ai plus de maison à l'heure qu'il est. Et, pour la deuxième question, je ne vais pas quitter ma femme ; c'est plutôt elle qui ne veut plus de moi, mais il faut que tu comprennes que, sur un seul signe de sa part m'y autorisant, je la rejoindrai sans hésiter une seconde. Je suis désolé, Fanny...

— Bien.

Il répéta.

— Je suis désolé.

— Ne le sois pas, je tiendrai mes promesses. Pour commencer, tu dois huit mille euros à l'hôpital pour ton cycle de formation qui commence dans deux mois. D'ici là, crois-moi, je vais te rendre la vie impossible.

— Je ne comprends pas... Qu'est-ce que cela va t'apporter ?

— Je ne te demande pas de comprendre. Tu étais prévenu.

— Mais tu ne peux pas exercer un tel chantage sur moi. Et puis tu sais bien que je n'ai pas les moyens de débourser une telle somme.

— Je te fais une dernière fleur : je verse la somme d'avance, et tu as six mois pour me rembourser chaque mois. Ou alors, tu abandonnes l'idée et tu renonces à ce projet. Il faudra faire une demande de mutation qui prendra à nouveau du temps, et compte sur moi pour ne pas mettre ta requête en haut de la pile.

— C'est absurde.

Elle tourna les talons sans répondre et le laissa sur le parvis.

— À gauche maintenant, maman, et puis la prochaine à droite et nous serons arrivées.

Agatha guidait sa mère qui perdait pied dans le dédale des petites rues à sens unique de la porte de Bagnolet. Elle percevait son désarroi et se sentait terriblement impuissante. Elle avait fait semblant de dormir durant tout le trajet pour la laisser tranquille. Sarah avait été dans un état d'agitation extrême la veille, s'affairant à mille choses, s'empêchant le moindre temps mort, parlant sans arrêt… Elle-même luttait contre la fébrilité qui l'habitait depuis qu'elle avait appris la mort d'Eugénie et elle était incapable de rassembler ses esprits. Une lourde culpabilité planait au-dessus d'elle depuis ce moment… Et si elle avait malgré elle déclenché la cascade d'événements qui s'abattait sur Natalia ? Elle lui avait parlé du collier, elle avait imploré Sarah d'accepter qu'elle passe quelques jours avec Jules chez elle, elle avait laissé Eugénie parler sans la contredire, se laissant confondre avec sa défunte sœur… Et, quelques jours après, la mère de Natalia était morte. Agatha aurait aimé voir Jules, mais elle savait qu'il était parti en colonie le samedi. Elle ne pourrait compter que sur ses propres forces pour venir à bout de cette journée.

C'est Jeff qui vint leur ouvrir la porte.

— Entrez, dépêchez-vous.

Elles obéirent sans poser de questions et le regardèrent refermer précipitamment la porte dès qu'elles furent à l'intérieur.

— Excusez-moi. Nous avons eu quelques mauvaises surprises depuis ce matin. C'est à se demander comment les gens ont pu être au courant si vite…

— Il n'y a que vous ? s'enquit Agatha.

— Oui. Natalia a prévenu très peu de gens, et Virginie n'a pas rappelé. C'est très gentil à vous deux d'être venues.

Agatha les laissa s'échanger quelques politesses et se glissa dans la chambre du fond. Elle entra doucement, vit Natalia de dos, assise sur une chaise. Elle s'approcha et resta debout à ses côtés, puis elle posa la main sur son bras sans rien dire. Natalia tourna son visage vers elle, lui sourit et lui prit la main gauche qu'elle serra assez fort. Elle avait les yeux rouges, mais était sereine. Agatha sut immédiatement qu'Eugénie avait eu le temps de lui parler. Natalia était triste, mais elle semblait plus entière que jamais. Cette sensation était étrange, et Agatha ne l'avait jamais ressentie de manière aussi clairvoyante. Elle posa ensuite ses yeux sur le cercueil qui était encore ouvert. Eugénie était cachée, mais l'image de son visage était encore suffisamment proche pour qu'Agatha puisse la superposer à ce linge clair qui dissimulait ses traits. Elles restèrent ainsi toutes les deux jusqu'à ce que le cercueil soit refermé et porté vers la voiture qui attendait à l'extérieur.

Après l'inhumation, ils retrouvèrent quelques autres personnes dans un café place Gambetta. L'agent de Natalia était là, et quelques voisins avec lesquels elle avait commencé à tisser un lien. Personne ne resta bien longtemps. Natalia proposa à Sarah, Agatha et Jeff de marcher un peu. Jeff s'excusa : il était venu en train et devait rejoindre la gare Saint-Lazare avant une heure s'il ne voulait pas manquer son horaire de retour. Il avait un rendez-vous très tôt le lendemain matin et ne pouvait se permettre de rentrer trop tard.

— Mais je peux revenir dès après-demain si tu le souhaites...

— Je préférerais aller humer l'air de la mer par chez vous plutôt que de rester ici.

— Je vous ramène si vous voulez, Natalia, proposa Sarah.

— Il me reste quand même quelques petites choses à régler avant de m'absenter... Je pourrais venir un peu plus tard dans la semaine ?

— Naturellement.

Elle hésita, puis se tourna vers Jeff.

— Je peux vous éviter le métro et le train... Je dois passer chez mes parents dans le dix-septième, mais je rentre ce soir également.

— Dans ces conditions, marchons...

Natalia marchait aux côtés d'Agatha. La jeune fille sentait que l'actrice hésitait à parler et tenta de l'aider.

— Je n'avais jamais assisté à un enterrement avant aujourd'hui.

Natalia ne répondit pas tout de suite.

— Je crois qu'elle est partie comme elle voulait. Avant de perdre la tête et après m'avoir parlé…

— Elle vous a expliqué, alors ?

— Pas exactement. Elle m'a laissé une lettre et des photos… Tu savais, n'est-ce pas ?...

— Je l'ai laissée parler. Elle m'a prise pour Delphine, sa…

— … sa sœur jumelle… Celle qui aurait dû être ma mère… Tu sais, c'est étrange, je devrais être bouleversée par toutes ces révélations, tous ces secrets restés gardés si longtemps dans sa tête… Mais je me sens plutôt en paix… Je suis triste que ma mère soit partie si vite ; je m'impatientais de ce petit morceau de vie que nous nous apprêtions à partager, toutes les deux. Je trouve sa mort très injuste… Mais pour le reste… C'est comme si quelqu'un avait levé le voile sur quelque chose qui était en moi… Passé la stupéfaction des premières heures, je me suis aperçue que cela me semblait familier. Il n'y avait rien d'étranger dans toute cette histoire…

Elle fit une pause, semblant réfléchir à ce qu'elle allait dire.

— Je sais que tu n'as que douze ans, Agatha, mais, pour une raison qui m'échappe, je sens que je peux m'autoriser à te parler comme à une adulte, davantage peut-être même… Je savais que tu viendrais aujourd'hui avant que Sarah ne m'en parle… C'est étrange, non ?

— Pas pour moi… Je suis rassurée de vous voir ainsi. Je m'inquiétais qu'Eugénie n'ait pas eu le temps de vous dire elle-même ce qu'elle m'avait confié.

— Et moi, je suis si heureuse de vous avoir près de moi aujourd'hui.

Derrière elles, Sarah et Jeff marchaient en silence. Ils auraient deux cents kilomètres pour parler, et l'un et l'autre se demandaient avec une légère anxiété comment se passerait le voyage.

En fin d'après-midi, la Kangoo de Sarah était à nouveau au pied de l'immeuble de ses parents. Elle confia les clés de la voiture à Jeff pendant qu'elle accompagnait Agatha. Elle ne tarderait pas, mais resterait certainement une petite demi-heure avec eux avant de reprendre la route. Elle avait bien fait de le prévenir, car, arrivée au cinquième étage, elle tomba sur Léa.

— Qu'est-ce que tu fais là ?

— Eh ! Moi aussi je suis contente de te voir ! Je suis passée vous embrasser en sortant du travail.

— Ça me fait vraiment plaisir !

Agatha laissa sa mère et sa tante sur le palier et entra dans l'appartement.

Léa dit tout bas à sa sœur :

— Je te guettais. Avant qu'on entre, je voulais te prévenir pour Daniel.

— Qu'est-ce qui se passe encore ?

— Rien. Mais je crois que je ne vais pas pouvoir maintenir mon offre d'hébergement... C'est trop dur pour moi de le voir tous les jours. Je ne lui pardonne pas ce qu'il a fait et je passe mon temps à le provoquer...

— Et ?...

— Et rien. Il encaisse sans rien dire.

— Tu fais comme tu veux, ma Léa, tu sais bien. Il a de la ressource et il trouvera bien une solution.

— Tu es sûre ?

— Tu n'as pas à te sentir responsable de lui... Ne m'en veux pas, mais j'aime autant ne pas parler de lui pour l'instant. Il me laisse deux messages par jour depuis samedi et je ne les écoute pas... Il sait que les filles sont là ?

— Oui. Tu n'as rien dit aux parents ?

— Pas encore. Pas le courage.

— Il n'y a pas le feu. Bon. On entre alors ?

— OK. Je reste pas longtemps. Je ramène Jeff chez lui. Il m'attend dans la voiture.

Léa la retint par le bras alors qu'elle franchissait le seuil.

— Jeff ?

— Le mari de Natalia. Il est venu aux funérailles d'Eugénie.

— Je sais qui est Jeff, merci, l'ex-mari de Natalia, mais il y a des choses que j'ignore ou…

— Tu sais tout ce qu'il y a à savoir… Je ramène le père de Jules chez lui pour lui éviter un trajet en train, voilà tout.

Léa lui donna un coup de coude et répondit :

— Si tu le dis…

32

Mardi 26 juillet 2010

De Daniel à Sarah – envoyé le 25 juillet
à 22 h 40

Sarah,
Je ne m'attends pas à ce que tu répondes à mes
messages, mais sache que je ne cesse de penser à toi.
J'ai commis la pire erreur qui soit et j'espère qu'elle
ne me coûtera pas notre vie de couple et de famille...
Je comprends ton silence et je le respecterai tant qu'il
durera. Sache néanmoins que j'ai mis un terme à la
brève relation que j'ai eue avec cette femme. Je crois
comprendre que Léa et Paul préfèrent que je me trouve
un autre endroit pour dormir. Dès que j'aurai trouvé,
je te tiendrai informée. Je pensais à renoncer à ma
formation, qui n'a plus d'importance à mes yeux si je
la compare à ce que je suis à deux doigts de perdre,
mais je doute que tu projettes mon retour à la maison
dans le contexte qui est le nôtre à présent. Si tu n'y vois
pas d'objection, cependant, fais-le-moi savoir, et j'en-
tamerai les démarches nécessaires. J'ai appris que les
filles étaient pour quelques jours à Paris. J'ai appelé
tes parents ce soir et je pense aller les voir demain.
Je pense à toi. Je te demande pardon.

Daniel

Elle balaya rapidement les autres messages qui étaient arrivés sur sa boîte pendant le week-end. Il s'agissait essentiellement de publicité. Elle se débarrassa de sa réponse à Daniel avant de fermer l'écran de son ordinateur.

De Sarah à Daniel.
Ne renonce pas à ta formation pour de mauvaises raisons. Je t'appellerai quand je serai prête.

Puis elle sortit et rejoignit le chemin qui menait à la mer. Il faisait beau et chaud ; elle allait se baigner. Natalia avait rappelé pour demander si elle pouvait venir profiter de la maison quelques jours. Sarah avait accueilli cette demande avec grand plaisir et se réjouissait de sa venue. Le retour en voiture avec Jeff avait été plutôt agréable. Après quelques kilomètres à rouler dans un silence un peu gêné, elle s'était lancée dans de brèves excuses pour avoir mis en doute ses propos quand il lui avait parlé de Daniel. Il en avait fait de même, reconnaissant qu'il s'était mêlé de ce qui ne le regardait pas. Elle l'avait déposé chez lui, avait décliné l'invitation à entrer quelques instants. Elle avait en revanche accepté d'aller visiter le musée Malraux avec lui le surlendemain.

Elle avait besoin qu'on la laisse un peu tranquille. Il lui fallait prendre du recul, faire un peu le deuil de ses illusions passées et redémarrer du bon pied. Il lui fallait désormais porter un regard critique et aussi constructif que possible sur ses forces et ses faiblesses. Elle devait chercher au fond d'elle-même ce qu'elle voulait vraiment, définir l'attitude à adopter avec Daniel. La distance imposée par les prochains mois l'aiderait à dégager l'horizon des possibilités qui s'offraient à elle. Elle ne voulait pas prendre de décision à la hâte.

Elle s'interrogeait aussi sur la vivacité de ses propos à l'égard de ses amies parisiennes. Elle les avait laissées partir sans tenter de les retenir et elle n'était pas fière de sa réaction, mais elle se découvrait également une rancune tenace.

Elle arriva sur la plage. Le ciel était couvert, mais les nuages se dégageaient.

Troisième
partie

I

Samedi 5 février 2011

« *F**rance Inter, il est quinze heures, le journal. Égypte :
la direction du PND a démissionné, la mobilisation
se poursuit et les tractations...* »

Lise était assise devant une toile blanche, posée sur son
chevalet. Elle sortait religieusement un à un ses pinceaux de
leur boîte tout en écoutant les nouvelles qui s'égrenaient sur
sa vieille radio.

« *Les sorties de la semaine maintenant... Le dernier film de
Benjamin Centaure, dont le titre est tout simplement* Claude
Monet, *a fait de très belles entrées. Ce long métrage retrace
la vie de l'impressionniste. Natalia Ficher est éblouissante
dans le rôle de la deuxième femme du peintre ; Monet est
quant à lui incarné par Albert Detuis. À noter une curiosité de l'agenda culturel puisque cette semaine est également sorti le premier roman de Virginie Ficher, la fille de
la comédienne. Un livre salué par la critique qui a souligné
l'écriture et la sincérité de l'histoire. Sport maintenant...* »

L'interphone retentit au moment où elle allait utiliser son
premier tube de peinture. Elle alla ouvrir et attendit sur le
seuil de la porte. Julie ne tarda pas à sortir de l'ascenseur,
les bras chargés de paquets.

— Que me vaut l'honneur de cette visite-surprise ?

— Mon petit gars est invité à un anniversaire et j'en ai
profité pour faire les boutiques. J'étais dans le coin...

Elle posa ses sacs dans l'entrée et s'exclama en voyant la toile blanche.

— Tu as ressorti tes pinceaux ? C'est super, maman !

— Ça me démangeait depuis un petit moment...

— Tu vas peindre quoi ?

— Mon appartement. Cette pièce, tout simplement.

— Tiens...

— J'ai envie de déménager, mais, avant, je vais immortaliser chaque recoin de cet endroit.

— C'est nouveau, cette envie de partir ? Pour quoi faire ? Elle s'assit sur le canapé.

— Paris me fatigue. Je ressens l'envie d'aller respirer l'air de la province, celle d'avoir un bout de jardin, un endroit où toi et ta petite famille vous pourriez venir passer quelques jours au calme.

— Pas trop loin, alors... Je n'aime pas l'idée de te savoir retirée à la campagne...

— Pas trop loin, non. Nous en reparlerons. C'est juste une idée pour l'instant.

Julie s'assit en face d'elle et fouilla son sac à main. Elle en sortit un petit paquet.

— Tiens. Cadeau.

Elle tendit le bras pour attraper l'objet.

— Toi et tes petits cadeaux... Tu me gâtes trop, tu sais. Je vais prendre de mauvaises habitudes !

— Ouvre-le. Il paraît que c'est très bien. Je ne l'ai pas lu, mais je n'ai entendu que de bonnes choses.

Lise décacheta le papier et regarda la couverture. Une photo des falaises.

— *Jeanne et Simon*, de Virginie Ficher. C'est drôle, je viens d'en entendre parler à la radio à l'instant.

— Tu me diras ce que tu en as pensé. Je vais me faire un thé, tu en veux ?

— Oui, merci. Pas trop fort, s'il te plaît !

Tandis que sa fille faisait chauffer l'eau dans la cuisine, elle ouvrit le livre pour se faire une idée de la découverte qui l'attendait.

Elle parcourut les premiers mots, alla jusqu'à la fin de la première page, puis tourna fébrilement les feuilles au hasard, accrochant les phrases et les bribes de l'histoire pour être certaine qu'elle ne rêvait pas. Ses mains tremblaient tellement qu'elle en fit tomber le livre.

Julie entendit le bruit sourd contre le parquet et revint vers le salon, où elle trouva sa mère, blanche comme un linge.

— Que se passe-t-il, maman ? Tu ne te sens pas bien ?

Lise se baissa pour ramasser le livre. Quand elle se redressa, elle avait les yeux baignés de larmes.

— Maman ! Qu'est-ce qu'il y a ?

2

Paris XVe arrondissement

Natalia s'amusait beaucoup sur le plateau de télévision. Elle avait surpris toute la production en acceptant la tournée promotionnelle sans discuter et elle savourait les expressions des animateurs qui avaient le plus grand mal à dissimuler leur étonnement devant son naturel et sa répartie. Elle n'avait plus joué depuis la triste expérience italienne, mais prenait un grand plaisir à raconter le film de Benjamin. Elle usait de sa notoriété pour glisser à chaque interview quelques mots sur le roman de sa fille qu'elle avait beaucoup aimé et ne manquait pas d'éloges à son égard.

— Et quand vous verra-t-on à nouveau sur les grands écrans, Natalia ? Quels sont vos projets maintenant que le *Monet* de Benjamin Centaure est sorti ?

— Je crois bien que c'était mon dernier rôle au cinéma, figurez-vous !

— Comment cela ?

Elle n'avait averti personne de cette révélation, et son interlocuteur était pour le moins déstabilisé. Ils étaient en direct et il rebondit comme il put sur sa dernière phrase.

— C'est-à-dire que... vous allez monter sur les planches, faire du théâtre ?

— Non, non, pas du tout, je vais arrêter de jouer. J'ai tourné dans plus de trente films, vous savez. C'est beaucoup, même pour une vieille actrice de cinquante et un ans comme moi !

L'animateur ne pouvait s'empêcher de chercher du secours à droite et à gauche. Son regard en disait long sur le supplice qu'elle lui faisait vivre.

— Voyooons, Natalia, ne dites pas de bêtises ! Vous êtes décidément très en forme, ce soir ! Alors, euh… Dites-nous, qu'allez-vous donc faire ?

— Vous le saurez bien assez vite ! Vous avez aimé le film, alors ?

— Beaucoup, oui… Vraiment, énormément. Bien sûr, c'est un film très réussi, et, euh…, vous y êtes merveilleuse !

Il ne l'avait pas vu. Elle le devinait à la couleur de son visage et à ses flatteries maladroites. Elle arrêta de dévier du fil conducteur convenu et le laissa reprendre les rênes de l'interview. Elle se sauva à la coupure publicitaire. Elle avait rendez-vous avec sa fille et ne voulait pas être en retard.

Virginie se félicitait d'avoir écouté les conseils de son tout nouvel agent. Elle avait un agent. La simple évocation de cette réalité l'exaltait. Il lui avait glissé de s'appuyer sur la notoriété de sa mère pour soutenir le lancement de son livre, et tout fonctionnait à merveille. Natalia prenait cet intérêt soudain pour le rapprochement qu'elle n'attendait plus entre elles et œuvrait à sa promotion sans qu'elle ait eu besoin de lever le petit doigt. Aujourd'hui, Virginie avait choisi un salon de thé très en vue. Elle s'était installée à l'intérieur, veillant à être suffisamment exposée pour pouvoir être photographiée. Elle n'en revenait pas de la facilité avec laquelle les choses se passaient… Elle regarda sa montre : dans trois minutes, elle serait là. Elle reposa le carnet et le stylo qui ne la quittaient plus et essaya de chasser son unique problème du moment. Elle ne parvenait pas à écrire la suite.

Ça viendra, se convainquit-elle. Il me faut un peu de temps ; le public attendra, voilà tout. Mais qu'est-ce qu'elle fabrique, à la fin ! Les curieux vont finir par partir si elle n'arrive pas ! Elle n'a pas trop parlé de moi, ce midi, à la télé ; il faudra que je trouve un moyen de le lui dire. Et puis qu'est-ce qui lui a pris de dire qu'elle arrêtait le cinéma ? Il vaudrait mieux que sa célébrité ne décline pas trop vite ! Et j'espère qu'elle ne va pas remettre le couvert sur son histoire d'adoption. Je me demande à quoi ça rime, cette nouvelle sensiblerie. Je n'en ai rien à faire, chère mère, de vos élucu-brations familiales. Tout ce qui m'importe est dans votre carnet d'adresses. Les shoots de photos, les interviews, les entrées dans les soirées… Ça aussi, il faut que je lui en parle. Elle ne sort pas assez. Il faut que les gens la voient encore quelque temps, juste assez pour qu'ils s'habituent à l'idée que la célèbre Ficher, c'est désormais moi !

Son portable vibra. C'était elle.

— Je suis dans un taxi à quelques dizaines de mètres de l'endroit que tu m'as indiqué, mais il y a plein de monde à l'extérieur… Tu ne veux pas filer et me retrouver ailleurs ?

— T'inquiète pas : à l'intérieur, il n'y a personne. Nous serons tranquilles.

— Bon, si tu le dis, j'arrive.

— OK.

Elle raccrocha. Mais qu'est-ce qu'elle s'imagine ! Qu'on va parler ? Se donner des nouvelles, nous raconter nos vacances ? Elle pouffa toute seule. Trop naïve, décidément, ou trop bête. On se voit pour être vues, c'est tout ! Bien sûr qu'il y a des gens dehors : c'est moi qui les ai prévenus !

Natalia se fraya un chemin et accéda finalement au salon. Elle avait beau prendre sur elle, ces bains de foule contraints étaient toujours aussi compliqués pour elle. Quand les gens étaient si nombreux qu'ils en étaient effrayants, quand le regroupement des anonymes ne formait plus qu'un attroupe-ment compact, sourd et aveugle à ses protestations, elle perdait tous ses moyens. Elle était heureuse de retrouver Virginie. Elle avait eu raison d'être patiente et se félicitait de ne pas avoir abandonné l'idée de renouer avec sa fille. Elle avait espéré pour ce jour un endroit un peu plus tranquille. Elle voulait en effet lui annoncer la grande nouvelle de la semaine et lui faire part des progrès de son projet. Quand elle se pencha vers elle pour l'embrasser, elle perçut les flashes des appareils photo qui s'affolaient dans la rue. Elle tourna le dos à la vitrine pour ne pas être importunée davantage. Sa fille avait l'air décontractée, absolument pas perturbée par l'agitation qui secouait le trottoir.

— Ça ne te dérange pas ?

— Quoi donc ?

— Eux. Ceux qui nous épient, immortalisant chacune de nos expressions, essayant de deviner les mots que nous nous échangeons en lisant sur nos lèvres...

— Non ? Lire sur les lèvres ? Tu es sûre ?

Natalia retira son manteau et le posa sur la banquette. Elle jeta un œil sur son reflet dans le miroir et repositionna machinalement la mèche qui tombait sur son visage.

— Oui. Et le pire c'est qu'ils ne tombent jamais bien loin de ce que l'on dit.

— Je t'ai regardée à la télé, tout à l'heure. C'était assez drôle, la manière que tu avais de le remettre à sa place, cet abruti !

— Quel abruti ? Tu parles de l'émission ? Je m'en veux. Je n'ai jamais voulu le remettre à sa place, mais je maîtrise encore plutôt mal l'art de l'improvisation. Tu as remarqué comme il y a des gens qui sont doués pour ça ? Ils ne se laissent pas enfermer dans l'interview qu'on leur sert sans pour autant ridiculiser leur interlocuteur. Ils arrivent même à le mettre en valeur... J'ai eu pitié de ce pauvre homme. Il était au bord de la panique. D'ailleurs, je me suis pliée à ses questions très docilement, à la fin...

— J'ai vu, oui. Tu sais, j'apprécie vraiment ce que tu fais pour moi. Si les ventes du livre démarrent aussi bien, c'est beaucoup grâce à toi.

— Pas du tout, c'est grâce au bouche-à-oreille et à la critique. Ton roman est excellent, et tu ne dois ce succès qu'à toi-même.

— Benjamin l'a confié à un scénariste pour l'adapter au cinéma.

— C'est formidable !

— Tu peux en parler, si tu veux.

— Bien. D'accord, je le ferai. Tu bois quoi ?

Elles commandèrent chacune un thé différent et l'accompagnèrent d'une crème brûlée à la rose et d'une tarte Tatin. Les crépitements des appareils photo s'étaient tus. Natalia commençait à se sentir mieux. Elle attendit que le serveur ait déposé la commande sur leur table pour révéler à Virginie l'information qu'elle avait jusqu'à présent gardée confidentielle.

— J'ai bien avancé, tu sais.

— Dans quoi ?

— Dans mes recherches sur le passé.

— Ah.

Ça y est, c'est reparti, se dit Virginie. Et plus personne dans le public, en plus. Je vais devoir l'écouter m'assommer avec ses histoires de morts inconnus. Pas d'issue possible !

— La dernière fois que nous nous sommes vues, je t'avais raconté les étranges similitudes entre ma mère et moi. Biologique, j'entends. Nous avons toutes deux été enceintes au même âge, d'un homme qui n'a pas laissé d'empreintes dans nos vies, et...

— Oui, oui, tu m'as déjà tout dit à ce sujet.

Natalia baissa le ton, comme si elle s'apprêtait à lui confier quelque secret.

— Je me suis trompée sur un fait essentiel... Je ne l'ai découvert que cette semaine.

— Ah ?

— Tu n'as pas eu de père parce que l'homme que j'ai connu à cette époque a disparu lorsqu'il a appris que j'étais enceinte. Je n'étais pas éperdue d'amour, mais j'aurais néanmoins aimé que tu grandisses à ses côtés...

— Oui, pour pallier tes manquements, etc. Écoute, on ne va pas revenir sur tout ça. Nous avions convenu de ne plus en parler. C'est le passé.

— Laisse-moi finir... Je pensais que ma mère – j'ai le plus grand mal à l'appeler ainsi –, disons la sœur d'Eugénie, avait traversé la même expérience, délaissée par un amant qu'un enfant aurait bien embarrassé, mais la vérité est toute différente !

Virginie écoutait à peine. Elle envoyait un SMS à Benjamin. *Appelle-moi dans dix minutes. Merci, B !*

— Tu ne veux pas savoir ?

— Si, si, pardon. J'ai reçu un message et c'était important. Je devais répondre.

— Tout cela pour te dire que c'est Delphine qui s'est

volatilisée, pas cet homme. Elle l'a littéralement rayé de sa vie sans demander son reste. Elle s'est envolée avec Eugénie et cet enfant dans le ventre, moi en l'occurrence.

— ...

— Et, la grande nouvelle, c'est que j'ai retrouvé sa trace. Je lui ai même parlé !

Sa fille la regardait d'un air hébété.

— Cet homme ! Ton grand-père, te rends-tu compte ? Il s'est marié plus tard et a eu une famille. J'ai deux demi-sœurs, des neveux, des nièces ! Tu réalises que nous ne sommes pas seules ? Nous avons une véritable famille qui ne demande qu'à nous rencontrer !

— C'est une famille, pour toi ? Un type qui a mis ta mère inconnue enceinte il y a une cinquantaine d'années et dont tu n'as jamais entendu parler jusqu'à maintenant ? Excuse-moi, mais c'est presque drôle ! Ils ont vu le filon, à mon avis. Parents de Natalia Ficher, c'est bon pour le compte en banque, ça mérite bien de jouer un peu la comédie sentimentale...

— Qu'est-ce que tu peux être cynique, parfois !

— Les pieds sur terre, c'est pas pareil. Heureusement d'ailleurs. Tu perds la tête avec cette histoire !

— Pour plus tard, la rencontre, alors, si je comprends bien ?

— Je n'en vois pas l'intérêt. Mais fais-toi plaisir, je t'en prie ! Tu me raconteras !

Le téléphone de Virginie vibra, et elle se précipita pour décrocher.

— Oui. Bien. J'arrive.

Elle raccrocha.

— Il faut que tu y ailles ?

— Un travail que j'avais accepté avant toute cette histoire. Séance photo, quatre mannequins à maquiller. On s'appelle ?

— Oui. Bon courage.

Une fois sur le trottoir, elle rappela Benjamin :

— Merci, tu m'as sauvée ! Cinq minutes de plus et j'explosais ! On se fait un film ?

3

— Ça ne va jamais tenir, Matthieu ! Oh là là, venez m'aider, je vous en supplie !

— C'est comme cela qu'on apprend, chère Sarah. Vous ne vous débrouillez pas trop mal, je vous assure.

— Ça va tomber ! C'est en train de tomber ! Matthieu !

Sarah, qui se tenait courbée au-dessus de la table depuis un quart d'heure, se redressa, la mine déconfite.

— C'est tombé, voilà.

Il lâcha sa cuillère en bois et la rejoignit.

— Eh bien, nous allons la reconstruire, cette pièce montée. Jusqu'à ce qu'elle tienne. Ils ne sont pas tombés par terre, non plus, vos choux. Ce n'est pas la catastrophe. Allez-y, je vous regarde. N'ayez pas peur d'avoir la main lourde avec le caramel, et la base un peu moins large, si vous pouvez.

— Vous ne voulez pas la faire ? Quand même, ce serait dommage de rater le dessert de l'anniversaire de mariage de Prune et Didier.

Matthieu ne fit pas même mine de l'aider. Il l'avait mise au défi de réaliser la pièce montée toute seule et s'en tenait aux règles édictées. Sarah avait donc fait la pâte à choux, deux fois, la crème pâtissière à la fleur d'oranger ; elle avait garni les chouquettes sans trop de perte, et l'ultime et décisive étape se jouait à présent.

Elle le regarda d'un air désespéré. Il n'allait pas plier, elle le devinait.

— Je vais vous dire quelque chose qui va vous recharger les batteries pour la monter, cette pyramide.

— Allez-y.

— Didier pense que vous n'y arriverez pas.

— Quoi ! Il est gonflé ! Mais pourquoi ?

— Il pense que vous allez vous décourager tout près de la fin et me supplier de la finir à votre place.

— N'importe quoi.

— C'est bien ce que je lui ai dit. Ce n'est pas votre genre de baisser les bras.

— Pas du tout, effectivement.

Elle recommença, concentrée, imperturbable, et posa triomphalement le dernier chou au sommet de l'édifice. Matthieu était reparti à ses sauces. Elle lécha ses doigts caramélisés, alla se laver les mains, rattacha ses cheveux qui lui tombaient sur les yeux, puis s'approcha de lui par-derrière et lui tapa l'épaule de l'index.

— Chef ?

Il se retourna sans répondre. Elle lui désigna du menton la pièce montée qui trônait au centre de la table. Elle prit un air très sérieux et posa ses mains sur les hanches pour se donner de l'assurance. Matthieu s'approcha des choux, scruta la tour sous tous ses angles et repartit vers ses casseroles en lâchant un simple « Pas mal ».

— Pas mal ? Eh ! dites donc ! Elle est parfaite, cette pièce montée. Regardez ! Symétrique, esthétique !

Il se retourna avec un sourire victorieux.

— Mais le plus beau, Sarah, c'est que j'ai gagné mon pari ! Didier sera de tournée de croissants demain matin !

— Qu'est-ce que vous dites ? Vous avez parié sur moi avec Didier ?

— Et j'ai bien fait !

— Vous êtes pires que des enfants, tous les deux, c'est pas possible !

Elle ne quittait pas des yeux son chef-d'œuvre, penchant la tête pour l'admirer sous toutes les coutures.

— Bon, peu importe, le résultat est là. Je suis assez fière de moi, c'est vrai…

Elle s'assit et observa le tour de main de Matthieu qui jonglait entre trois casseroles.

— C'est vraiment gentil d'avoir proposé votre maison pour cette fête… À moins qu'il ne s'agisse d'un pari perdu, cette fois ?

— Mauvaise langue, perfide voisine. Pas du tout. Didier me parlait de cet anniversaire de mariage depuis un petit moment. Il attendait de tomber sur une année dont le matériau correspondrait bien à Prune et à leur histoire. C'est tombé sur vingt-neuf ans, noces de velours ! Et, comme elle ne doit se douter de rien, le plus simple était que cela se passe chez moi. Il y a de la place et tout l'équipement nécessaire.

Il jeta un œil sur l'horloge au-dessus de sa tête.

— Il va falloir qu'on accélère le rythme. Vos filles ne viennent pas à la rescousse ?

— Elles sont chez Jeff. Il est allé les chercher à l'école ce midi et s'est dévoué pour la sortie patinoire. Ils ne vont pas tarder. Entre nous, c'est mieux qu'elles ne soient pas arrivées avant. J'ai mis suffisamment de pagaille comme ça.

— Eh bien, vivement qu'ils soient tous là. Il nous reste du pain sur la planche.

— Du pain !

— Quoi ?

— J'ai complètement oublié d'acheter le pain !

— Saraaah !

Didier avait invité une vingtaine de personnes dans le plus grand secret, et, à l'approche de la soirée tant attendue, l'excitation et l'impatience gagnaient Matthieu. Il était plus que jamais son grand complice et avait été nommé maître d'œuvre de l'organisation. Sarah se réjouissait également de cette fête. Toutes les personnes qui importaient désormais seraient là, à l'exception de sa famille, bien sûr. Prune et Didier pour commencer, qui l'avaient accompagnée dans la rentrée mouvementée de septembre, sans Daniel. Sans jamais faire preuve de curiosité déplacée, ils avaient été très compréhensifs et lui avaient facilité la vie le temps que les rouages des emplois du temps soient huilés. De son côté, elle ne s'était pas ménagée, et son investissement portait ses fruits. L'activité du traiteur s'en ressentait de manière perceptible, et ils n'avaient été avares ni en compliments ni en remerciements. Ils appréciaient tous les trois la tacite solidarité et la grande confiance qui s'étaient tissées entre eux.

Matthieu, quant à lui, était tout simplement devenu indispensable à la famille. Les filles l'adoraient et il le leur rendait bien. Il était aussi un pilier pour Sarah. Il savait écouter, mais maîtrisait par-dessus tout l'art de lui changer les idées. Ils avaient passé de nombreuses heures à jardiner et à tester des recettes avec les filles pour le plus grand plaisir de tous. Et, pourtant, il ne manquait jamais l'occasion d'ironiser sur sa candeur ou de plaisanter sur ses connaissances farfelues en matière de botanique. Il s'amusait sans se lasser de ses réactions et ne cachait pas le plaisir qu'il trouvait à ainsi la chahuter, mais sa bienveillance et sa bonté excusaient ses facéties. Et Jeff enfin.

Jeff, qu'elle voyait presque chaque semaine, sans plus prendre la peine de s'abriter derrière la forte amitié entre Agatha et Jules.

Jeff, qui la faisait rire avec son langage d'un autre temps et ses manières un peu désuètes, dont il accentuait le trait pour guetter ses réactions.

— M'autorisez-vous à vous faire la cour, désormais ?

— En quoi cela consiste-t-il ?

— *D'autres, arrivant à l'âge mûr, mettent toute leur vanité à oublier qu'un jour ils purent s'abaisser au point de faire la cour à une femme et de s'exposer à l'humiliation d'un refus*, a écrit Stendhal. Je m'en tiendrai à quelques compliments et une invitation à dîner de temps à autre.

— Sans rien attendre en retour ?

— Je ferai en sorte de ne pas m'exposer à l'humiliation d'un refus...

— Vous vous lasserez.

— Peut-être…

C'était à la fin de l'été. Quelques semaines après qu'elle eut appris l'aventure et les mensonges de Daniel. Elle avait trouvé un grand réconfort dans leurs conversations et regagné un peu de confiance à ses côtés. Un peu avant Noël, ils étaient allés au Havre visiter la maison de l'Armateur, ce splendide bâtiment de la fin du dix-huitième siècle qui semblait saluer chaque départ de ferry du quai de l'île. Ils s'étaient hissés au sommet du puits de lumière qui traversait les cinq étages et il lui avait glissé sous la coupole en verre :

— Sarah, je vais arrêter de vous faire la cour.

Elle l'avait regardé avec curiosité et amusement.

— Je vois bien que c'est peine perdue… Et puis je perçois tout comme vous le glissement qui s'est produit depuis quelque temps. Nous allons vers une relation simple, ouverte, naturelle, empreinte de franchise qui nous convient à tous les deux.

Elle l'avait regardé quelques secondes avant de répondre :

— Je peux vous demander quelque chose ?

Il avait acquiescé de la tête.

— Entre amis, pouvons-nous passer au tutoiement ?

— Bien sûr.

— Parfait. Parce qu'il faut que tu saches une chose. Sans vouloir te vexer le moins du monde, depuis la rentrée, tu es un peu comme une très bonne copine pour moi et cela devient un peu compliqué, ce petit formalisme entre nous !

Il ne l'avait pas mal pris du tout, bien au contraire. Il avait réprimé à grand-peine un fou rire pendant tout le reste de la visite.

Elle avait essayé de développer sa pensée.

— C'est vrai, on se parle de nos enfants, on s'autorise même à s'en plaindre sans craindre de passer pour d'indignes parents. Tu pestes après ta pile de linge qui s'amoncelle dans le bac sale. Je m'extasie devant la soupe à l'oseille que j'ai testée. On s'échange nos DVD. On se prête les livres qu'on a dévorés jusqu'à trois heures du matin. Nous sommes sans pitié vis-à-vis des commères du collège et nous le devenons à notre tour…

— Tu ne seras jamais amoureuse de moi parce que je te parle de ma corvée de lessive ?

Depuis, ils se voyaient encore plus souvent. Jeff était devenu prolixe. Son talent de conteur avait été mis au jour. Il excellait dans l'art de raconter les scènes du quotidien en les tournant de manière à rendre désopilants une conversation avec le boulanger, un rendez-vous chez le médecin ou l'attente dans la queue du supermarché. Il flirtait encore de temps à autre, mais l'ambiguïté des débuts s'était envolée. Le seul sujet qu'elle évitait d'aborder avec lui était tout ce qui avait trait à Daniel. Non qu'elle craignît de heurter une quelconque jalousie, mais Jeff nourrissait un tel ressentiment à son encontre, de l'incompréhension et de la rancune pour ce qu'il lui avait fait endurer, qu'elle préférait contourner les occasions d'aborder le sujet. Elle n'aurait de toute façon pas trop su quoi dire. Daniel avait fini par suivre le scénario qu'il avait imaginé l'été passé : il habitait chez un ami et étudiait sérieusement. À cause de cette femme, il s'était mis dans une situation impossible. Pris à la gorge, il était allé trouver la direction de l'hôpital pour avouer qu'il ne disposait pas des moyens nécessaires pour s'acquitter des frais pédagogiques dont il était redevable et avait été assommé d'apprendre qu'il n'avait jamais été question de lui faire débourser quoi que ce soit. Il s'était tout simplement fait escroquer par une femme, à laquelle il avait déjà versé près de deux mille euros. Fanny Jasmin avait péché par excès de confiance et n'avait pas une seconde envisagé qu'il puisse ravaler sa fierté au point d'aller déverser toute l'histoire à sa hiérarchie. Elle avait fait l'objet d'une procédure disciplinaire et avait été mutée dans un autre hôpital.

Sarah avait fait un premier pas vers lui au mois de décembre. Pour les filles avant tout. Elle lui reparlait à nouveau et il venait régulièrement passer le week-end en famille. Pour autant, elle avait posé des limites claires : il dormait dans la chambre d'amis et, tant qu'elle sentirait les élancements de la blessure estivale, il n'était pas question d'envisager un nouveau départ. Elle ne lui avait pas pardonné, mais elle faisait preuve de bonne volonté pour qu'il garde sa place au sein de la famille. Daniel, quant à lui, était devenu irréprochable. L'homme parfait, attentionné, un père plus intéressé que jamais, généreux en compliments et en encouragements. Il lui écrivait chaque semaine une lettre sans verser dans l'apitoiement. Il parlait d'avenir et de projets, racontait sa semaine loin d'elle et des filles, parlait de son manque et de son désir de les avoir près de lui... Sarah s'empêchait de céder à l'envie de tout oublier tant qu'elle n'était pas certaine d'être prête à reconstruire sur les fondations malmenées de leur histoire. Elle devrait malgré tout se décider assez vite. Le temps filait à toute allure et, si Daniel avait fait en sorte de pouvoir se rapprocher d'elles après l'été, une fois son diplôme obtenu, il faudrait bien trancher. Ou il revenait habiter à la maison ou il lui faudrait trouver quelque chose à proximité. Débarrassée de ses peurs et de sa dépendance affective, elle savait depuis quelque temps qu'elle était capable de choisir en toute liberté. Elle avait davantage confiance en elle et assumait pleinement cette nouvelle énergie qui l'autorisait à mener sa vie affranchie des barrières derrière lesquelles elle s'était abritée. Dix-huit heures. La boulangerie allait bientôt fermer ; il fallait que Didier s'en charge avant de partir et qu'il s'arrange pour cacher les baguettes sans que Prune découvre le pot aux roses. Elle alla prévenir Matthieu, qui recouvrait les tables de nappes dans la salle à manger.

— Je vais prendre une douche et me changer, Matthieu. Je me charge d'appeler Didier pour le pain.

— Vous allez le faire râler ! Je compte sur vous pour revenir vite !

— Ne vous en faites pas. Vers quelle heure les invités arrivent-ils ?

— Dix-neuf heures. Et la reine de la soirée, à vingt heures.

Elle traversa le chemin et tomba sur la voiture de Jeff qui arrivait au même moment. Il posa les cartables des filles et, pressé par Sarah, rejoignit Matthieu avec les enfants.

4

— C'est impossible… C'est impossible…

Lise répétait ces mots depuis le début de l'après-midi. Julie essayait de la rassurer et de la consoler, mais enchaînait maladresse sur maladresse.

— Arrête de te mettre dans un état pareil, maman… Il ne mérite vraiment pas toute cette peine. C'est un goujat, voilà tout !

— Il n'y est peut-être pour rien.

— Ça, non. Tu peux dire tout ce que tu veux, mais il est impossible qu'il n'y soit pour rien !

— Il l'a peut-être égaré. Cette fille sera tombée dessus. Il n'est peut-être même pas au courant…

— Tu ne peux pas lui trouver des excuses ! Il a gardé ton carnet pendant de longues années et, le jour où il a cru que tu étais morte, il s'est dit qu'il pouvait monnayer ce petit trésor. Ce que je ne comprends pas, c'est la raison pour laquelle cette femme a accepté de donner son nom à cette mascarade. Elle risque gros !

— Pas si elle croit que je suis morte. Mais, en ce cas, pourquoi a-t-il fait appel à quelqu'un d'autre. Il aurait pu passer pour l'auteur directement ?

— Bon. Que fait-on ?

— Rien.

— Tu rayes tout de suite cette idée. Ou tu me donnes ton avis ou j'agis sans te consulter.

— Essaie de le retrouver, alors. Je veux entendre ses explications.

— Et Virginie Ficher ? On la laisse se pavaner partout sans rien dire ?

— C'est lui qui détient la clé.

— Je m'y mets dès ce soir. On aura peut-être plus de chances que la dernière fois.

Elle le trouva avec une telle facilité qu'elle eut du mal à le croire. Alors qu'il avait été impossible de remonter sa trace quelques années plus tôt, son nom s'affichait désormais en trois clics sur l'écran de l'ordinateur. Matthieu Carpentier, chemin des Reinettes, Le Tilleul, Seine-Maritime.

Elle appela le numéro indiqué pour s'assurer qu'elle avait bien mis la main sur la bonne personne.

Au bout de trois sonneries, une voix de petite fille décrocha.

— Allo ?

— Oui, bonjour, je voudrais parler à monsieur Matthieu Carpentier, s'il te plaît.

— Je vais le chercher !

Quand l'homme fit savoir qu'il était au bout du fil, Julie lui posa l'unique question qu'elle avait préparée :

— Bonjour. Je voudrais savoir si vous habitiez au même endroit il y a quarante ans.

— Un peu plus loin, à quelques centaines de mètres, mais je n'ai pas bien compris qui vous étiez ?

— Vous le saurez très vite. Au revoir, monsieur.

— Mais attendez !

Elle raccrocha avant d'en dire plus.

Elle regarda sa mère qui avait écouté la voix de l'homme grâce au haut-parleur.

— C'est bien lui. Mon Dieu, Julie, il est bien là, vivant, et sa voix... Tu as entendu sa voix ?

— Maman, n'oublie pas ce qu'il a fait. Garde la tête froide.

— Je suis désolée, ma fille, mais je ne peux pas le croire.

C'est impossible. Il doit y avoir une explication. J'ai encore en mémoire tout ce qu'il m'a glissé sur mon lit d'hôpital il y a cinq ans. Il ne m'aurait jamais trahie en livrant nos secrets ainsi. Il avait trop de respect pour notre histoire...

— J'y vais demain. Nous serons vite fixées.

Elles se quittèrent sur ces mots. Julie était dans la rue quand elle se rendit compte qu'elle avait oublié de lui dire une chose essentielle et elle sonna à nouveau à l'interphone. Deux minutes plus tard, elle était à nouveau devant Lise.

— Tu as oublié quelque chose ?

— Cette histoire est tellement invraisemblable que j'ai oublié de te féliciter !

— De quoi me parles-tu ?

— Tu réalises qu'on entend parler de ton livre à la radio et dans les magazines depuis trois jours ? Je suis fille d'un auteur à succès et, le pire, c'est que je ne peux même pas m'en vanter !

— C'est gentil, ça. Allez, file. Ton fils va dormir avant que tu sois rentrée.

— Je t'aime, maman. Je t'appelle demain quand j'ai des nouvelles.

5

Le Tilleul

La fête battait son plein chez Matthieu quand deux coups de fil successifs avaient joué les intermèdes imprévus. Le premier avait vibré aux alentours de vingt heures trente sur le portable que Didier venait tout juste d'offrir à Prune. Nul n'en connaissait encore le numéro et, plus qu'intriguée, elle décrocha. Alors que l'assemblée l'observait, elle lui tourna le dos et fit quelques pas en direction du fond de la pièce. Les conversations reprirent quelques instants et s'interrompirent à nouveau quand elle revint vers les tables, son portable à la main. Une larme coulait doucement sur sa joue et elle semblait comme figée. Agatha, tapie derrière Didier, lui serra la main. Eux seuls savaient qu'il s'agissait d'une larme heureuse, Didier parce qu'il était l'instigateur de ce mystérieux appel, et Agatha qui visualisait clairement la joie dans laquelle nageait Prune.

Elle regarda son mari en hochant la tête d'un air entendu, puis balaya des yeux ses amis et leur annonça avec beaucoup d'émotion ce qui l'avait mise dans un pareil état.

— Eh bien, voilà. Je vais être grand-mère ! Mon petit gars attend une princesse pour l'été...

Les applaudissements et les exclamations fusèrent dans un soulagement général, puis Didier s'approcha de sa femme et l'enveloppa tendrement. Il lui remit ensuite une enveloppe.

Elle l'interrogea du regard, mais son visage ne trahit rien. Elle la décacheta et ne put réprimer un cri :

— Des billets pour New York !

Alors seulement, Didier recouvra la parole.

— Des billets open. Pour la naissance. De la part de nous tous en cadeau de mariage, ma Prune.

Ce fut un très beau moment, où chacune des personnes présentes sentit la chaleur qui se dégageait des deux amoureux de cinquante-cinq ans. La contagion fut totale, l'émotion gagna toutes les tables, et les gens, dont certains venaient juste de faire connaissance, se congratulèrent et s'embrassèrent, heureux de lire la félicité dans les yeux de Prune.

C'est au beau milieu de cette scène que retentit la deuxième sonnerie. Personne ne l'entendit au milieu de l'agitation, et c'est Noémie, occupée à caresser le chat dans la cuisine, qui alla décrocher, sans hésiter, comme à son habitude. Elle eut le plus grand mal à se faire comprendre de Matthieu quand elle lui tendit le combiné. Il finit quand même par entendre ce qu'elle disait et lui prit le téléphone.

Cela ne dura que quelques minutes, mais son visage avait changé quand il raccrocha. Rien n'indiquait que cet appel fût de mauvais augure ; pourtant, il se sentait chargé d'un poids désagréable. Pourquoi diable lui demandait-on où il avait habité il y a quarante ans ? Et que signifiait ce drôle de « Vous le saurez très vite » ? Il n'avait disposé que de peu de temps, mais avait pu mesurer la colère retenue dans la voix de la femme. Il trouva refuge quelques instants dans sa cuisine, caressa son fidèle chat, dont le ronronnement l'apaisa, et regagna la salle à manger les bras chargés d'un magnifique plateau de fruits de mer.

Un peu avant le dessert, Prune se leva et alla s'asseoir aux côtés de Sarah. Elle leva son verre à son intention et lui demanda comment elle allait.

— Très bien, merci, Prune. Je passe une délicieuse soirée, au sens propre comme au figuré ! Vos amis sont de belles personnes...

— Je vous compte parmi eux et je vous assure que vous êtes à la hauteur de ce compliment.

— Cela me touche beaucoup... Alors ? Remise de vos émotions ?

— Il va me falloir du temps... Cette fête, la grande nouvelle de la naissance et ce voyage qui nous attend... Je n'ai pas vu mon fils depuis des années, vous savez ?

— Je suis très heureuse pour vous.

Elle posa son verre, puis la regarda en coin.

— Mais vous le saviez, n'est-ce pas ? Vous sentez mieux que personne ce que chacun d'entre nous ressent ce soir !

Prune ne répondit pas ; elle se contenta de sourire.

— Didier a-t-il seulement pu vous surprendre ?

— Oh oui ! Je le sentais bien excité et tout gonflé d'impatience, mais il a dû être particulièrement sur ses gardes, et, chose curieuse, il a réussi à tenir sa langue jusqu'au bout, lui qui est pourtant le roi des gaffes.

Elle fit une pause, but une gorgée de vin, puis reprit doucement :

— Agatha s'est confiée à vous ?

— Pas encore, non. Je respecte son choix. Elle me l'a fait comprendre à demi-mot, cela dit, malgré elle certainement... Je cache mal mes émotions la plupart du temps, mais sa perspicacité à deviner mes états d'âme a particulièrement attiré mon attention cette dernière année... Il lui arrive même parfois de pratiquement anticiper mes réactions...

Elle soupira.

— Mais elle semble bien aller, et l'air de la campagne n'en est pas la seule raison, à mon avis. Elle me parle tellement de vous, si vous saviez... Je ne vous cache pas qu'au début je vous ai envié cette proximité et cette complicité que j'avais moi-même un peu perdue avec elle. Et puis j'ai compris ce qui vous rapprochait... La similitude de vos attitudes a fini par me sauter aux yeux. Vous êtes naturellement plus discrète et plus mesurée qu'elle, mais votre intelligence relationnelle va bien au-delà du bon sens. Vous avez toujours le geste ou le petit mot parfaitement indiqué, la petite pièce qui se glisse dans le puzzle comme par magie... Combien de fois, alors que je m'enfonçais dans le cafard derrière mon écran d'ordinateur, m'avez-vous apporté un café en me glissant que cela allait passer ? Je suis pourtant certaine d'avoir tout fait pour n'en rien laisser paraître !

— Je vous le confirme. Didier s'étonnait même de la constance de votre jovialité compte tenu des difficultés que vous traversiez !

— À propos de Didier, j'aurai deux mots à lui dire, à cet intrigant !

— À quel sujet ?

— Je ne peux rien dire avant le dessert, mais, croyez-moi, les croissants ont intérêt à être encore frais demain matin !

Prune la dévisagea en se demandant si le bourgogne ne lui avait pas un peu tourné la tête.

Le fil de la soirée continua de se dérouler dans la convivialité jusqu'au café. Chacun se leva ensuite progressivement de table pour s'installer plus confortablement dans les fauteuils ou autour de la cheminée. Un peu avant minuit, alors que ses paupières étaient lourdes de fatigue, Sarah alla donner les clés du gîte à Didier. Dans un souci de prudence, en prévision des bons vins qui seraient servis tout au long du repas, elle lui avait proposé de dormir au clos des Reinettes après la fête. Il avait accepté sans hésiter, ravi d'offrir ainsi à sa Prune une sorte de seconde nuit de noces.

Elle alla saluer ensuite le reste des convives et récupéra ses filles en pleine partie de nain jaune avec Jules. Quand elle dit à Jeff qu'elle rentrait chez elle, il se proposa de l'accompagner.

— Je ne crains pas grand-chose, tu sais !

— Je sais bien, mais ma voiture est garée chez toi. Je vais rentrer aussi.

Il faisait vraiment très froid. Le goudron qui recouvrait irrégulièrement le chemin brillait au clair de lune, et ils manquèrent de glisser à plusieurs reprises. Les filles et Jules avaient été plus habiles et étaient déjà rentrés au chaud quand Jeff échappa de justesse à une chute en se rattrapant au bras de Sarah. Il se redressa lentement, puis reprit sa marche à tâtons sans la lâcher. En arrivant dans la cour, une fois tout danger écarté, il passa son bras autour de ses épaules, comme pour la réchauffer. Elle se laissa faire sur les quelques mètres qui menaient à la maison. Il la laissa entrer sans rien dire, puis la suivit avant de refermer la porte. Sarah retira son manteau et se dirigea vers les chambres de ses filles. Noémie était déjà allongée, les yeux clos, et les chaussures encore aux pieds. Sarah les lui retira, la recouvrit de sa couette et l'embrassa. Dans la chambre d'Agatha, l'ambiance était tout autre. Sa fille et Jules étaient à plat ventre sur le tapis, un écouteur glissé dans une oreille, et dodelinaient de la tête d'un air inspiré.

— Il est tard, les grands. Jules, ton père t'attend, et Agatha, il est l'heure d'aller te coucher.

— Cinq minutes, maman ! S'il te plaît !

— Je ne reviendrai pas vous le rappeler, je compte sur vous.

Elle retrouva Jeff qui n'avait pas bougé près de la porte, manteau fermé et gants aux mains.

— J'ai lâché sur cinq minutes supplémentaires… Pas le courage de batailler à cette heure tardive… Tu veux un café en attendant ?

— Volontiers.

Ils burent leurs tasses en silence, et Agatha reparut au terme du délai négocié.

— Maman ?

— Je crois qu'il y a erreur sur la personne. C'est Jules qui était censé apparaître dans cette pièce. Toi, tu es censée te mettre en pyjama, te brosser les dents et te coucher.

— On se disait que ce serait bien qu'ils dorment ici ce soir… On pourrait profiter un peu du dimanche matin ensemble ?

Agatha regarda Jeff et argumenta :

— En plus, tu as bu du vin, et les routes vont être couvertes de verglas. Tu as bien vu dans le chemin ? C'est super dangereux, de rentrer dans ces conditions.

Sarah suivait la plaidoirie de sa fille sans rien dire.

— Elle n'a pas tort, dit Jeff, un peu gêné.

— Bon, allez, trancha Sarah. Au lit, tout le monde ! Agatha, tu installes le matelas mousse pour Jules ; Jeff, je sors des draps et je te montre la chambre.

Agatha sauta de quelques centimètres en serrant les poings et en murmurant un « *Yes* » triomphant mais discret, puis elle repartit en courant vers sa chambre en souhaitant une bonne nuit à sa mère et à Jeff.

Sarah se dirigea vers l'escalier, mais Jeff la retint par le bras. Elle se retourna et lui fit face. Elle le laissa caresser ses cheveux, passer ses mains dans son cou en la massant légèrement avant de s'attarder sur ses épaules.

C'était agréable, ces petits frissons qui couraient dans son dos, cette accélération du rythme cardiaque, cette appréhension mêlée de désir qui rôdait tout autour. Elle ne le quittait pas des yeux, mais était comme paralysée, incapable de bouger ou de parler. Surtout qu'il n'arrête pas, se disait-elle, et la seconde d'après elle priait pour que cela n'aille pas plus loin. Elle avait l'impression de marcher au bord d'un ravin. Il continuait doucement, comme s'il attendait de sa part un signe lui indiquant la direction à prendre. Elle se mit à trembler sans raison et il la prit tout contre lui. Cette fois, ses bras acceptèrent de réagir, et elle l'enlaça à son tour. Blottie au creux de sa poitrine, elle se sentit curieusement mieux, moins intimidée par cette intimité qui s'invitait presque importunément. Elle profita de cet instant pour se ressaisir, rassembler ses idées, et elle réussit à s'extirper de l'engourdissement dans lequel elle s'était abandonnée.

— Bon. Je vais préparer ton lit.

Elle le laissa au pied de l'escalier et s'échappa à l'étage, soulagée d'avoir résisté à une tentation qu'elle aurait immanquablement regrettée au petit-déjeuner. Pas Jeff. Non, pas maintenant, après tous ces mois de précieuse complicité, pas tant que les choses ne seraient pas clarifiées avec Daniel. Elle avait mis les draps et s'apprêtait à recouvrir les oreillers de leurs taies quand il apparut. Et, alors qu'elle avait à peine fini de s'autocongratuler pour l'attitude raisonnable à laquelle elle s'était astreinte, elle marcha droit sur lui et l'embrassa sans réfléchir.

La nuit fut agitée pour plusieurs personnes, ce soir-là.

Matthieu chercha le sommeil jusque très tard. L'appel du début de soirée résonnait encore à ses oreilles, et il était pris du pressentiment indéfinissable que quelque chose allait se produire de manière imminente sans qu'il puisse influer sur le cours des événements. Son chat ne l'apaisa pas, cette fois. L'animal était nerveux, lui aussi : il bougeait sans cesse, s'installait sur le lit, puis sautait sans raison apparente, poussait des miaulements de manière inopinée, ne tenait pas en place.

De l'autre côté du chemin, Sarah se torturait l'esprit avec sa culpabilité. Elle avait beau essayer de relativiser (ce n'était qu'un baiser), le doute s'était insinué et ne la quittait plus. Suis-je vraiment attirée par Jeff ? Est-ce que je ne ressens plus rien pour Daniel ? Et si je l'aime encore, si notre histoire est simplement en sommeil, pourquoi me suis-je donc ainsi jetée dans les bras de Jeff ? Je ne vaux pas mieux que Daniel. Je lui fais la morale, je lui brandis outrageusement les principes de loyauté et de fidélité, et il me suffit de deux verres de bourgogne pour tourner le dos à mes propres convictions…

Ils n'étaient certes pas allés bien loin ce soir, un long et sensuel baiser, rien de plus, et elle se raccrochait à l'idée que Daniel et elle n'étaient plus tout à fait ensemble, temporairement séparés pour le moins, mais elle ne pouvait chasser la conviction de s'être reniée.

Dans la chambre voisine, Jeff réfléchissait également à ce qui s'était passé. Il devinait que le trouble jeté par cette fin de soirée allait perturber leur relation au petit matin et envisageait l'attitude la plus pertinente qu'il devrait adopter pour mettre Sarah à l'aise. Elle n'était vraisemblablement pas prête à se projeter dans quoi que ce soit, et il respecterait cela. Il sourit en lui-même, malgré tout : elle ne pourrait désormais plus lui faire croire qu'il lui était indifférent.

À Paris, Lise avait fini par trouver le sommeil après que sa fille eut cédé à sa demande de l'emmener en Normandie. Elle l'avait appelée peu après son départ, mais elle n'avait tout d'abord rien voulu entendre.

— Hors de question ! Tant que nous n'avons pas résolu l'énigme, je ne veux pas que tu aies affaire à cet homme. Il est bien capable de te servir une histoire à dormir debout et, au nom du passé, tu avaleras n'importe quoi.

À vingt-trois heures, elle avait ignoré ses scrupules à réveiller toute la famille et avait rappelé Julie.

— Si tu ne me dis pas que tu viens me chercher demain matin, attends-toi à me trouver en bas de chez toi à l'aube.

— Maman, tu as vu l'heure ?

— Je guetterai la sortie du garage. Tu ne pourras pas t'échapper sans moi.

— ...

— Alors ?

— Je veux partir tôt et être de retour dans l'après-midi.

— Ton heure sera la mienne.

Après cela, elle s'était endormie sans problème.

Julie était passablement irritée par le comportement de sa mère : bornée, et des œillères aux yeux avec cela, se disait-elle. Elle-même devait composer avec la relative appréhension de la journée du lendemain. Elle aurait mille fois préféré partir à la rencontre de cet homme sans avoir à entendre la naïveté de sa mère pendant le trajet. Ce qui l'inquiétait le plus n'était pas tant de rencontrer cet inconnu, dont elle portait en elle les gènes, que de voir avérées ses suppositions au cours de l'imminente confrontation. Lise en serait effondrée, et c'est ce qu'elle redoutait le plus.

6

La nuit était encore noire, et la maison, bien silencieuse. Sarah s'était résignée à se lever plutôt que de
rester allongée sans parvenir à se reposer. Elle avait ouvert
les yeux vers six heures trente avec l'impression de n'avoir
dormi que quelques heures.

Il n'y avait plus de café dans les placards. Elle recouvrit
ses épaules de la très belle étole offerte par Léa à Noël, se
coiffa d'un bonnet et se prépara à affronter l'obscurité et le
froid pour rejoindre le cellier. En sortant, elle buta contre
quelque chose. Elle se baissa et vit un sac à pain garni de
baguettes et un carton duquel s'échappait une agréable odeur
de beurre. Elle entra le tout et repéra une feuille agrafée au
carton. *La première fournée du matin, de la part de Didier.*
Bon réveil à tous ! C'était signé Arthur, le boulanger.

Elle regarda le gîte et constata que les volets étaient clos.
Aucun fil de lumière ne filtrait. Didier avait trouvé la parade
pour honorer sa parole sans avoir à écourter sa grasse matinée.
Elle avait donc dû dormir profondément puisqu'elle n'avait
entendu aucun bruit de moteur dans la cour. Elle récupéra ce
qu'elle était venue chercher dans le cellier et revint dans la
maison. Elle se fit un café, dressa la table du petit-déjeuner et
constata qu'il n'était que huit heures. Elle remonta à l'étage
et décida de s'octroyer un bain pour démarrer la journée en

douceur. Elle y resta une demi-heure, somnolant dans l'eau chaude, puis s'obligea à sortir. Aucun bruit ne s'échappait des chambres ; en revanche, elle vit par la fenêtre de la salle de bain qu'il y avait de la lumière dans le gîte. Elle s'habilla, camoufla ses cernes du mieux qu'elle put, mit un peu de couleur sur ses joues et redescendit au rez-de-chaussée.

Pourquoi Prune et Didier n'arrivent-ils pas ? Elle ne voulait pas se retrouver seule à seul avec Jeff et craignait qu'il ne tarde pas à se lever. Elle alluma la radio et mit le volume au minimum, vida le lave-vaisselle en prenant garde de ne pas faire de bruit, puis, comme personne n'arrivait, elle se lança dans le rangement de ses placards. Premier étage : riz, pâtes et boulgour ; deuxième étage : les conserves – sardines, maïs, thon ; troisième étage : soupes, condiments et épices ; dernier étage : la pâtisserie – sucre, farine, levure, chocolats… Elle jeta au passage un certain nombre de choses aux dates de consommation périmées. Elle se tourna ensuite vers la cheminée et entreprit de faire un feu.

À neuf heures et demie, elle entendit frapper. À son grand soulagement, les tourtereaux apparurent, rayonnants.

Didier vit immédiatement les viennoiseries qu'elle avait mises en valeur dans de jolies vanneries.

— Ah ! Arthur est passé !

— Qui ça ? demanda Prune.

— Didier avait parié la livraison de croissants avec Matthieu. J'ignore les termes précis de l'accord et si la livraison par autrui était autorisée ; toujours est-il qu'une table royale nous attend, messieurs dames ! Un petit café pour commencer ?

Prune interrogea Sarah du regard. Elle avait l'air anxieux malgré la bonne figure qu'elle affichait.

Elle ignora la question muette et enchaîna :

— Alors, ce petit gîte ? Vous avez bien dormi ?

— Incroyablement bien. Le lit est parfait, et cette petite maison est tout à fait charmante. On s'est imaginés en vacances, au réveil !

— Tant mieux.

Didier entendit la douche qui coulait à l'étage et regarda Sarah.

— Il y a quelqu'un là-haut ?

Elle répondit en bafouillant.

— Euh…, oui. Jeff et Jules ont passé la nuit ici… Avec tout ce verglas, hier soir…

Il semblait ne rien avoir vu de l'embarras de Sarah et rebondit aussitôt :

— M'en parlez pas ! On a failli se payer le plus beau gadin de notre vie, hein, ma Prune ?

Il ponctua cette exclamation d'un rire sonore. Elle acquiesça en riant également.

Jeff descendit peu de temps après, fringant et souriant, et alla les embrasser.

— Comment vont les jeunes mariés ?

— Amoureux comme au premier jour !

Il contourna la table et alla vers Sarah, qui contemplait l'étiquette du pot de pâte à tartiner. Il l'embrassa sur les joues avec le plus grand naturel.

— Merci encore, Sarah. Non seulement tu m'as épargné un retour acrobatique et risqué, mais en plus j'ai dormi comme un loir !

Elle le regarda avec une infinie reconnaissance de faire preuve d'autant de simplicité après l'épisode de la veille.

Les enfants ne tardèrent pas à les rejoindre, puis ce fut au tour de Matthieu de frapper à la porte.

— Maman, il y a de la confiture ? lança Noémie.

— Il y a des croissants, du pain frais, des pains au chocolat. Cela me semble suffisant, non ?

— Mais les croissants à la confiture, c'est tellement bon !

— Eh bien, il n'y en a plus.

— J'en ai des pots entiers chez moi, intervint Matthieu. Fraises, framboises et gelée de coings ! Faits maison, naturellement !

— Ne vous dérangez pas, Matthieu, ça va aller comme ça.

— J'y vais, moi, si tu veux, m'man ?

Devant l'insistance de Matthieu à faire goûter ses réserves, elle laissa Agatha aller chercher quelques pots.

Il était plus de dix heures, et le soleil affluait désormais dans la maison, accentuant l'air de fête de ce petit-déjeuner.

Au même moment, Julie et Lise arrivaient au Tilleul. La voiture s'arrêta quelques mètres avant le croisement du chemin des Reinettes.

— Tu me laisses y aller seule pour commencer. N'hésite pas à te recouvrir de la polaire qui est derrière, si tu as froid. Je viens te chercher quand je lui ai parlé.

— Je ne vois pas très bien pourquoi, ni comment...

— Tu m'as promis de me laisser faire à ma façon quand nous serions arrivées.

— Très bien.

Un peu contrariée, Lise croisa les bras. Son impatience était à son comble. Matthieu était à quelques mètres d'elle seulement. Elle avait peine à croire qu'ils allaient enfin pouvoir se serrer dans les bras l'un de l'autre après toutes ces années... Elle occultait complètement la raison initiale de leur venue ; sa confiance en lui était totale, et cette histoire de livre n'avait aucune importance à ses yeux, au grand dam de sa fille.

Julie arriva devant la maison correspondant au numéro qu'elle avait noté et s'apprêtait à frapper, quand la porte s'ouvrit sur une jeune fille emmitouflée qui tenait des pots de confiture dans ses mains.

— Bonjour, madame.

— Bonjour, c'est sans doute toi que j'ai eue au téléphone hier soir ?

— Non. Ce devait être ma sœur.

— Je cherche Matthieu Carpentier. Il habite bien ici ?

Agatha était sur ses gardes. Cette femme semblait blessée et en colère malgré ses grands yeux doux et sa voix sympathique. Elle répondit avec prudence :

— Oui, mais il n'est pas là pour le moment.

— Tu sais s'il va bientôt revenir ?

Elle ne savait pas quoi répondre. Le chat de Matthieu fit diversion en s'échappant de la maison.

— Eh ! Minouche, reviens là !

Il n'alla pas bien loin. Il stoppa net entre les jambes de Julie et se frotta contre elle. Elle s'accroupit et le prit dans ses bras. Elle ne put s'empêcher de rire quand il lui lécha les joues.

— Eh bien, ça alors, murmura Agatha.

Puis elle referma la porte et lança à la femme qui avait gardé le chat dans ses bras :

— Matthieu est chez nous, juste en face, suivez-moi !

On entendait rire à travers la porte. Agatha entra, et Julie, un peu déstabilisée par la tournure que prenaient les choses, lui emboîta le pas. Elle s'était attendue à se retrouver face à face avec l'homme en question, pas à affronter les regards étonnés d'une demi-douzaine de personnes. Elle salua de la tête les convives et chercha des yeux celui qu'elle était venue chercher. Elle n'eut pas à hésiter bien longtemps. Deux personnes correspondaient à l'âge que devait avoir ce Matthieu Carpentier, et l'une d'entre elles la regardait intensément. Elle s'adressa à lui :

— Vous êtes Matthieu Carpentier ?

Le silence s'installa autour des bols de café. Il hocha la tête. C'était en train d'arriver. Elle n'avait prononcé que quelques mots, mais il reconnaissait la voix de la femme qui l'avait appelé la veille. Mais, plus que le souvenir de ce bref échange, c'était l'allure et le visage de cette inconnue qui lui coupaient le souffle. Il avait l'impression de dévisager Lise.

Gênée par ce regard, elle détourna les yeux et tomba sur la toile achetée à Honfleur. Sarah nota l'attention qu'elle portait à la peinture et essaya d'alléger l'ambiance singulière que cette irruption avait jetée.

— Vous connaissez ? Je l'ai depuis l'année dernière et je ne m'en lasse pas.

Comme la dame ne répondait pas, Sarah continua :

— Bon, allez. Vous nous direz qui vous êtes et ce que vous

voulez plus tard. Pour l'instant, je vous installe ici et je vous sers quelque chose de chaud. Vous êtes toute pâle.

Julie obéit docilement et se laissa guider vers la chaise que Sarah lui indiquait. Le café l'aida à rassembler ses esprits, et elle se sentit prête à prendre la parole.

— Excusez-moi. Je ne voulais pas vous déranger. Je cherchais ce monsieur et je suis tombée sur votre fille qui m'a amenée jusque chez vous... Je m'appelle Julie, Julie Petit. Je suis la fille d'Élisabeth, et c'est la raison pour laquelle cette toile m'est familière.

— Vous lui ressemblez tellement..., souffla Matthieu.

— Il paraît, oui. Souhaitez-vous que nous nous parlions seule à seul, monsieur ?

— Ce sont mes amis. Si vous êtes la fille de Lise, vous ne pouvez me dire que de bonnes choses. Je n'ai rien à leur cacher.

— Comme vous voulez.

Elle se pencha et sortit de son sac le livre de Virginie Ficher. Elle le regarda quelques secondes, puis le jeta sur la table à quelques centimètres de Matthieu.

— Je suis venue à cause de cela. Pour obtenir des explications. Comprendre ce qui a pu vous autoriser à faire une chose pareille..., comment vous avez pu oser...

Sa voix s'étranglait et elle se tut.

Matthieu allait de la couverture du livre au visage de Julie sans comprendre.

— Excusez-moi, mais je...

Elle le fixait froidement.

Il regarda un peu mieux la couverture, reconnut le nom de l'auteur sans toujours faire le lien avec lui ou avec la fille de Lise qui se tenait à deux mètres de lui. Ne sachant quoi faire, il ouvrit le roman et parcourut les premières pages, tout comme Lise l'avait fait la veille. Il mit un peu plus de temps qu'elle à réaliser ce qu'il tenait entre les mains et, quand il comprit, il alla directement à la fin. Son visage se décomposa.

— Mais c'est...

Julie libéra enfin les mots qu'elle retenait à grand-peine.

— Ce sont les mots de ma mère, en effet ! Ses notes les plus personnelles, le cahier qu'elle vous avait légué avant de partir, ses confidences les plus intimes ! Une déclaration d'amour de deux cent cinquante pages que vous avez monstrueusement livrée en pâture à une maison d'édition sous couvert de cette Virginie Ficher ! Je ne vous le pardonnerai jamais !

Matthieu ne l'écoutait plus. Il était plongé dans la lecture des pensées de Lise.

Il releva la tête.

— Je n'ai jamais eu connaissance de ces écrits. Je n'y comprends rien.

Elle ne savait plus quoi dire. Le roman passait désormais de main en main ; personne n'osait parler. Julie reprit la parole :

— Je veux bien vous croire, mais il va falloir m'expliquer comment un manuscrit laissé dans une cachette de vous seul connue il y a quarante ans a pu tomber dans les mains de cette femme, et ce qui a bien pu l'autoriser à le publier sans prendre aucune précaution sur les droits d'auteur et le respect de la vie privée.

— Virginie Ficher, c'est bien la fille de Natalia ? demanda Prune.

— Oui, répondit Sarah. Elle est passée l'année dernière au moment du tournage. Elle est à l'origine de tous ces problèmes que j'ai éprouvés avec les gens du coin et elle ne nous a pas laissé un très bon souvenir.

Matthieu s'adressa à elle :

— Pouvons-nous aller voir le gîte ? Je voudrais montrer à Julie la pierre derrière laquelle j'avais trouvé la donation de Lise. Il n'y avait rien d'autre, je vous assure.

Tout le monde emboîta le pas de Sarah, enfants compris. Elle autorisa Matthieu à défaire le travail de l'artisan de l'année passée et à desceller la pierre qu'il avait mis tant de temps à refixer.

Dans l'orifice dégagé se trouvait une petite boule de papier. Il la défroissa et constata qu'il s'agissait d'un dessin de Lise.

— Virginie Ficher m'a soutenu avoir trouvé un dessin de ce genre derrière la grande armoire. J'étais allé jeter un œil l'été dernier, mais je n'avais rien trouvé... Quand j'y repense, elle m'avait posé toutes sortes de questions sur les noms des personnes qui figuraient en bas du dessin...

Sarah regarda Jeff.

— Tu as son numéro de téléphone ? C'est ta belle-fille, en quelque sorte...

— Je dois l'avoir à la maison, mais pas sur moi. Nous devrions appeler Natalia.

Matthieu remit la pierre en place, et tous ressortirent du gîte. Il fermait la marche et était sur le point d'entrer dans la maison quand il entendit des pas s'approcher. Il fit quelques mètres, puis s'immobilisa. Je deviens vraiment fou cette fois, se dit-il avant de perdre connaissance. Lise, qui s'impatientait dans la voiture, était sortie malgré les consignes de sa fille. Elle avait frappé à sa porte sans succès et, attirée par le bruit et la lumière, elle s'était dirigée ensuite vers le clos des Reinettes, où la première personne qu'elle vit fut Matthieu. Elle courut vers lui à temps pour lui épargner une chute sur le sol glacé.

7

Samedi 12 février 2011

Natalia attendait Sarah et Julie dans un café au pied de l'immeuble de sa fille. Les événements du dernier week-end lui avaient été rapportés et elle en était toute retournée. Elle avait peine à croire que Virginie ait pu commettre une pareille chose et voulait lui donner l'occasion de s'expliquer. Natalia avait arrangé ce rendez-vous sans trop s'étendre sur les détails, et Virginie avait accepté.

Elle les vit qui arrivaient et leur fit signe de la main. Une fois les commandes passées, elle les informa du scénario qu'elle avait imaginé.

— J'ai dit à Virginie que vous souhaitiez la rencontrer pour clarifier ce qui s'était passé l'année dernière, Sarah. J'ai expliqué que vous aviez des soupçons la concernant, que vous pensiez qu'elle était l'auteur des lettres anonymes distribuées aux alentours ainsi que du mail envoyé aux Gîtes du Pays. Elle sait que nous sommes amies et elle m'a accordé ce rendez-vous en reconnaissant ses torts et en m'assurant qu'elle était prête à vous présenter des excuses.

— Ce sera toujours ça de pris, remarquez !

— Je ne lui ai pas parlé de vous, Julie. Très franchement, j'espère que vous vous trompez et que nous allons lever un énorme malentendu…

— Je ne demande qu'à comprendre, vous le savez. Je vous

350

remercie de tout ce que vous avez fait pour m'y aider ; rien ne vous y obligeait.

En traversant la rue, Julie espérait que la vérité qui sortirait de cette entrevue irait dans le sens des explications fournies par Matthieu.

Elle avait laissé Lise chez lui depuis le dimanche passé et elle savait par Sarah qu'ils filaient le parfait bonheur et commençaient à rattraper le temps perdu. Matthieu n'avait pas encore appris qu'elle était sa fille ; elle avait demandé à sa mère de réserver cette information une fois tout doute écarté sur cette histoire de manuscrit.

Virginie leur ouvrit la porte en souriant. Elle ne s'intéressa pas à Julie et ne posa aucune question. Benjamin était sorti courir, et elles étaient seules dans l'appartement. Natalia lui révéla rapidement le véritable motif de leur visite.

— Il s'agit certainement d'un énorme quiproquo, Virginie, mais Julie, qui est ici, est persuadée que tu as plagié les pages que sa mère avait écrites il y a de cela plusieurs dizaines d'années…

— Comment cela ?

— Elle dit que tu n'as pas écrit une ligne de ton livre.

Elle regarda Julie avec un dédain affiché.

— Vous êtes complètement folle ? Qu'est-ce que c'est que cette histoire ?

Elle s'adressa à sa mère en ricanant.

— Et toi, tu la crois ? Bonjour la confiance !

— As-tu conservé tes notes ? Peux-tu nous apporter une preuve tangible que tu as bien écrit ce livre ?

— Je n'ai rien à prouver à qui que ce soit ! Sur quelles preuves vous appuyez-vous vous-même pour lancer de si graves accusations ?

— Ma mère a reconnu ses notes. Intégralement. Et vous avez eu l'occasion de mettre la main dessus puisque vous vous êtes rendue dans la maison où elle avait habité à l'époque.

— Je suis désolée de vous dire cela, mais votre pauvre mère perd la tête. Elle vous a raconté n'importe quoi…

Benjamin apparut à ce moment dans la pièce. Il tenait un objet rouge dans la main et regardait Virginie.

— Tu n'es pas parti courir, toi ?

— Je suis revenu. J'ai entendu votre conversation.

Virginie fixait, horrifiée, ce qu'il tenait entre les mains. Froidement, il s'adressa à elle :

— J'ai trouvé cela l'autre jour en rangeant quelques affaires. C'est bien le manuscrit de ton livre, mais je ne reconnais absolument pas ton écriture…

Elle le fixait, muette, sans ciller. Il affronta les éclairs qui jaillissaient de ses yeux, puis se tourna vers Julie et lui tendit le carnet.

— Ceci vous revient. Je suis désolé… Vraiment… Qu'allez-vous faire maintenant ?

Julie prit l'objet et, visiblement émue, tourna quelques pages.

— La décision appartient à maman.

Elle referma le carnet et s'adressa à Sarah en souriant :

— Tout ce qui importait pour elle était de blanchir Matthieu et de lui remettre cet objet…

Elle ajouta à l'intention de Virginie :

— Pour le reste, je pense qu'elle prendra contact avec vous.

Cette dernière phrase fit comprendre à Virginie la situation dans laquelle elle se trouvait. Ses ongles s'enfoncèrent dans la chair de ses paumes, et elle serra tellement les mâchoires qu'elle en eut mal aux tympans.

— Virginie ?

Benjamin s'approcha d'elle et lui demanda de faire preuve d'un minimum de correction en présentant ses excuses. Elle l'ignora, tourna les talons et sortit en claquant la porte.

Elle ne parla pas pendant trois jours. Un soir, Benjamin revint avec une lettre au dos de laquelle Lise avait noté son nom et son adresse. Il la lui mit sous les yeux, mais elle s'en détourna. Il décacheta l'enveloppe et lut à voix haute ce qu'elle renfermait :

Madame,

Ma fille m'a remis le carnet que vous aviez pris dans mon ancienne maison. Il est désormais entre les mains de l'unique personne à laquelle il était destiné. Vous vous doutez bien qu'il m'a été assez inconfortable de savoir que le journal intime de mes vingt ans avait été lu par des milliers de personnes, mais ce qui est fait est fait, et nous ne pouvons pas changer le cours des choses.

Je ne dénoncerai pas vos actes. Il vous appartient de lever le voile sur cette histoire avant qu'elle ne vous échappe. Je ne vous demanderai pas d'argent non plus, mais je sais que vous aurez au moins le tact d'être plus discrète à l'avenir.

Je n'aimerais pas porter le fardeau qui est le vôtre et je vous souhaite de vous réconcilier avec vous-même.

Lise Petit

Il relut la lettre pour lui seul cette fois. Il était abasourdi.

— Cette femme est trop bonne...

Virginie n'avait pas bougé. Elle lui tournait le dos, les bras croisés, face à la rue.

— Qu'est-ce qui t'a pris de balancer le carnet ? lui cracha-t-elle en se retournant subitement.

— C'est une plaisanterie, j'espère ?

— Je ne vois pas ce qu'il pourrait y avoir de drôle ! Tu détruis ma vie sans me prévenir ! De quel droit ?...

— Tu m'inquiètes, Virginie. Beaucoup... J'ai découvert ton secret il y a un peu plus d'une semaine... Je t'ai tendu une dizaine de perches et tu n'en as attrapé aucune... Je voulais tellement apprendre la vérité de ta bouche, te laisser une chance de m'expliquer... Mais, malheureusement, il n'y avait rien à comprendre... Te rends-tu seulement compte de ce que tu as fait ? C'est un acte terrible, immoral... Voler le journal intime de quelqu'un, l'exposer aux yeux de tous en faisant croire que tu en es l'auteur !

— C'est mon problème ; tu n'avais pas à t'en mêler !

— Non ! C'est notre problème ! Tu m'as embarqué dans ton délire sans me donner les règles du jeu ! J'ai été complice malgré moi ! Tu m'as menti, à moi, ton propre mari ! Tu m'as infligé le même traitement qu'à tous ces lecteurs anonymes que tu as trompés sans scrupules !

— C'est bon, t'as fini ?

— Je te laisse trois mois pour avouer ton crime. C'est long, mais au moins tu ne pourras pas dire que je t'ai prise de court.

— C'est un ultimatum ?

Il réfléchit quelques secondes, puis il lui répondit :

— C'en est un, oui.

Elle soutenait son regard et y découvrait pour la première fois de la colère.

— Je n'y ai pas cru au début… En fait, je ne voulais pas y croire. L'évidence avait beau me sauter aux yeux, je me suis aveuglé pendant deux jours en essayant de me convaincre qu'il y avait forcément une raison qui expliquerait tout… Je ne comprends pas… C'était tellement incroyable, ce qui t'arrivait, ce qui nous arrivait... Tu étais tellement heureuse…

Il prit son manteau et se dirigea vers la porte. Avant de partir, il ajouta une dernière chose :

— Cette femme te donne le choix de décider. C'est d'une grande bonté et une chance incroyable… Ne la gâche pas…

Juste à cet instant, le téléphone de Virginie se mit à sonner : son agent. Elle attendit que Benjamin soit sorti, puis elle décrocha.

— Eh ! Virginie ! Comment vas-tu ?

— Bien. Que veux-tu ?

— Je t'appelle pour les rendez-vous de la semaine prochaine !

— …

— Tu m'entends ?

— Oui, oui. Mais, pour la semaine prochaine, ce ne sera pas possible.

— Qu'est-ce que tu me chantes là ?

— Je te dis que la semaine prochaine, je ne suis pas libre.

— C'est pas possible ! Tu ne peux pas annuler trois rendez-vous comme ça ! Nous avions calé les jours ensemble, je te rappelle !

— T'es sourd ou quoi ? Je ne pourrai pas !

Elle raccrocha pour ne pas aller plus loin.

Il rappela immédiatement, mais elle ignora la sonnerie. Qu'on lui fiche la paix maintenant. C'est tout ce qu'elle demandait.

Les semaines passèrent. Elle ne sortait plus, ne répondait plus au téléphone, faisait la morte. Son agent la menaçait de la lâcher si elle ne se ressaisissait pas, mais elle était paralysée, enferrée dans une rage contre l'univers tout entier. Elle se martelait sa stupidité de ne pas s'être débarrassée de ce fichu carnet, fulminait contre Benjamin, ce traître, contre Julie, cette garce par qui tout était arrivé.

Passé le choc, Natalia avait essayé de discuter avec sa fille. Comme Virginie ne répondait plus au téléphone, sa mère s'était rendue chez elle. La porte n'était pas fermée à clé et elle était entrée. Elle avait à peine mis le pied à l'intérieur que Virginie lui était tombée dessus.

— Qu'est-ce que tu fais là ? Si je ne t'ouvre pas la porte quand tu sonnes, ça veut dire n'entre pas ! Ça me paraît assez logique, non ?

— Ma fille...

— Ne m'adresse pas la parole !

Elle s'était mise à rire nerveusement.

— La reine est venue contempler la déchéance de sa fille, se délecter de sa situation misérable ! Tu vas me faire la morale, toi aussi ? Tu sais ce que c'est, ton problème ? Le même que celui de Benjamin ! Vous n'avez pas supporté que je prenne ma part du gâteau ; vous en creviez de jalousie !

— Je suis venue te dire que tu pouvais compter sur moi... Le moment venu, je te soutiendrai, j'expliquerai ce qui s'est passé, je dirai que tu regrettes...

— Je ne regrette absolument rien.

— Tu ne penses pas ce que tu dis.

— Va-t'en, maintenant.

Benjamin ne lui adressait plus la parole. Plus qu'une semaine, et l'échéance des trois mois serait écoulée. Elle ne voulait pas qu'il s'en aille. Malgré sa trahison, elle avait besoin de lui. Elle avait écrit plusieurs lettres dans lesquelles elle reconnaissait ce qu'elle avait fait, de longues explications ou de simples notes sibyllines... Rien n'y faisait, elle ne se résignait pas à aller jusqu'au bout. Elle les lui avait toutes fait lire, en gage de la bonne foi à laquelle elle voulait lui faire croire. Sa réaction avait été la même chaque fois :

— Très bien.

Puis il les glissait dans une enveloppe timbrée, écrivait même l'adresse, celle de son agent, de sa maison d'édition, d'une rédaction... Toutes ces lettres prenaient la poussière sur le petit meuble de l'entrée.

8

Samedi 21 mai 2011
Paris XIXe arrondissement

Léa et Sarah fêtaient trois anniversaires : les leurs (les deux sœurs étaient nées à trois ans et trois jours d'intervalle), ainsi que la première année du gîte. Pour l'occasion, elles s'offraient un moment de pure détente dans leur hammam préféré, rue des Solitaires dans le XIXe arrondissement, près de la place des Fêtes. Enveloppées dans de moelleuses serviettes et enturbannées, elles se prélassaient dans la salle de repos, après être restées deux heures dans les brumes parfumées du hammam, et elles attendaient leurs massages en sirotant du thé à la menthe.

— Je n'en reviens toujours pas que Lise n'ait pas fait savoir que le livre de Virginie était une imposture ! lança Léa.

— Elle l'a dit à Natalia et à son mari.

— Quand même, elle s'en sort bien...

— Lise dit qu'elle est suffisamment punie comme ça. Elle a perdu l'estime de Benjamin. Il a d'ailleurs annulé le projet d'adaptation à l'écran et je crois même qu'ils sont au bord du divorce... Quant à la confiance de sa mère, elle s'est envolée pour un moment... La coupe est bien pleine...

— Et Natalia ? Tu as des nouvelles ?

— Je l'ai eue la semaine dernière. Elle est en train de découvrir la face cachée de sa famille. J'ai l'impression qu'elle commence déjà à s'attacher.

— Ah ! La famille !

— N'est-ce pas ?

Léa regarda sa sœur, hésitant à aborder le sujet sensible du moment.

— J'ai cru comprendre que Daniel avait trouvé un appartement ?

Sarah ne répondit pas tout de suite. Elle savait que Léa avait la rancune tenace. Sarah n'avait certes pas pardonné à Daniel, mais elle sentait qu'elle commençait à lutter contre la tentation de répondre à ses tentatives de reconquête. Elle maintenait sa garde, mais le charme opérait quelquefois, au grand désespoir de sa sœur qui la voyait déjà replonger. Son couple ne renaîtrait pas de ses cendres, elle le savait bien, mais elle ne parvenait pas à enterrer leurs quinze années de vie commune. Entretenir l'ambiguïté avec Daniel maintenait en vie l'espoir que tout ce qu'ils avaient partagé et construit n'avait pas été fait en vain, qu'ils pourraient continuer à s'appuyer tout au long de leur vie sur les fondations de leur famille…

Elle répondit en évitant de se livrer.

— Le bail n'est pas signé, mais il est tombé sur une petite merveille. Ce n'est pas très grand, mais la plage du Havre est à cinq cents mètres et il sera à quelques minutes de son nouveau travail. Heureusement que l'hôpital l'a dispensé des années qu'il devait après sa formation. En dédommagement du préjudice, lui ont-ils dit… Par contre…

— Quoi ?

— Son appartement est à deux rues de celui de Jeff.

— Ah !

Voilà qui lui plaisait mieux. Un homme dont la sincérité de l'attachement à l'égard de Sarah ne laissait aucun doute. Si seulement sa sœur voulait bien ouvrir les yeux et lâcher un peu prise…

— Et tu en es où avec lui ?

— Nous sommes allés à la piscine la semaine dernière…

— C'est donc ça, ce petit maillot très chic !

— Avec les enfants ! Ne t'emballe pas…

Léa regarda sa sœur pour essayer de lire dans ses yeux, mais elle avait fait des progrès. Elle semblait vouloir garder pour elle quelques petites choses, désormais. Son visage demeurait impassible. Elle tenta autre chose.

— Tu l'as dit à Daniel ?

— Quoi donc ?

— Que vous vous étiez embrassés !

— Une seule fois, il y a quatre mois ! À quoi bon ?

— C'est vrai… Après tout… Surtout si tu veux recoller les morceaux avec Daniel…

— Tu vas arrêter avec ça ?… Il n'est pas question de recommencer quoi que ce soit… On n'est pas obligés de se regarder en chiens de faïence, c'est tout !

Elle se sentait perdue… Jeff, Daniel, Jeff… Le plus simple était encore de rester célibataire pour le moment.

Léa n'insista plus. Elle se leva, alla remplir leurs verres et revint en levant le sien.

— Bon, trêve de bavardages ! À tes trente-neuf ans, ma Sarah !

— À tes quarante-deux ! Et à cette année bien remplie qui s'achève !

— Et à toutes les surprises que nous réservent les suivantes !

9

Le Havre

Matthieu ne se résignait pas à desserrer son étreinte. La tête posée sur celle de Lise, il se cramponnait à elle.

— Il faut que j'y aille, le train va partir dans cinq minutes...
— Je sais bien... Juste quelques secondes encore...
— Je serai de retour demain soir.
— C'est quand même trop long.

Depuis le mois de février, ils ne s'étaient pas quittés. Chaque jour était précieux, et ils n'avaient pas laissé s'envoler la moindre miette de leurs retrouvailles. Lise lui avait posé mille questions, voulait tout connaître de sa vie et ne lui laissait aucun répit. Parle-moi de ta boulangerie, raconte encore cette épopée du tour de France, pourquoi as-tu choisi Saint-Étienne pour t'installer, et comment as-tu fait avec ton métier pour t'occuper de ton fils lorsque ta femme est partie, alliez-vous en vacances, où ça, tu parles vraiment anglais, comment as-tu appris ?...

Il s'était plié de bonne grâce à ce foisonnement de questions, puis avait pris son tour.

Il avait moins de trous à combler. Il avait encore en mémoire les nombreux rêves dans lesquels Lise lui avait parlé. Assez rapidement, il avait compris que les longues périodes pendant lesquelles il n'en avait pas eu étaient celles des années sombres, celles de la maladie ou des deuils. Il ne la bousculait pas et attendait qu'elle s'en ouvre à lui, au moment qu'elle jugerait opportun. Ses questions avaient donc plutôt trait à la malchance dont ils avaient joué pour se retrouver :

— Pourquoi n'as-tu pas rappelé lorsque j'ai laissé des messages à ton agent ?

— Comment cela ? Quand était-ce ?

— Quelques semaines avant que je n'aille te voir à l'hôpital, en décembre 2004, un peu avant Noël…

— Je n'ai jamais eu connaissance de ces appels… Je t'assure. J'étais mal en point à cette époque, mais je m'en serais souvenue, tu penses bien…

« Voie 2, le train à destination de Paris va partir, éloignez-vous de la bordure des quais. »

Il prit sur lui et la lâcha à contrecœur après l'avoir embrassée une dernière fois. Elle se rendait à Paris pour le vernissage de ses dernières toiles. Il la regarda monter dans le train, se retenant de la suivre ; il s'était engagé de longue date auprès de Sarah pour accueillir ses hôtes du week-end pendant son absence. Sa chère voisine fêtait son anniversaire avec sa sœur et attendait cette pause depuis plusieurs semaines.

Alors qu'elle gravissait les marches de la voiture, elle lui lança d'un air malicieux :

— Je t'ai laissé quelque chose là où tu sais…

Il la regarda pour en savoir plus, mais elle s'engouffra dans le train sans rien ajouter. Il regagna sa voiture et roula une demi-heure jusqu'au Tilleul. Sur la route, il se remémora les quelques mois qui venaient de s'écouler. Quatre mois qu'ils partageaient tous les deux un quotidien rempli d'amour et de complicité. Lise s'était installée chez lui d'une façon qui leur semblait à tous deux aller de soi. Ce qui n'avait été au début qu'un intense week-end de retrouvailles s'était prolongé en semaines, puis en mois, et le printemps avait filé à toute allure. Quelques semaines plus tôt, elle avait fait déménager des petits meubles et divers objets de son appartement parisien, lequel était d'ailleurs à vendre depuis un mois. Ils avaient repris leur vie un peu là où ils l'avaient laissée. Ils partaient marcher de longues heures au gré de la curiosité de

Lise ; lui s'affairait tantôt au jardin, tantôt aux fourneaux, et elle avait ressorti ses pinceaux pour le plus grand plaisir du plus fervent de ses admirateurs. Elle passait la plupart des matinées derrière son chevalet.

— Et lorsque nous n'aurons plus de questions sur le passé ? avait-elle soulevé un jour, son pinceau à la main, le surprenant en plein bêchage.

— C'est que nous serons alors tout à fait prêts à nous consacrer au présent et à l'avenir, avait-il répondu.

Un seul sujet les avait mis dos à dos, celui du « livre » de Virginie Ficher.

— C'est du vol, ma Lise, à plusieurs niveaux ! Elle m'a volé le cahier que tu m'avais laissé...

— Elle te l'a rendu.

— Elle a volé notre histoire, elle a volé notre intimité, elle s'est emparée de la rançon de la gloire dans ton dos, elle a usurpé ton identité ! C'est d'une malhonnêteté innommable !

— Qu'aurais-tu voulu que je fasse ?

— Que tu la dénonces ! Que tu l'amènes à reconnaître publiquement ses actes !

— Et à quoi cela m'aurait-il avancée ?

— Eh bien... Déjà, tu aurais récupéré les droits d'auteur qui te reviennent !

— Avons-nous besoin d'argent ?

— Ce n'est pas une raison.

— Pour moi, c'en est une.

— Et puis, ce serait faire justice, que de rétablir la vérité !

— La justice a opéré, Matthieu. Cette Virginie est brisée, suffisamment humiliée comme cela auprès de son mari et de sa mère. Elle a perdu la seule chose qui importait pour elle : le succès. As-tu vu ou lu une seule interview d'elle depuis le mois de février ? Elle s'astreint à une discrétion qui doit beaucoup lui coûter... À quoi cela servirait-il de la tourner en ridicule devant la France entière ? J'aurais une bien piètre opinion de moi-même si j'étais ce genre de personne.

— Elle aurait pourtant mérité une bonne leçon...

— Il n'était pas dans ses intentions de nuire à qui que ce

soit au départ, je te rappelle. Elle a pris, sans malveillance particulière, un objet qui lui semblait ne plus appartenir à personne. Son seul tort est d'avoir utilisé mes notes pour satisfaire un besoin de reconnaissance étouffant.

— Tu oublies ce qu'elle a fait à Sarah ! Ces infâmes lettres de corbeau qui ont circulé partout pendant plusieurs semaines !

— C'est une autre histoire, qui n'a rien à voir avec nous... Et puis, il y a Natalia au milieu de tout cela. Même si elle en veut beaucoup à sa fille, je suis convaincue qu'elle serait profondément atteinte si Virginie subissait un nouveau revers...

— De toute façon, tu ne changeras pas d'avis, n'est-ce pas ?

— En effet.

— Voilà. C'est bien ce que je disais.

— Et dire que nous devons nos retrouvailles à cette usurpatrice ! avait-elle dit pour tenter de lui rendre le sourire.

Mais il persistait à ne pas comprendre sa clémence.

En arrivant chez lui, il alla directement dans le salon. Ils n'avaient pas attendu longtemps avant de renouer avec leur petit jeu d'antan, comme un clin d'œil à l'histoire qui les avait amenés à se retrouver. Il avait donc creusé le mur mitoyen de la cheminée et l'avait aménagé de manière à ce qu'il puisse accueillir leurs mots doux. Il plongea la main et sentit une fine enveloppe sous ses doigts. Il la décacheta sans attendre.

« Tendresse », « complicité », « sérénité », « plénitude », « joie », « bonheur »...
J'ai beau tourner les pages de ton vieux dictionnaire, aucun mot ne me semble à la hauteur de l'intensité croissante des sentiments qui me traversent depuis quatre mois.
Gabriel, mon ange,
Veux-tu être mon mari ?

Il sourit face à cette demande. Elle le prenait de court comme d'habitude et il la reconnaissait bien, là. Il garda l'enveloppe avec lui et alla s'asseoir dans son fauteuil préféré près de l'âtre.

Il y resta quelques minutes, puis se releva et griffonna sur un papier le menu qu'il venait d'imaginer et qu'il allait lui concocter pour le soir de son retour.

Ode à la mer : queues de langoustines aux agrumes.
Une promenade dans les bois : cailles aux truffes et
aux mousserons.
Idylle chocolatée : parfait aux trois chocolats et coulis
de fraises.

Il regarda sa montre. Il avait quelques heures avant l'arrivée des voyageurs alsaciens. C'était beaucoup plus que ce dont il avait besoin pour remplir son frigo des ingrédients nécessaires.

10

Dimanche 22 mai 2011 – Le Havre

Il était arrivé près d'une heure en avance à la gare. Il faisait les cent pas le long du quai quand enfin le train arriva. Lise devait elle-même avoir lutté contre son impatience et s'être postée tout près des portes puisqu'elle descendit parmi les tout premiers voyageurs. Il alla à sa rencontre, lui prit son bagage et l'enlaça un long moment avant de lui demander comment s'était passé son bref séjour.

— Très bien. Nous avons eu beaucoup de monde. Julie t'embrasse, au fait. Elle est restée presque tout l'après-midi.

— Tu dois lui manquer depuis que je t'accapare.

— Elle s'y fait !… Mais c'est un peu vrai !

Sur le trajet, elle lui décrivit les vingt-quatre dernières heures dans les moindres détails, avec ce souci de la précision qui l'étonnait chaque fois.

— Ensuite, nous avons dîné dans un restaurant indien. Tu aurais dû voir le décor ! Extravagant, mais absolument pas clinquant. Des banquettes en cuir confortables avec des accoudoirs. Les serveurs étaient d'une gentillesse absolue. Ils nous ont guidées parmi les plats, et l'un d'entre eux a même pris le temps de venir discuter avec nous à la fin du repas. Il nous a raconté que… Mais, au fait, tu as trouvé mon petit mot ?

— Quel petit mot ?

— Derrière la pierre ?

Il joua un peu avec le silence, puis lâcha un anodin :

— Ah ! celui-là ? Oui, je l'ai bien trouvé.

— …

— Je t'ai laissé ma réponse au même endroit.

Il arrivait chez lui – chez eux désormais. Il avait beau ne pas quitter la route des yeux, il sentait son regard posé sur lui avec insistance.

Il prit tout son temps pour se garer. Fit lentement le tour de la voiture pour lui ouvrir la portière, mais elle avait déjà bondi hors du véhicule et l'attendait sur le seuil de la porte.

— Je n'ai pas mes clés !

— Je prends ta valise dans le coffre, j'arrive.

— Matthieu !

Elle se précipita vers la cheminée et en sortit un simple carton. *Dîner au jardin.*

Elle se retourna, mais il n'était pas dans la pièce. Elle passa dans la cuisine, où elle découvrit par la porte-fenêtre le guéridon nappé et les candélabres installés dans le jardin. Matthieu débouchait une bouteille de champagne. Il lui fit signe de s'approcher, tira une chaise, la laissa s'asseoir, puis lui tendit une flûte.

— Le menu, madame, lui dit-il en désignant le carton ivoire qu'il avait posé près de son assiette.

Il la regarda parcourir les quelques lignes et remarqua ses joues qui rosissaient. Elle se releva et leva son verre vers le sien. Ils firent tinter leurs flûtes. Matthieu se penchait vers elle pour l'embrasser quand elle poussa un petit cri.

— Que t'arrive-t-il ?

Elle posa son verre et s'accroupit.

— Regarde !

Minouche s'était glissée sous la table et chatouillait les mollets de Lise. Quand elle la caressa, elle sentit son ventre.

— Je crois que nous allons avoir un peu plus de compagnie dans quelque temps !

Comme pour répondre à cette dernière phrase, la chatte miaula avant de retourner dans la cuisine, laissant les amoureux à l'intimité de leur dîner.

II

Lundi 23 mai 2011
Paris XVᵉ arrondissement

Il l'avait fait. Un mois plus tard, mais il l'avait fait. Il était parti. Pour de bon, cette fois.

Elle était allée jusqu'à s'abaisser à le supplier de rester, de lui octroyer un dernier délai, mais il n'avait rien voulu entendre. Elle était seule.

Mais elle n'était plus tenue de dévoiler quoi que ce soit…

Plus aucun risque de se faire enterrer par les médias, d'être ensevelie sous la honte et de devoir se cacher à jamais…

Benjamin ne valait pas le sacrifice du déshonneur…

Elle regarda les enveloppes de ses aveux qui traînaient sur le meuble de l'entrée, les roula en boule et les jeta à la poubelle. Elle descendit le sac immédiatement et remonta chez elle, débarrassée et soulagée.

Elle avait été imprudente.

Son silence et sa discrétion des derniers mois en avaient intrigué plus d'un. Ce soir-là, comme trois fois par semaine, le contenu de sa poubelle serait inspecté par des esprits tordus avides de révélations…

L'Hôtel des Cœurs
en miettes

Deborah Moggach

Acteur désormais à la retraite, Russell décide de quitter sa trop trépidante vie londonienne. Il vient en effet d'hériter d'un vieux bed & breakfast perdu en plein milieu de la campagne, un petit hôtel qui a connu des jours meilleurs et où tout est à refaire. Et Russell réalise vite qu'il doit absolument remplir les chambres, et vite ! Arrive alors une galerie de personnages hétéroclites : Harold, dont la femme s'est enfuie avec une femme plus jeune ; Amy, qui vient d'être abandonnée et Andy, le facteur hypocondriaque... Sous le regard attentif de Russell, tout ce petit monde un peu dépassé par la vie apprend à vivre ensemble, à pleurer, à rire et à aimer. Et c'est peut-être l'occasion pour ces cœurs en miettes de prendre un nouveau départ...

**A tout moment, la vie peut encore
apporter de nouveaux bonheurs...**

ISBN : 978-2-8246-0602-6

www.city-editions.com